El alma del mundo

Esta obra ha sido finalista del **Premio Primavera 2011**,
convocado por Espasa y Ámbito Cultural
y concedido por el siguiente jurado:

Ana María Matute
Ángel Basanta
Antonio Soler
Ramón Pernas
Ana Rosa Semprún

El alma del mundo

Alejandro Palomas

ESPASA

ESPASA NARRATIVA

Diseño de cubierta: más!gráfica
Imagen de cubierta: 123RF/Natalia Yeumenenka

Depósito legal: M. 10.545-2011
ISBN: 978-84-670-3619-0

Impreso en España/Printed in Spain
Impresión: Rotapapel, S. L.

Espasa Libros, S. L. U.
Paseo de Recoletos, 4
28001 Madrid
www.espasa.com

El papel utilizado para la impresión de este libro es cien por cien libre de cloro y está calificado como **papel ecológico**

A Verónica y a Quique,
los primeros en llegar.

A los perdidos.
También a los que perdieron.

La realidad sabe mucho mejor,
incluso desde el punto de vista simbólico,
cómo, cuándo y dónde colocar las cosas.

FRIGYES KARINTHY,
Viaje en torno de mi cráneo.

Libro primero

I

BUENAVISTA

Uno

Llegaron los dos el mismo día, casi a la misma hora. Primero ella. El taxi la dejó delante de la escalera de piedra que llevaba al vestíbulo y, cuando el taxista rodeó el coche para ayudarla a bajar, Clea subía ya los escalones con paso lento, apoyándose en la baranda con una mano y tirando de una perrita blanca con manchas negras y marrones mientras resoplaba entre dientes. El equipaje —tres maletas y un baúl— había llegado dos días antes, y las chicas del departamento de admisiones lo habían colocado todo tal y como ella había dejado especificado en la documentación adjunta. En cuanto se acercó al mostrador de recepción, Rocío apareció como una invocación por la puerta que comunicaba el vestíbulo con su despacho y salió sonriente a su encuentro. Clea le ofreció cinco dedos huesudos que se interpusieron entre las dos como una zarpa de hormigón y la perra ladró, enseñando unos dientes diminutos. Rocío ni siquiera parpadeó. Clea cerró entonces su mano flaca sobre la de ella.

—Cállate, demonia —regañó a la perra, empujándola suavemente con el pie. La perra se sentó y sacó la lengua, ladeando la cabeza y parpadeando como una actriz enana. Clea se volvió entonces hacia el mostrador de recepción y clavó los ojos en Ilona—. Tú eres Ilona —dijo. No lo preguntó. No fue uno de esos «tú debes de ser» de cortesía, sino una declaración de muchas cosas que en ese momento Ilona ni siquiera sospechó y en cuyas tres palabras ahora, con la perspectiva que da el paso del tiempo, ha sabido leer lo que habría de llegar. Lo que ha llegado ya.

Clea siguió mirándola a los ojos durante unos segundos. Luego también ella sonrió, y lo que hasta entonces había sido un rostro menudo, organizado en ángulos y vértices, se difuminó en un haz de luz que Ilona recibió mal por inesperado.

—Tú eres Ilona —repitió con voz más suave, como hablando consigo misma, soltando la mano de Rocío y ofreciéndosela con gesto firme a la mujer de pelo negro, piel blanca y ojos azules que tenía delante. Durante una décima de segundo Ilona vaciló. Clea lo notó y chasqueó la lengua—. A ver esas manos, jovencita —soltó con voz de abuela. Ilona se las mostró sin tan siquiera pararse a pensar. Clea se inclinó sobre ellas y las estudió atentamente durante unos segundos sin tocarlas. Luego volvió a chasquear la lengua—. Mmmm. Vaya, vaya —masculló—. Así que hemos sufrido un poco, ¿eh? —preguntó con una risilla.

Ilona siguió con las manos expuestas, incómoda. Cuando vio que Clea le acercaba las suyas, las encogió automáticamente. Clea arqueó una ceja y se rio entre dientes.

—Soy vieja, hija, pero no contagio —dijo con una mueca de fastidio. Luego se volvió hacia Rocío y escupió una carcajada rasposa—. Y tengo pis —añadió, dedicando un guiño a Ilona y dejando escapar un pequeño suspiro que reverberó en el silencio del vestíbulo como una piedra contra el fango de un charco.

Rocío no se inmutó. Instantes más tarde se alejaba con Clea por el pasillo de la planta baja en dirección a las suites pares. Las del ala este.

Dos

Él, Otto, ingresó un poco más tarde, cuando el olor a hierba mojada entraba a raudales por las ventanas abiertas del vestíbulo, llenándolo todo. En recepción le oyeron llegar antes de poder verle. Su risa revoloteó, contagiosa, desde el jardín delantero, mezclada con la de un hombre más joven que comentaba algo con voz ronca de fumador. Luego apareció por la puerta con su pelo blanco, el pañuelo al cuello, los pantalones de corte perfecto y el bastón con mango de madera oscura. Se acercó despacio al mostrador, carraspeó y sonrió.

—Buenas tardes, señoritas —dijo, carraspeando de nuevo—. Perdonen que las moleste. —Dejó el bastón encima del mostrador y se llevó la mano a la barbilla—. ¿Serían tan amables de informarme desde qué vía sale el tren que va al purgatorio y si está en hora?

Teresa, la chica de recepción, e Ilona se miraron sin saber qué decir. Otto Stephens parpadeó, dejó escapar un jadeo fingidamente dramático y negó con la cabeza.

—Lo sabía —dijo con pesar, bajando los ojos—. Siempre me pasa lo mismo.

Se hizo un silencio incómodo entre los tres, apenas un par de segundos que él mismo se encargó de romper levantando la cabeza y sorprendiéndolas con una amplia sonrisa y un guiño no disimulado.

—En fin, al parecer, y si a ustedes no les importa, tendré que instalarme aquí un tiempo hasta que salga el próximo —declamó, mirando a las dos mujeres que no le quitaban ojo desde el otro lado del mostrador. Luego les lanzó un nuevo guiño—. Serán solo unos meses, poca cosa —dijo, agitando la mano en el aire.

Teresa sonrió, todavía un poco aturdida. A su lado, Ilona no podía apartar los ojos de los de Otto, unos ojos grises, casi amarillos, llenos de pequeñas motas verdes. Él le devolvió la mirada.

—Es que no sé si sabe usted que la lista de espera para entrar al purgatorio es larguísima —dijo, ladeando la cabeza y alargando una mano hacia un infinito imaginario—. Casi tanto como las que tienen los asilos aquí, en la tierra. Y cuando pierdes la plaza, zas, vuelta a empezar. Otra vez el papeleo, los formularios, entrevistas personales... en fin, qué le voy a contar que usted no sepa, querida señorita...

Rocío volvió a aparecer en ese momento.

—¡Señor Stephens! —se la oyó gritar desde el fondo del pasillo—. No le esperábamos hasta dentro de una hora.

Otto Stephens se despidió de Ilona con un nuevo guiño, cogió el bastón de encima del mostrador y se volvió de espaldas con una agilidad cuanto menos inesperada. Enseguida llegó Rocío y con ella llegaron también los saludos, la bienvenida, el intercambio de los «por aquí, señor Stephens», «conozco el camino, gracias, Rocío», «le acompaño de todos modos», «si insiste...», «por supuesto que insisto, faltaría más».

—Otto Stephens y Clea Ross —dijo Teresa en voz baja mientras les veía alejarse despacio por el pasillo hacia la suite número 19 del ala oeste—. Desde luego, hay nombres que parecen elegidos para hacer grandes cosas.

TRES

Clea y Otto, habitaciones 6 y 19, ala este y ala oeste, dos plantas bajas con acceso directo al jardín, con sus flamboyanes, palmeras, hibiscos y mares de madreselva. Vistas al mar y a la playa privada que casi ningún cliente utiliza porque la escalera labrada en la roca que baja hasta la arena resbala cuando la salpica la espuma y los escalones se convierten en afiladas hojas de cuchillo. Láminas de hielo saladas. Demasiado peligrosas.

En esa tarde de finales de junio, el de Otto y el de Clea fueron un ingreso blanco, o lo que es lo mismo, un ingreso fácil. Ambos llegaron solos y por su propio pie. «Ingreso voluntario, negociado y solicitado por los propios interesados en plena posesión de sus facultades físicas y mentales», rezaba la etiqueta adhesiva que encabezaba en rojo sus fichas de admisión.

Aunque «ingresar» quizá no sea la palabra adecuada. No, en Buenavista no lo es porque no está permitida. Ni «ingresar» ni «pacientes». Quienes habitan las suites del centro son «residentes», «huéspedes» o «clientes». Tampoco hay uniformes. Los empleados visten ropa de calle y se tratan de tú, independientemente de su edad, antigüedad y categoría.

Son, según estipula el punto número seis del libro de estilo del centro, «una familia». Otros puntos del manual incluyen cosas tan manidas como la solidaridad con el cansancio y con el esfuerzo de los compañeros, el respeto y la comprensión ante la voluntad del cliente —sea esta la que sea—, y otras consideraciones que a veces resultan de una lógica casi infantil y que en ocasiones sorprenden por civilizadas. Por humanamente civilizadas.

—Lo mejor de una familia, eso es lo que somos y también lo que ofrecemos —habían sido las palabras exactas de Rocío en su papel de directora cuando quiso resumir la idiosincrasia del centro el día que Ilona tuvo con ella la segunda entrevista personal, poco antes de la llegada de Clea y de Otto al centro—. Apoyo, confianza y cariño en la medida que el huésped nos los pida —aclaró con una sonrisa benévola y convencida, pasándose un mechón de pelo rubio tras la oreja—. Quien elige venir a Buenavista busca lo que nadie más da, lo que no se encuentra en ningún otro sitio —añadió, ladeando la cabeza—. Aunque eso, si terminas quedándote con nosotros, aprenderás a verlo con la práctica.

Ilona no supo qué decir. Intuyó que, como le había pasado otras veces, seguramente Rocío tenía razón y el tiempo ayudaría. Quizá, más que intuirlo, esperaba que así fuera. Intuyó también que Rocío quería seguir contándole cosas que supuestamente debían interesarle.

No se equivocó. Rocío no había terminado.

—Estarás unas semanas a prueba —anunció, fijando durante un instante la mirada en la ventana—. No muchas. En realidad —añadió con una nueva sonrisa—, aquí trabajamos por obra.

Ilona no la entendió. No lo disimuló.

—En Buenavista es el huésped quien decide si el cuidador o cuidadora que le asignamos vale o no —explicó Rocío. Algo pareció alertarla de que lo que acababa de decir no sonaba del todo bien—. No, no me interpretes mal. Cuando digo «valer» me refiero simplemente a vuestra valía en el trato con ese huésped en particular, no a vuestra capacidad profesional. El baremo lo da el cliente. Es una cuestión de química, por decirlo así. Si el huésped os quiere, si conectáis, nosotros también. Su satisfacción es la nuestra —dijo con un ligero suspiro. Luego cogió un sobre que tenía sobre la mesa, lo abrió y sacó un par de fichas de color naranja tamaño folio que repasó por encima sin demasiado interés—. Aunque supongo que no lo sabes —empezó de nuevo sin levantar los ojos de las fichas—, no es común que uno de vosotros tenga a su cargo a más de un huésped. A veces ocurre, es cierto, aunque no suele ser lo habitual. Normalmente, cada cuidador tiene asignado un solo cliente, no más. —Dejó las fichas sobre la mesa antes de seguir y alzó por fin los ojos—. Pero tu caso es especial.

Las dos mujeres se miraron. Ilona prefirió esperar. Rocío entrelazó las manos sobre la mesa y frunció ligeramente el ceño.

—Nuestros dos nuevos huéspedes te han escogido a ti de la lista de candidatos y candidatas que les hemos ofrecido y, a pesar de que ambos insistían en que te querían en exclusiva, hemos logrado convencerles para que te compartan —anunció, pasándose una vez más por detrás de la oreja un mechón que Ilona no vio—. Y no ha sido fácil, créeme. Los dos tienen personalidades muy... cómo decirlo... peculiares.

—¿Peculiares?

Rocío sonrió.

—Originales, si lo prefieres. —Carraspeó con suavidad y prosiguió—: De modo que hemos acordado, si a ti te parece bien, que te dediques a la señora Ross por las mañanas y al señor Stephens por las tardes. En principio, ellos están de acuerdo. Aunque mentiría si dijera que han dado saltos de alegría, hemos convenido que, como medida temporal, y dado que pueden valerse por sí mismos y que, como sabes, tu labor aquí es exclusivamente la de acompañar —dijo «acompañar» como si lo silabeara, «a-com-pañar»—, nos daremos todos un plazo de prueba y veremos cómo nos adaptamos a un funcionamiento que, te repito, aquí, en Buenavista, no es el habitual. En cualquier caso, la señora Ross ha insistido en que preferiría que te instalaras en el centro durante los días laborables, porque quizá te necesite más horas de las cuatro que constan en tu contrato con ella. No, no en su suite, claro. Tenemos un pequeño edificio anexo al fondo del jardín que en su día se utilizaba como casa de los guardeses y que hemos reconvertido en un pequeño bungaló de cuatro habitaciones. Tendrás todo lo que necesites y, naturalmente, tu sueldo será superior. —Suspiró y cogió distraídamente un bolígrafo de plata que cruzaba una carpeta encima de la mesa—. Sustancialmente superior.

Ilona no supo qué decir. Rocío siguió manoseando el bolígrafo y, al ver que no hablaba, soltó un suspiro y forzó una sonrisa.

—Tanto Clea Ross como Otto Stephens quieren a alguien con tu perfil para que les acompañe unas horas al día durante su estancia en Buenavista. ¿Por qué?, te preguntarás. —Nuevo suspiro. Nueva sonrisa—. Indudablemente ambos tienen sus razones, e indudablemente no creo que deseen compartirlas conmigo ni contigo. La experiencia me dice que es muy difícil, si no imposible, imaginar cuáles son los hilos que mueven las decisiones de nuestros clientes. También me dice que cuando quieren algo, es eso o no es nada. En este caso, los dos quieren a alguien con tu perfil y tú eres la única persona que tengo en cartera. No creo que debamos darle más vueltas.

«Con mi perfil», pensó Ilona. Rocío vio la perplejidad en la mano que Ilona se llevó a la nuca.

—Quizá te ayude saber que a la señora Ross le ha hecho gracia, y mucha, el hecho de que seas nueva en esto. De que, como dices en tu vídeo, te tomes esto como un respiro de tu vida. Le ha parecido... curioso.

Ilona continuaba perpleja.

—No la entiendo, Rocío.

—De tú, Ilona. Trátame de tú.

—Perdón.

—Hizo preguntas —explicó con un gesto poco definido que pareció de disculpa—. Clea, me refiero a Clea. En cuanto le pasé tu ficha y la leyó, quiso saber más.

Ilona sintió en ese momento un pequeño escalofrío en las yemas de los dedos. Se miró las manos y le sorprendió no tener ningún corte a la vista. Ninguna cicatriz.

—Luego, después de ver el vídeo de tu presentación, insistió en que te quería a ti. Le gustó que hablaras tantos idiomas, que no hubieras hecho esto antes y que hayas tenido durante tantos años una relación directa con la música. Y, sobre todo, y aunque te parecerá curioso, le encantó que seas húngara. Después me pidió que le enseñara tu test. —Apartó la mirada y carraspeó—. No lo dudó. «Es esta», dijo. Bueno, en realidad lo que dijo exactamente fue: «Tiene que ser esta».

De pronto a Ilona se le encogió el corazón al acordarse de las quince preguntas incluidas en el anexo final del test y de la sensación de fastidio que no había podido reprimir al contestarlas. Eran preguntas extrañas y le habían olido a trampa. Demasiado personales, tendenciosamente personales. Las había respondido de mala gana, agotada de tanto formulario y convencida a esas alturas de que se había equivocado buscando trabajo en un sitio como aquel. Había dado respuestas como quien juega al ahorcado sabiendo que ha perdido, como una niña suspendida de antemano en un examen de septiembre.

Recordó en ese momento algunas de las preguntas y también algunas de sus respuestas, la mayoría invalidadas por ella misma, tachadas por arrepentimiento; otras en blanco, vacías de información:

Pregunta: ¿Qué actitud o actitudes prefiere evitar en quienes la rodean? ¿Por qué?

Respuesta: ~~En general, intento evitar el dolor, aunque no siempre es fácil. En cualquier caso, prefiero los animales a las personas, sobre todo porque los animales pueden ser feos, torpes o lentos, pero nunca intentan disimularlo. De todas formas, y respondiendo a la pregunta, hago siempre lo posible por alejarme de lo que no entiendo, no tanto con la cabeza sino con la intuición~~.

Pregunta: ¿Se considera usted una persona coherente?

Respuesta:

Pregunta: ¿Tiene usted miedo a la muerte?

Respuesta: No lo sé, aunque creo que me da más miedo la vida, porque siento que no tendré tiempo suficiente para aprender a vivirla bien ni para dejar de temerla. Pero, sobre todo, me da miedo la mentira. Me asusta que me mientan, que me oculten cosas. Me hace daño, me deja insegura y entonces me vuelvo torpe, porque no sé dónde piso~~, y, bueno...~~

Pregunta: ¿Qué cualidades cree poseer que hacen de usted una persona particularmente dotada para trabajar y tratar con la tercera edad?

Respuesta: ~~Ninguna en especial~~. No sabría decirlo, porque mi experiencia con las personas mayores es muy limitada. Lo que sí sé es que los adultos me descolocan y a veces me dan miedo. Cuando estoy con ellos, veo cosas de mí que me gustaría cambiar, cosas que quisiera controlar mejor, y no sé cómo manejarme. Por eso creo que los ancianos y los niños no se me dan mal, porque tanto unos como otros se mueven por la vida como si no tuvieran nada que perder, como si se desenvolvieran mejor, más libremente. ~~Y les envidio tanto...~~.

Pregunta: ¿Es usted religiosa?

Respuesta: ~~Sí, aunque voy vestida de calle (huy, esa no es una expresión correcta en castellano, ¿verdad?)~~. No lo sé. Solo sé que a veces, cuando me siento muy sola, me gustaría creer más en Dios, tener más fe, sobre todo para sentir que puedo contar con alguien con quien hablar, alguien que de verdad sepa escucharme y que, más que juzgar, intente entender.

Pregunta: ¿Por qué desea usted trabajar con nosotros?

Respuesta: Es que yo no sé si deseo trabajar con ustedes. ~~Lo que yo necesito es estar lejos de muchas cosas~~. O sea, lo que quiero decir es que necesito trabajar, porque, bueno... porque mis circunstancias son las que ustedes saben (me refiero a estos tres últimos años) y porque, después de haberme pasado tanto tiempo restaurando y fabricando violines, chelos y demás, apartada de casi todo, me gustaría probarme haciendo algo distinto, más... ~~humano~~ no sé cómo decirlo...

Pregunta: ¿Es usted una persona familiar?

Respuesta: Soy huérfana desde hace diez días. Antes de eso, solo tenía a mi madre, a la que he cuidado hasta su muerte. De todas formas, desde muy joven intento ser muy familiar conmigo misma, sí. (No sé si se dice así. Es que a veces, sobre todo después de estos tres años fuera, me falla un poco el español).

Pregunta: ¿Tiene usted a alguien a su cargo?

Respuesta: Tengo un perro llamado Sebastián. Tiene quince años y parece que tenga dos. Es como un zorro blanco, aunque no sé si debo incluirlo en la respuesta, porque a veces tengo la sensación de que el que me tiene a su cargo es él. Hace seis meses tuve que operarle de un tumor en la espalda, pero ya está bien y ha empezado a crecerle otra vez el pelo, así que nadie lo nota. (Pero, bueno, no sé si esto procede).

Pregunta: ¿Se considera usted una persona paciente?

Respuesta: ~~Sí~~. Depende. Casi todos los lutiers lo somos porque el trabajo lo exige. También nos exige que la paciencia sea una especie de disciplina, una forma de manejarnos. Cuando se puso enferma, mamá decía que solo son personas pacientes los enfermos crónicos, que nadie sabe lo que es la paciencia hasta que tiene que vivir sufriendo desde que se levanta hasta que se acuesta, sin mucha esperanza de que nada vaya a mejorar, y eso me enseñó a vivir de otra manera, a entender que lo que sufrimos es siempre poco, porque puede ser siempre más.

Pregunta: ¿Es usted una persona compasiva?

Respuesta: Mi madre decía que demasiado, sobre todo en la última época. Pero no sé muy bien lo que es la compasión, y tampoco sé si me ha servido de mucho en la vida porque creo que no me enseñaron a aplicarla bien. En fin, que supongo que lo soy, pero que no siempre me gusta serlo.

—Creía... creía que el test era información privada —dijo Ilona a Rocío con un tono de voz que sonó más duro de lo que habría deseado.

Rocío tensó los hombros.

—Y lo es —replicó cortante—. Una parte. La primera, la que contiene los datos académicos, la información curricular, los aspectos más generales de la personalidad y los datos sobre la formación de nuestros empleados puede mostrarse al cliente si este lo solicita —explicó con la voz afilada. Luego aclaró, más relajada, forzadamente relajada—: La segunda es información privada que queda en los archivos de nuestro departamento de recursos humanos —añadió—. Jamás se muestra.

Ilona intentó sonreír.

—¿Y Otto? —preguntó.

Rocío la miró y arqueó una ceja.

—¿El señor Stephens?

—Sí.

—Trabajarás con él solo por las tardes. Cuatro horas, como con Clea. De cuatro a ocho, seis días a la semana, aunque con él tu labor será un poco diferente.

—¿Diferente? ¿En qué sentido?

Rocío ladeó la cabeza y se llevó una mano a la mejilla.

—Más... activa, por así decirlo.

Ilona no la entendió.

—Otto Stephens quiere que trabajes para él, Ilona, pero no solo como acompañante, sino también como lutier.

Ilona parpadeó y tragó saliva.

—¿Como... lutier?

Rocío asintió con la cabeza.

—Quiere que le construyas un violonchelo.

Ilona dejó pasar unos segundos antes de poder hablar.

—Pero... yo... ya te dije que lo de lutier...

Rocío la interrumpió, agitando una mano impaciente en el aire.

—Sí, ya sé lo que me dijiste, Ilona, pero no creo que esto tenga nada que ver con lo que hayas podido hacer antes. Más que un trabajo, la parte de lutier será una especie de entretenimiento. Un... pasatiempo, por decirlo así.

Ilona no dijo nada. Paseó los ojos por la habitación mientras se frotaba las piernas con las manos. Rocío no esperó.

—No me preguntes por qué —dijo—. Otto Stephens quiere que le construyas un chelo mientras le haces compañía durante las tardes. El porqué quizá te lo cuente él, si quiere. Puede que sea un simple capricho de genio o quizá lo quiera para algo. Lo único que puedo decirte es que a mí no me lo ha dicho.

Ilona se notó tensa y falta de soltura, no solo mental, sino también física. Se imaginó de pronto volviendo a trabajar envuelta en silencio, respirando barnices, pigmentos y olores conocidos, llenos de historia. Volvió a imaginarse calculando, escuchando y auscultando la madera después de más de tres años de quietud muscular y se vio pequeña, tímida. Sintió una pequeña punzada de dolor seco en las rodillas al tiempo que se preguntaba por qué iba a querer un hombre como Otto Stephens, un hombre tan... tan monumental como él, que una mujer como ella le construyera un violonchelo. «¿Por qué yo?», pensó sin apartar los ojos de Rocío.

Rocío entendió la pregunta y también el silencio.

—Son ochenta y seis años, Ilona —dijo—. A esa edad se hacen cosas que nadie puede entender, créeme. Sé lo que piensas porque es lo mismo que pensé yo cuando él me lo pidió. Por qué tú. La respuesta es tan fácil que resulta hasta absurda.

—¿Ah, sí?

—«Quiero verla trabajar», me respondió el señor Stephens cuando se lo pregunté —explicó Rocío con una mueca que Ilona no supo interpretar—. «Me gustaría ver de cerca el proceso de construcción de un chelo y, a estas alturas de mi vida, ya no me quedan ganas ni energía para permitirme ir a diario al taller de un lutier donde poder hacerlo». Luego me miró y soltó una carcajada encantada. «Además, es un lujo que llevo queriendo darme desde hace muchos años. ¿O acaso no hay mujeres que hacen ir a la masajista, a la pedicura, a la peluquera y vete tú a saber a cuánta gente más a su casa todas las mañanas para que las tengan en forma? Pues es lo mismo».

Ilona no supo qué decir. A Rocío no le importó.

—El señor Stephens propone convertir una de las habitaciones de la casa de los guardeses en tu estudio. Quiere que le hagas una lista con todos los materiales, utensilios, mobiliario... en fin, todo lo que se te ocurra que puedas necesitar para empezar a trabajar en cuanto te incorpores a tu puesto sin reparar en el precio de nada. Quiere lo mejor, Ilona, así que te animo a que pidas lo que necesites. Y, por supuesto, el violonchelo se te pagará aparte. El precio lo acordarás con el señor Stephens. Buenavista no intervendrá en eso.

En ese momento a Ilona le vinieron tantas cosas a la cabeza que no pudo pensar bien. Siguió allí sentada con la mirada clavada en la mesa de Rocío, tan sorprendida con el giro que habían dado los acontecimientos en apenas media hora que ni siquiera intentó decir nada.

—Ahora bien —volvió a hablar Rocío, cogiendo las dos fichas rojas y metiéndolas en una pequeña carpeta de plástico que guardó después en uno de los cajones de la mesa—. Hay dos cosas que debes saber antes de darme una respuesta —declaró, cerrando el cajón con llave y entrelazando las manos—. La primera es que tu contrato será, en principio, de tres meses, porque, como ya te he dicho, Irene, la cuidadora a la que sustituirás, se reincorpora en octubre. Después, cada una se quedará con uno de los dos clientes, ya veremos quién con quién.

Ilona asintió.

—La segunda es que tanto la señora Ross como el señor Stephens esperan y desean de ti discreción absoluta. Nada de lo que hagas con ellos debe trascender jamás el ámbito íntimo de vuestra relación. Normalmente, eso es algo que ni siquiera necesito mencionar a nuestros acompañantes, porque, como te he dicho, cada uno de vosotros tiene asignado un solo cliente. Sin embargo, dado lo especial de tu caso, debo insistir en que ninguna información de la que seas depositaria por parte de la señora Ross o del señor Stephens debe llegar nunca a oídos de nadie aquí, en Buenavista, ni siquiera a los míos. Si, por la razón que sea, no tuvieras en cuenta este requisito, serías despedida de inmediato.

A Ilona no le gustó el tono de Rocío ni su amenaza explícita. De pronto volvía a sentirse vigilada y la costumbre le activó un escudo de alarma y de tensión que no le hizo bien. Sintió el cuello rígido y automáticamente miró a la puerta y se obligó a relajar las manos. Su respuesta fue un comentario casi inconsciente que intentó ser divertido, pero que, a juzgar por el parpadeo con el que Rocío lo recibió, entendió que no le había llegado así.

—Pedir discreción a alguien que viene de un país del Este es como pedir a un sueco que piense o a un ruso que sea violento cuando se emborracha —dijo con una sonrisa torcida. Al ver la cara de póquer de Rocío, intentó explicarse mejor—. En el Este, saber callar era la medida de la vida, de la esperanza de vida. «Mira y calla», nos decían siempre los mayores. Los más afortunados no solo aprendíamos a callar, sino también a no ver. Muchos soñábamos con eso: con no ver para que no nos diera miedo hablar. —Rocío la miró con unos ojos que no decían nada e Ilona prosiguió—: Para los que vivimos en el comunismo no existían los chismes ni los cotilleos porque no teníamos tiempo para ellos y porque muchas veces lo que empezaba siendo un comentario inocente acababa convirtiéndose en una denuncia que pocas veces tenía buen final. Por eso, entre hablar o callar, preferíamos callar. Por pura supervivencia. O sea, que no creo que eso sea algo que deba preocuparte.

Rocío le dedicó una sonrisa mecánica y solvente al tiempo que apoyaba las palmas de las manos sobre el escritorio y relajaba los hombros.

—Me dejas más tranquila.

—Me alegro —respondió Ilona con una voz mansa, devolviéndole la sonrisa.

Rocío soltó una pequeña carcajada.

—¿Eso es que sí?

Ilona tardó un par de segundos en responder.

—Bueno —dijo por fin—, la verdad es que me gustaría pensarlo un poco antes de decidirme.

La sonrisa desapareció.

—Muy bien. Pero no tienes mucho tiempo. Es decir, soy yo la que no tiene mucho tiempo. Dos días, tres como máximo. No puedo darte más.

Cuando Ilona llegó a la puerta, la voz de Rocío la sorprendió desde atrás.

—Ah, Ilona, se me olvidaba.

Ilona se detuvo, pero no se volvió.

—Si finalmente decides quedarte con nosotros, me gustaría darte un consejo.

Ilona giró la cabeza. No dijo nada.

—Yo en tu lugar intentaría no implicarme demasiado con tus clientes aquí, en Buenavista —dijo Rocío—. Eres nueva en esto y sé que es muy fácil establecer con ellos vínculos que quizá no te convengan.

Ilona siguió sin decir nada y Rocío sonrió, incómoda.

—Lo que quiero decir es que la mayoría son personas muy mayores —explicó—. En muchos casos no tienen a nadie y demandan de los cuidadores una relación que no suele ser beneficiosa para ellos. Una relación... poco profesional, por decirlo así. Por eso, salvo en casos muy concretos que intentamos evitar, la dirección del centro prefiere que rotéis cada cierto tiempo entre los huéspedes y evitar así males que de otro modo costaría evitar.

Ilona intentó sonreír, pero no pudo. Tampoco pudo contener una respuesta que nació de un rincón de dolor cuya existencia Rocío desconocía.

—Creía que de eso se trataba —dijo, casi en un murmullo—. De implicarse. De acompañar.

Rocío parpadeó.

—Sí, claro —se apresuró a responder—. No me entiendas mal, Ilona. Lo que quiero decir es que...

—Que son viejos y que se van a morir —la interrumpió Ilona con suavidad. Lo dijo como si no tuviera a nadie delante, como si estuviera sola en una habitación en blanco, llena de vacíos y silencios, y no en el despacho de la mujer de la que dependía su trabajo y de la que supuestamente debía esperar órdenes—. O que son viejos y que vienen a morir aquí porque no tienen dónde hacerlo, así que mejor no tomarles demasiado cariño porque se irán y nosotras no, y porque dolerá, como cuando se van las personas que han estado de verdad, las que han estado más cerca. —Sonrió. Fue una sonrisa tan llena de cosas suaves que a Rocío se le enquistó durante un instante entre los dedos el aire húmedo de la tarde—. Ya lo sé, Rocío. No te preocupes por eso.

Rocío bajó la mirada, pero no dijo nada. Ilona se llevó despacio una mano a la nuca en un gesto automático y también guardó silencio.

Cuando, segundos más tarde, Rocío oyó que la puerta se cerraba tras Ilona con un chasquido sordo, apoyó la barbilla en las manos y recorrió las paredes del despacho con los ojos. Decidió que había en Ilona algo que parecía brillar con luz propia y que auguraba cosas que ella, a pesar de la experiencia y de los años que llevaba en su puesto, no alcanzaba a ver. Decidió también que, a pesar del beneplácito unánime expresado por el consejo de socios del centro, quizá tendría que haberse opuesto a la extraña propuesta de Clea, y se dijo que a ella tampoco le gustaba mentir, y menos que nadie a sus colaboradores. «Quizá debería haber avisado a Ilona», pensó durante un instante que se desvaneció en cuanto recordó la voz metálica de Clea y la frialdad de su sentencia. «Nadie debe saberlo, Rocío. Lo dejo en sus manos», había dicho días antes en ese mismo despacho, acariciando con fuerza a la perra que descansaba sobre sus piernas.

Rocío suspiró, incómoda, antes de levantarse. Se acercó a la ventana y miró desde allí hacia el jardín. Ilona lo cruzaba en ese momento por el camino de piedra que bordeaba el muro bajo y Rocío la vio detenerse delante del seto, de espaldas a la casa.

Sobre la cabeza de Ilona un gran cirro blanco paseaba su algodón sobre el mar, coronando el azul.

Desde la ventana, Rocío leyó en la espalda de Ilona y en la nube que la blanqueaba que aquel cuerpo ocultaba algo, que la que miraba el mar desde abajo era una mujer hecha de capas de cosas no dichas y no compartidas que había aparecido para cambiar algo, porque seguramente algo cambiaba siempre allí donde llegaba. Leyó durante unos segundos entre esos dos hombros una marea de palabras, de gestos y de dudas enmarcados por una extraña plenitud que la puso sobre aviso y que encendió en ella una pequeña luz de alarma. Había demasiadas cosas en el gesto de aquella espalda, demasiadas cosas por resolver. Rocío lo vio como solo una mujer sabe verlo en otra.

«Una mujer llena de rincones, de rincones y de pasado —se oyó pensar, estremeciéndose—. Una mujer a la que cuidar».

Adivinó entonces que, de algún modo que no supo explicar, su presencia allí no era casualidad.

Y supo en ese momento que probablemente se estaba equivocando al contratarla.

Y también que ya era tarde para no hacerlo.

II

ILONA O LA NIÑA DE LAS RODILLAS ROTAS

Uno

—¿De verdad no lo harías por mí si yo te lo pidiera?

Están en la terraza, bajo dos parasoles blancos. Hoy es 18 de septiembre, tres días antes de que caiga el otoño y se lleve los restos de calor de las últimas semanas. Se han hecho largos estos meses sin lluvia, agobiantes y húmedos por el aire cargado que lo invade todo desde el agua en cuanto el sol apunta sobre el mar.

No, no ha sido fácil el verano. Ha dado poco respiro.

Dos tumbonas de mimbre blanco. En una Clea y en la otra Ilona. Entre las dos, Rita y Sebastián, con el hocico entre las patas. Duermen al sol y dan pequeñas patadas en sueños. Clea baja la mano desde su tumbona y acaricia distraídamente a Rita mientras hablan. Más allá de ellas la mañana cae despacio. El silencio es casi total.

Podrían ser nieta y abuela. Clea es una mujer flaca, con la cara afilada y un par de ojos negros y vivos que escupen chispas sobre todo lo que miran. El pelo corto y ondulado, entre gris y blanco. Viste unos pantalones sastre de color neutro y sus únicas joyas son unos sobrios pendientes y un par de sortijas: rubíes, brillantes, zafiros, oro blanco... nada falso. Es baja, tal vez por los años o puede que siempre haya sido así. Incluso ahora, a pesar de este calor que no cesa, lleva un blusón blanco de puños duros y un pañuelo de tonos ocre al cuello. «Porque a partir de cierta edad, los brazos no se enseñan», repite a menudo. Y no suda. Nunca. Tampoco le gusta maquillarse. El perfume, sí. Guerlain. Un frasco de cristal oscuro con forma de botella antigua. Según ella: «Un perfume intenso de vieja que no se avergüenza de lo vivido».

Clea es, como ella misma se define a veces, «una anciana elegante que ha aprendido a serlo porque ha vivido el tiempo suficiente para poder perder el tiempo en cosas como esa». Luego, si en la mirada de quien tiene delante percibe que falta algo, suelta un suspiro de fastidio y arruga el morro antes de aclarar: «En cosas como ser anciana y como ser elegante, quiero decir».

Ahora quiere saber, y la conversación se ha encallado en su pregunta mientras pasan los segundos sin que Ilona responda. Esta vez, y a diferencia de lo que es habitual en ella, Ilona no contesta con uno de los «no sé» con los que tiene acostumbrada a Clea, y es extraño que actúe así, que responda así. Puede que sea el calor. O quizá es solo que está un poco cansada de responder siempre lo mismo, de oírse repetir tantos «no sé», como si realmente no se hubiera planteado nunca nada, como si lo que vive no fuera con ella.

Quizá es que tiene otras cosas en la cabeza, cosas que la preocupan. Quizá tenga que resolver algo y no sepa cómo. Quizá deba tomar una decisión difícil.

O quizá tenga miedo. Esa es otra posibilidad.

—¿Y usted? —pregunta a Clea sin mirarla—. ¿Lo haría por mí si yo se lo pidiera?

Clea detiene sobre la cabeza de Rita su mano de dedos flacos y salpicados de nidos de manchas marrones y se vuelve a mirar a Ilona con las cejas milimétricamente arqueadas.

—No digas estupideces, niña —farfulla, protegiéndose los ojos del sol con la mano que tiene libre—. ¿Por qué ibas tú a pedirle a una vieja pelleja como yo que te ayude a morir? Menuda bobada —suelta con un bufido de fastidio—. Además, yo he preguntado primero, así que no me vengas con esas.

—Ya —responde Ilona sin pensar, esforzándose por mantenerse viva en la conversación—. Es que usted siempre pregunta primero.

Clea deja escapar una carcajada rasposa de vieja fumadora y vuelven las caricias a la perra, que saca la lengua y la deja colgando sobre las baldosas opacas de la terraza.

—Sí, hija. Vieja pero rápida —replica, chasqueando los dedos con un guiño malicioso—. Además, no es que siempre pregunte primero. Lo que pasa es que aquí la única que pregunta soy yo. Por eso soy siempre la primera, no te fastidia.

«No es verdad —le gustaría responder a Ilona—. Usted no pregunta. Usted interroga, que no es lo mismo», pero opta por callarse y dejar que pasen los segundos. Al otro lado del murete de piedra que separa la terraza del jardín los aspersores se activan y el aire se llena de humedad. De pronto, todo parece oler más, más fuerte, a más cosas. Inspira hondo y Sebastián y Rita también. Los dos perros en sueños, ella no.

—Supongo que tendría que quererla mucho —murmura de improviso, bajando los ojos y evitando los de Clea—. Para ayudarla a morir, quiero decir.

Clea suelta una nueva risotada llena de buen humor y la risa se convierte en tos, una tos que dura poco, acostumbrada a llegar y a irse. Tos rendida y necesitada de nicotina.

—Ya —dice con la voz llena de flemas—. Y supongo que no es el caso, ¿verdad?

Ilona esquiva la pregunta. Habla como si lo hiciera consigo misma, pensando a media voz.

—Imagino que por una muy buena amiga, o por alguien muy cercano, sí que lo haría, aunque no estoy muy segura. Creo que antes tendría que entenderlo, al menos necesitaría que me explicara por qué.

Clea suelta un bufido y se da una palmada en la pierna.

—Por qué, por qué... ¡Ya estamos con los malditos porqués del maldito demonio! —escupe, retocándose el pelo con un gesto de vieja coqueta—. Pero bueno, niña, ¿tú crees que una amiga que te pide que la ayudes a morir necesita encima darte una explicación para que tú te quedes tranquila? —pregunta con cara de poca paciencia—. Pues vaya una buena amiga que estás hecha, hijita. Lo que tu amiga necesita es precisamente que no le pidas nada, que te olvides de ti y pienses solo en ella. O sea, para que me entiendas: lo que necesita tu amiga es... una amiga, así de sencillo y así de terrible, que para eso están. Sí, hijita, una A-MI-GA —silabea con voz de maestra.

Ilona se siente incómoda con la conversación, aunque eso no es nuevo, porque con Clea a menudo es así. Cuando habla, Clea tiende trampas entre líneas, pequeñas minas cargadas de explosivos que va lanzando con cada pregunta y con cada respuesta como un submarino en constantes maniobras. Con ella, Ilona tiene siempre la sensación de que está obligada a defenderse de algo, de que puede fallarle en cualquier momento.

—De todas formas, si por casualidad se le ocurriera hacer una cosa así y pedir ayuda, no me parece que yo sea la persona más adecuada —responde con una sonrisa de disculpa que Clea recibe con un parpadeo—. Además, no podría aunque quisiera. Aquí me pagan por cuidarla y por acompañarla, no por ayudarla a morir. Lo dice en mi contrato.

Una nueva carcajada. Rita levanta una oreja, asustada, y Sebastián bosteza.

—Tonterías —suelta Clea con cara divertida—. A ti te pagan para que me tengas contenta. A estos el cómo y el porqué les importa poco. Además, no te pagan ellos. A ti te pago yo. Y no te engañes, hija. Lo que les interesa es que duremos cuanto más tiempo mejor y así seguir llenándose el bolsillo. ¿O qué te creías? A estos demonios les importamos casi tan poco como a nuestros hijos. La única diferencia es que a estos les pagamos y nuestros hijos, los que tenemos la suerte o la desgracia de tener todavía alguno, sufren porque nos estamos fundiendo la herencia que consideran suya —remata con un gesto de fastidio—. No te hagas nunca vieja, Ilona querida. No hay nada más cansado ni más desagradecido.

A Ilona no le gusta oírla hablar así. Le trae a la memoria cosas que no le hacen bien, cosas como su madre, como el final de su madre y como todo lo que pasó antes y también después. Se lo dice.

—No me gusta que hable así, Clea.

Otro bufido.

—¿Ah, no?

—No.

—¿Por qué, si se puede saber?

—No lo sé, pero no me gusta.

—No sé, no sé... —refunfuña Clea—. A vosotros los jóvenes hay muchas cosas que no os gustan, sobre todo las verdades. Y tú ya vas teniendo una edad para saber y para que las verdades empiecen a gustarte —dice con rabia contenida en la voz—. Y, la verdad, si yo tuviera tus años, te aseguro que no iba a estar perdiendo el tiempo y la vida en un sitio como este. Y menos aguantando a una vieja gruñona y meona como yo.

Ilona decide cambiar de tercio y se levanta para servir una segunda taza de té frío. A Clea le gusta así: frío y sin azúcar. A Ilona también. En eso coinciden. En eso y en algunas cosas más.

Cuando le da su taza, Clea le regala una sonrisa y toma un par de sorbos antes de volver a dejarla en el plato que sostiene con la mano. Luego pasea la mirada por el jardín y por los arcos de colores que dibuja el agua de los aspersores contra el sol y cierra los ojos durante unos segundos.

—Mi Lucía es como tú —dice repentinamente, chasqueando la lengua.

No es la primera vez que lo dice. Lucía es su hija. Habla de ella a veces y lo hace así, sin venir a cuento, un poco como lo hace todo. Por lo poco que Ilona ha podido saber, «su» Lucía vive desde hace años en Montreal con otra mujer. Se inseminaron. Una vez cada una. No resultó.

—Igual de difícil —añade Clea—. Cerrada como un sobre lleno de malas noticias, mi Lucía. —Mira de reojo a Ilona antes de seguir—: Mareándome desde pequeña con sus «no sé» del demonio. O peor, cuando no te decía «no sé», te soltaba uno de esos «da igual» que a mí me traían por la calle de la amargura. «Da igual», decía con cara de quedarse conforme. Y no la sacabas de ahí. «¿Te gusta el parque, Lucía, o prefieres que nos quedemos en casa?». Ella te miraba con cara de espanto y parpadeaba, como si quisiera borrar el momento y obviar la decisión. Se le llenaban los ojos de dudas y la oías pensar: «Si digo que el parque, pensará que no me gusta estar en casa. Si digo que en casa, creerá que no me gusta ir con ella al parque. Si digo esto, puede que pase esto otro, pero si me lo callo, igual me equivoco o me entiende mal o...». Entonces se daba cuenta de que me tenía allí esperando una respuesta y bajaba la mirada. «No sé», decía. Luego, en cuanto me veía la cara de mala uva, se ponía nerviosa y se encogía un poco, como si alguien fuera a pegarle. «Da igual», tartamudeaba por fin. Y yo me ponía hecha una furia, porque ya entonces calculaba que si a esa edad mi Lucía pensaba como pensaba y sufría como sufría, a medida que se hiciera mayor esa incapacidad para decidir no le auguraría nada bueno. De un «da igual» a un «decide tú por mí» hay solo un paso. Entonces, a veces, es demasiado tarde y el mal está hecho. Bien que lo sé.

Cierra los ojos y suspira. Rita la imita desde el suelo y, en su rincón junto al muro, Sebastián se despereza y bosteza enseñando sus dientes gastados y amarillos. Luego sigue durmiendo.

—Es que en la vida a veces hay que mojarse, demonios —suelta Clea entre dientes. Luego carraspea con la boca abierta, saca un cigarrillo del paquete y lo enciende, inspira hondo y deja que el humo salga despacio—. No tenía amigos, ni novios. No tenía a nadie —refunfuña entre rizos de humo—. Lucía, hablo de Lucía —aclara—. Siempre sola con sus juguetes, con sus libros y sus cosas. Allí donde la dejaras, allí la encontrabas, sola y callada, primero jugando a lo que fuera con cualquier cosa y luego estudiando a todas horas como una demente, siempre la mejor en todo: la mejor de la clase, la mejor del equipo de hockey, la mejor en la facultad... siempre parapetada detrás de esos malditos «da igual» o de los «no sé» del demonio. Y mira tú por dónde: cuando todo parecía perdido, cuando su padre y yo habíamos tirado la toalla, terminó la universidad y se fue con una beca de investigación a Canadá. Hija, fue marcharse y cambiarle la vida. Ese año conoció a Susan, y la Lucía que volvió a casa en verano era otra. Era... una mujer. Me llevó un tiempo entender que mi hija había tenido que enamorarse de una mujer para hacerse mujer, no creas. Pero me dio igual. Con mujer, con perro, con gato o con ballenas migratorias, mi niña estaba enamorada y había vuelto a casa con una luz dentro que hasta entonces nunca había tenido. Y ya ves, allí la tengo todavía, en el fin de mundo, con Susan y con sus bichos de mar. Dice que feliz. Pero claro, los hijos decís tantas cosas que una nunca sabe si son verdad o si... —De repente se calla y mira fijamente a Ilona—. Oye, ¿y no será que tú también eres lesbiana y todavía no te has enterado?

Se ríe cuando ve reír a Ilona, que niega con la cabeza mientras Clea sigue riéndose, cada vez más relajadamente, hasta que de pronto su risa se corta en seco al tiempo que se vuelve a mirar hacia el interior del salón y suelta con voz seca:

—¿Ya es la hora?

Ilona mira su reloj.

—No.

—¿Seguro?

—Sí, todavía faltan quince minutos.

Carraspea.

—Que no se nos vaya a pasar, ¿eh?

—No, tranquila.

A esta hora Clea siempre pregunta lo mismo, propulsada por una especie de despertador natural que se activa todos los días poco antes de que empiece su programa de televisión favorito, una serie de documentales titulada *La condición humana* que muestra desde los ojos de una niña y de su padre las distintas relaciones que establecen los pueblos y tribus más pobres del mundo con sus animales. La niña se llama Cira, y en cuanto aparecen en la pantalla los títulos de crédito y la melodía del documental, Clea se sienta en el sillón delante del televisor con la espalda tiesa como una tabla y, sin apartar los ojos de la pantalla, murmura cosas entre dientes que Ilona no entiende, retorciéndose despacio las manos y suspirando de vez en cuando, totalmente absorta en las aventuras y desventuras de Cira y sus tribus.

Hoy, como todos los días, Clea e Ilona se sentarán a ver a Cira delante del televisor e Ilona sentirá que, durante los cuarenta y cinco minutos que dura la serie, está sola en el pequeño salón de la suite, que Clea no está, o mejor, que está ida, transportada, retirada a una burbuja que la conecta con cosas que solo ella conoce y que no quiere compartir. Como a diario, Clea despertará de su ensueño al término del documental con el gesto fatigado, como si hubiera viajado con Cira de la mano, relajada, felizmente cansada y con una luz de mujer aventurera en los ojos.

Desde arriba —desde todo lo que no son ellas dos— seguramente podrían confundirlas con una abuela y su nieta sentadas delante del televisor una noche de finales de verano en el salón de la casa de la playa.

Pero esto no es la casa de la playa y Clea no es la abuela de Ilona, ni Ilona su nieta.

Esto es una residencia.

Aquí viven viejos ricos. La mayoría solos.

Esto es Buenavista.

Y Clea es la clienta de Ilona, que la cuida por dinero. Quizá hasta dentro de unos días, cuando llegue el momento de las rotaciones y deba o pueda elegir entre Otto, Clea o cualquier otro cliente del centro. O quizá sigan juntas hasta que Clea muera o hasta que se cansen la una de la otra. Todo depende, aunque si alguien les preguntara de qué, probablemente ninguna de las dos sabría dar una respuesta.

Tal vez por eso —porque la edad le ha enseñado que son muchas las preguntas que no tienen respuesta—, desde que, hace unos meses, Ilona y ella llegaron aquí y empezó este mano a mano entre las dos, Clea prefiere preguntar y dejar a Ilona el trabajo sucio, el de las respuestas.

Ilona, por su parte, cree que si Clea pregunta tanto es porque se aburre o porque la mueve una simple curiosidad de vieja aburrida. «O probablemente por las dos cosas a la vez —piensa a veces—. Porque se aburre y porque es curiosa».

Luego piensa que lo del aburrimiento le pasa a mucha gente. En general, quiere decir.

Con ella, quiere decir.

Lo de la curiosidad, no.

En general, quiere decir.

A veces, cuando oye a Clea preguntar e insistir así, pinchándola para que hable, Ilona se imagina durante un instante respondiendo, contando y vaciándose de muchas cosas que nota pesadas. La siente tan cercana y tan propia que se descubre a punto de confiarse a ella, de abandonarse. Se ve contando, preguntando y pidiendo, e imagina a la vez el alivio y la descarga. También se pregunta si tendría tiempo, si podría resumirlo todo, ordenarlo... saber empezar.

Le gustaría saber empezar, sí, pero tiene miedo. Miedo de empezar y no saber parar; o mejor: de empezar y no saber adónde irá a parar. Está convencida de que los recuerdos y las dudas son más verdaderos si se comparten y no está muy segura de querer que lo sean. Por eso intenta callar y sortea las preguntas de Clea como puede, defendiendo su intimidad a golpes de «no sé».

Sin embargo, cuando Clea calla, Ilona se siente incómoda. Clea puede pasarse horas en silencio con Rita a sus pies, mirando el cielo y abanicándose como si nada fuera con ella. Aunque también puede hablar sin preguntar. Y cuenta cosas. De su vida: recuerdos que suelta como latigazos entre paréntesis de silencio y que caen sobre la tarde como pequeñas bombas de metralla. Durante esos paréntesis Ilona piensa en su madre y revive los últimos meses que pasaron juntas, la hija cuidando de la madre y la madre aprendiendo a dejarse cuidar. Ilona revive esos años y los recuerda en toda su intensidad con una sonrisa de añoranza y el corazón alambrado, y, mientras Clea cuenta cosas, ella recupera imágenes, olores y colores de esa última época juntas, y oye hablar a su madre, la ve otra vez aprendiendo a contar recuerdos con la boca torcida y a vivir partida por la mitad: un brazo, una pierna, un ojo, músculos descompensados, sonrisa difícil. Mitad mujer, mitad cansada.

Parálisis.

—Una embolia —anunció la enfermera de turno con voz seca al otro lado de la línea—. Está estable dentro de la gravedad. ¿Hay algún otro familiar a quien desea que avisemos? ¿Alguien que viva aquí, en Budapest?

Nadie. Ilona era la única familia de su madre. Mientras hablaba por teléfono con la enfermera, al otro lado del cristal de la ventana caía una lluvia fina que lo empapaba todo y el jazmín se iba rindiendo al peso de sus flores mojadas, casi rozando las baldosas del balcón. Las nubes barrían el cielo de oeste a este, paseándose por la viola que acababa de barnizar y que colgaba a un lado de la mesa del taller como una pera enorme envuelta en caramelo. Miguel y ella habían estado trabajando en aquel instrumento a contrarreloj desde hacía una semana porque el cliente, un coleccionista coreano para el que ya habían trabajado un par de veces antes, estaba ansioso por instalarla antes del fin de semana en su pequeño museo de piezas que nunca nadie tocaría. Desde la calle, la luz barría los restos de barniz de la mesa mientras Ilona esperaba a que la enfermera terminara de darle el parte con su desgana metálica. Cuando por fin colgó, se fue a casa, encendió el Mac y entró en Internet para comprar un billete de avión. Catorce horas más tarde llegaba al hospital directamente desde el aeropuerto cargada con una maleta de mano, el portátil y poco más. Llevaba ropa para una semana. Se quedó en Budapest casi tres años.

Pero eso y todo lo que madre e hija vivieron juntas a partir de entonces fue después de la embolia. Lo que hubo antes, lo que su madre era antes de la enfermedad, lo que era la vida y cómo la recuerda Ilona es una montaña de imágenes que dan sentido a lo que llegó después y a lo que vive ahora en ella.

Son voces, verdades y revelaciones que, en la intimidad, su memoria resume y conserva. Imágenes que no sabe compartir.

Dos

Imágenes.

Antes de la embolia, mamá hablaba poco y miraba mucho. Miraba, miraba, miraba. Todos mirábamos mucho en los países del Este. Así nos llamaban: «Los países del Este». Nosotros entonces no lo sabíamos. Solo sabíamos —intuíamos— que había un mundo al otro lado —no al oeste, ni al sur, ni tampoco al norte— en el que quizá no había miedo, o si lo había debía de ser distinto, un miedo nuevo con otros códigos. Imaginábamos que había otros mundos y eso nos ayudaba a vivir.

En aquel mundo nuestro había que mirar antes de hablar, antes de preguntar, de reír y de no reír. El país éramos millones de ojos estudiando el horizonte, calculando distancias, siempre vigilantes. Habitábamos la tensión, la fabricábamos en las ciudades, la engordábamos en silencio como en el campo engordaban a las ocas a fuerza de reventarles el hígado para que rindieran más. Había miedo, sí. Hubo miedo hasta el final, aunque eso no lo sabe quien no lo vivió. No, ese miedo no lo ha sufrido nadie que no haya nacido en él, nadie que no lo haya respirado sabrá nunca lo que es. No era terror ni pánico. Era una sombra gris, fría y lisa que parecía haber estado allí antes que todos nosotros, pero que alguien había diseñado a nuestra medida como un traje metálico que permitía el frío pero no el movimiento.

Antes de la caída del Muro y de lo que habría de venir con ella, mamá trabajó durante mucho tiempo en el Ministerio de la Guerra gracias a los contactos del marido de una tía suya, que, según decía, era el médico personal de uno de los hombres de confianza del ministro de Defensa. Yo nunca conocí a tía Nadia ni tampoco a su marido, pero cuando mamá los mencionaba siempre se interrumpía para decir «qué habría sido de nosotras si no hubiera sido por la tía Nadia y su marido» antes de terminar lo que estaba contando. Fuera como fuese, la cuestión es que, cuando mamá dejó de fregar suelos y empezó a trabajar de administrativa en el ministerio, de pronto todo cambió para nosotras. El miedo se volvió distinto. Los vecinos empezaron a sonreír más, a saludar más. Mucho tiempo después, recordando esa época con ella, mamá lanzó al aire un comentario casual que yo recibí como si repentinamente, en mitad de una siesta de verano, una corriente de aire hubiera estampado una ventana contra su marco, haciendo añicos los cristales.

—Es que dejamos de tener miedo, niña —me dijo. Estaba de espaldas en la cocina lavando un plato de judías debajo del grifo del fregadero y desde atrás yo veía agitarse sus hombros y oía el gorgoteo del chorro contra el mármol—. Dejamos de tener miedo porque habíamos empezado a darlo. Así eran las cosas en aquel entonces, hija: dabas o recibías, no importaba que fuera miedo, envidia o desconfianza. Aquí, en el Este, la vida funcionaba así: bueno o malo, blanco o negro. Dar o recibir.

Antes de la caída del Muro, éramos el Este. Todos nosotros. Millones y millones de personas que vivían, trabajaban, respiraban, morían, pensaban y sentían por la mitad, como si todos los países del bloque hubiéramos sufrido súbitamente una embolia y hubiéramos perdido los brazos, las piernas, los ojos, orejas, dedos y órganos que la descarga cerebral había cercenado de lo que éramos, de nuestro todo. El lado derecho muerto. Tuvimos que aprender a vivir con el izquierdo, pero como a quien le amputan un miembro, la parte que nos quitaron siguió doliendo todos los días, estaba allí aunque no la viéramos. Estaba en el aire, en la memoria de nuestros mayores, en la majestuosidad de los edificios y los parques. Comíamos, estudiábamos, funcionábamos, producíamos y esperábamos, sí, pero sobre todo añorábamos. Incluso los más pequeños, los que no habíamos conocido otra cosa, los educados para encontrar la satisfacción en lo real y en lo tangible que nos ofrecía el sistema, añorábamos algo que leíamos en los puentes que cruzaban el río, en los parques, en el cambio de las estaciones y sus olores, en los ojos de nuestros viejos. Yo, como muchos miles de miles, soy producto de esa añoranza. Como ellos, no he podido paliarla todavía. No he sabido cómo. A mis cuarenta y dos años, el mundo me queda demasiado grande porque me educaron en una jaula de añoranza en la que todo era seguro. El futuro era seguro. La comida era un bien asegurado. La salud también. El derecho a una vivienda, a la educación, a la procreación, a la seguridad era innato e indiscutible para todos nosotros. La sombra que todo lo daba se encargaba de velar por lo necesario a cambio de muy poco: lealtad, sacrificio, permanencia.

Permanencia.

Como muchos de los que vivimos aquello, llevo años sin saber dónde quedarme porque aún hoy hay algo en lo más inconsciente de nosotros que recuerda la máxima de «quien no permanece traiciona». Los ciudadanos de los que fueron países del Este circulamos por el mundo sin rumbo todavía hoy y muchos nos evitamos si podemos porque seguimos desconfiando los unos de los otros. Estamos vigilantes, alerta, preparados para una vida en la que todo se reduce a dar o a recibir. Una vida en la que la vida vale poco.

Pero estaba hablando de mamá.

Hablaba de ella conmigo cuando ya el Este había dejado de serlo y nos habíamos convertido en un país endeudado, desposeído y pobre. Hablaba de mamá y de su embolia. Cuando se vio así, dependiente y paralizada de un lado, mostró a la Kata que nunca se había atrevido a enseñar y descubrí a una mujer que se reía tanto y tan bien, tan llena de cosas, que viéndola así, tan viva a pesar de todo, empecé a entenderla como no lo había hecho hasta entonces y también a quererla de otra manera. Más de mujer a mujer.

En esa última época que pasamos juntas, mamá empezó a llamarme «niña». Yo a ella Kata. También empezó a perder la memoria, supuestamente a causa de la embolia. De repente se descolgaba con recuerdos extraños que jamás había compartido conmigo. Otras hablaba entre dientes, comentando cosas que solo ella veía o verdades que lanzaba a destajo, sin venir a cuento, y que me partían en dos, descomponiéndome por momentos. La parálisis dejó al descubierto una parte de mamá que yo no imaginaba, una Kata llena hasta los topes de información confidencial que había ido acumulando durante años y que ahora parecía salir escupida de su cabeza como chorros de lava, manchando lo que tenía a su alcance. Daba la sensación de que de pronto su cerebro mellado había caído en la cuenta de que hacía casi quince años que la Unión Soviética había desaparecido y de que ya no había nada que temer, quizá por eso empezó a hablar.

Así era el miedo, ese miedo. Incluso después de los años, cuando mamá hablaba, miraba siempre hacia el exterior. Nunca se sentaba de espaldas a una puerta ni a una ventana. Durante los tres años que vivimos juntas, Kata me habló del pasado. Ella sabía que no le quedaba mucho y quería recolocarme en el mundo, aunque fuera tarde. Eso decía: «Tienes que recolocarte, niña, tienes que saber, porque a tu edad todavía estás a tiempo». Tres años estuvo mamá explicándome los porqués y los cómos con medio cuerpo inutilizado por la enfermedad mientras yo cargaba con ella a la espalda y buscaba ayudas para la rehabilitación, los medicamentos, para médicos y transporte, esperándolas en vano de un sistema que ya no ayudaba a los suyos, que ya no era el Este, ni público, ni tenebrosamente solidario. Cuando se me acabaron los ahorros que había conseguido reunir durante mis años en Barcelona, tuve que ponerme a trabajar. Empecé como ayudante en un estudio de decoradores, pero como el sueldo apenas llegaba para cubrir los gastos de mamá, algunas tardes trabajaba con un cristalero. Trabajaba tanto para mantenernos que cuando llegaba a casa y me ocupaba de mamá, a veces me quedaba dormida mientras la bañaba.

Así fueron esos años con Kata. Ella nunca mejoró.

Y cuando creí que mamá había terminado de hablar sobre aquellos años, cuando pensé que había agotado todos los cómos y los porqués y ya solo le quedaba espacio para el dolor físico y para la dependencia, una noche, mientras la peinaba, me miró desde ese estar y no estar tan suyo y, con una sonrisa, me dijo:

—Quiero pedirte algo, hija.

Yo estaba de pie detrás de ella, las dos frente al espejo. Nuestros ojos se encontraron en el cristal. Yo seguía peinándola, arriba y abajo, arriba y abajo. Mamá puso su única mano viva sobre la que yo tenía apoyada en su hombro y sonrió en diagonal a todo lo que reflejaba el espejo.

—Claro, mamá.

Ella siguió sonriendo unos segundos sin decir nada.

—Bueno, en realidad, quiero contarte algo y también pedirte una cosa.

Dejé de peinarla aunque no despegué el cepillo de su pelo y nos miramos durante unos segundos. Vi en sus ojos azules a la Kata enferma, perdida en un limbo que no estaba allí, y temí por mí. Mamá me miraba, pero no me encontraba. Veía a través de mí. Estaba lejos.

—¿Dolerá? —me oí preguntar.

Ella ladeó la cabeza y sus ojos enfocaron de nuevo la mirada en mí. La pregunta la había devuelto a nosotras. Dejé escapar un suspiro de alivio que ella no vio.

—Recolocará —declaró con una media sonrisa—. Sobre todo a ti. Y ayudará.

Intenté responder algo, pero no supe qué. Ella puso su mano sobre la mía.

—Ya lo verás, niña.

Quise decirle que no, que recolocar no, que mejor dejar las cosas como estaban y seguir así las dos, cuidadora yo, cuidada ella, refugiadas en el piso de la calle Gömb Utca como si lo de fuera, la vida que había fuera, estuviera pasando sin nosotras. Quise decirle: «Quedémonos así, Kata. Querámonos así: así de mayores, así de a salvo, así de en paz».

Pero mamá tenía prisa. Le sobraba el tiempo porque estaba demasiado cansada de vivir ayudada, de tener que echar mano de mí para poder seguir, con medio cuerpo ausente y el otro dependiente. Le sobraban muchas cosas y yo no quería verlo. Hacía tiempo que había muchas cosas que no quería ver, esa es la verdad.

—Primero contaré, hija —anunció, dándome un pequeño apretón en la mano con la que yo sostenía aún el cepillo apoyado sobre su cabeza—. Luego pediré. Será más fácil así —añadió—. Para las dos, más fácil para las dos.

Sentí el peso ligero de su mano sobre la mía y en la presión de sus dedos entendí que no iba a ser fácil para ella y tampoco para mí. La vi tragar saliva en el espejo y luego la vi perderse una vez más en algún rincón de su memoria, persiguiendo una voz que únicamente ella oía, perdiéndose atrás, muy atrás.

—No dejes de cepillarme. Me hace bien —me pidió, tirando automáticamente de mi mano para que siguiera moviéndola con suavidad. Tenía un pelo fuerte y rubio que desde hacía años se recogía en un moño bajo como una caracola y que yo había aprendido a cepillar como a ella le gustaba: despacio y sin parar. Arriba y abajo. Arriba y abajo.

Seguí cepillándola mientras ella bajaba la mirada y suspiraba. Luego se puso la mano sobre la rodilla y movió los dedos como si contara. Fueron solo unos segundos, ella contando y yo cepillando, ella navegando en su memoria y yo a la espera, flotando en su silencio.

Entonces levantó la cabeza y clavó la mirada en el espejo, como si leyera en sus profundidades un mensaje que ni yo ni nadie habríamos podido ver.

—Tu abuelo los mató —dijo con una voz plana, casi metálica—. A los tres.

Dejé de cepillar y le busqué los ojos en el cristal. Lo único que pude encontrar fueron dos pequeñas conchas azules, casi transparentes, que no me vieron. Tragué saliva y seguí cepillando. Arriba y abajo, arriba y abajo.

—Esperó hasta que pudo verte nacer y luego los mató —continuó, tendiendo la mano hacia el espejo, como si alguien la estuviera invitando desde el otro lado. Como si la llamaran—. Por eso vinimos a Budapest.

Arriba y abajo, arriba y abajo. El cepillo se deslizaba desde mi mano sobre su pelo y el silencio solo lo interrumpían los gritos de unas vecinas que hablaban en la calle y el rugido de algún autobús. Mamá siguió con la mirada clavada en el espejo y poco a poco fue frunciendo el ceño y entrecerrando el ojo que le quedaba con vida hasta que levantó la mano y me cogió con fuerza la muñeca, obligándome a parar.

Entonces giró la cabeza.

—Por eso todo —dijo.

TRES

—¿Estás aquí, niña? —pregunta Clea desde su tumbona.

A Ilona le llega de pronto el olor de su cigarrillo y siente sobre la piel la humedad que llega repartida desde el jardín. Durante una décima de segundo se le encoge el pulso en las muñecas porque en la pregunta le ha parecido oír a su madre y de repente la ha echado tanto de menos que ha tenido que tragar con fuerza antes de hablar.

—Sí, claro —responde.

—Mentirosa.

Ilona sonríe a pesar de sí misma.

—Va a cambiar el tiempo —dice Clea, cerrando los ojos e inspirando hondo—. Me duelen los huesos.

—Puede ser.

—¿Tú no lo sientes? —pregunta—. Seguro que sí —dice, volviéndose a mirarla—. En las rodillas. ¿No te duelen?

Ilona se lleva automáticamente la mano a las rodillas y se las masajea durante unos segundos. Clea la mira y, cuando los ojos de las dos se encuentran, a Ilona le asalta el recuerdo de un episodio no muy lejano que creía olvidado, uno de los primeros que conserva de la vida que ha compartido con Clea en el centro y que con el paso de las semanas ha dejado almacenado en algún rincón de la memoria que no suele visitar.

El recuerdo la lleva a un par de semanas después de empezar a trabajar en Buenavista, mientras desayunaban en el salón de la suite y Clea le pidió que le alcanzara un periódico que había dejado olvidado en la mesita del recibidor. Cuando Ilona regresó con el periódico en la mano, Clea bajó los ojos y preguntó:

—¿Por qué caminas así, niña?

«Niña», dijo. Hasta entonces nadie, excepto su madre, la había llamado así. Estuvo a punto de decirle que prefería que la llamara por su nombre, pero hubo algo en la mirada de Clea que la contuvo.

—¿Así, cómo? —preguntó en cambio, todavía con el periódico en la mano.

Clea arqueó una ceja.

—Raro —respondió—. Como si te doliera algo.

Ilona le dio el periódico y se sentó.

—Tengo mal las rodillas —le explicó, sirviéndole el zumo de naranja.

—¿A tu edad?

—Sí.

—¿Qué edad me has dicho que tenías?

—Cuarenta y dos.

—¿Y ya estás así?

—Sí.

—Pues vaya.

Ilona no dijo nada durante unos segundos, pero Clea esperaba una explicación más precisa, algo, y ella no tenía intención de empezar a despertar tensiones tan pronto. Le contó la verdad, creyendo que, una vez aclarado el misterio, Clea se quedaría satisfecha y podrían seguir desayunando. Se equivocó.

—Me rompí las rodillas cuando tenía quince años.

Clea se quedó con el vaso de zumo en alto. Carraspeó y parpadeó antes de hablar.

—¿Las dos?

Ilona asintió con la cabeza.

—¿Cómo? ¿Qué pasó?

—Me caí.

Clea no dijo nada. Siguió con el vaso en alto, esperando.

—De las paralelas.

En cuanto Ilona se oyó decirlo sintió un escalofrío que le resultó familiar.

—¿De las paralelas? ¿Qué paralelas?

Ilona entendió que Clea no lo entendiera. También entendió que hay cosas en la vida que son tan parte de nosotros que parece que lo sean también de un todo común. Normales, como lo de sus rodillas o lo de la gimnasia, como las veinte horas semanales de entrenamiento desde los seis años a las que había que añadir las concentraciones, competiciones, campeonatos, eliminatorias... castigos. Entendió que había mucho que contar si quería que Clea entendiera, porque lo que ella había resumido con una frase era una más de las oscuras realidades que había vivido durante veinte años en un país sitiado por la falta de color, de voz. Se vio repentinamente en un cruce de caminos para el que se reconoció no preparada y se dio cuenta de que en algún rincón de sí misma estaba emocionada, porque desde la muerte de su madre nadie se había atrevido a preguntarle por ella así, tan directamente, queriendo saber.

Miró a Clea, que le aguantó la mirada. Quiso sonreír y no le salió bien.

—Fui gimnasta desde los cuatro a los catorce años —dijo—. A los doce entré en el equipo nacional.

Clea carraspeó y buscó sus cigarrillos a tientas. Encontró la cajetilla, sacó uno y se lo metió en la boca, pero no lo encendió.

—Para cualquier familia era un honor tener a alguien en un equipo nacional, un honor y un montón de puntos —explicó Ilona—. Y la verdad es que en aquella época mamá no andaba sobrada de ninguna de las dos cosas, ni de honor ni de puntos.

Clea tragó saliva y encendió el cigarrillo. Luego dejó el encendedor encima de la mesa y lo colocó muy despacio en el ángulo exacto de la esquina. Aspiró una bocanada de humo. Minúscula.

—Teníamos una entrenadora rusa que nos odiaba casi tanto como nosotras a ella —continuó Ilona—. Entrenábamos después de clase, por la mañana y por la tarde, aunque en el colegio nos exigían menos que a las demás porque éramos una élite física, una esperanza de éxito. Comíamos mejor y llorábamos tanto en los entrenamientos que a ninguna de nosotras le quedaron lágrimas después de los diez años. Alina, que así se llamaba la entrenadora, hablaba poco, y cuando lo hacía, su voz vibraba por todo el gimnasio. Lo suyo, como con casi todos los rusos, era enseñarnos y entrenarnos para hacer. Hacer, conseguir, competir y luchar contra el fracaso, tan común en todos los países del bloque que no fueran la Unión Soviética. Enseguida aprendíamos que los errores se pagaban y que había que pagarlos al instante porque, como los perros, los músculos de los deportistas de élite tenían una memoria casi inmediata. «Los músculos son animales domésticos que deben saber en todo momento lo que su amo tiene en mente. Son tejidos diseñados para obedecer», decía Alina cuando, después de una competición, y, cuando digo después, quiero decir inmediatamente después, en cuanto el público terminaba de abandonar el pabellón y nosotras, las que no habíamos pisado el podio, nos quedábamos a repasar los ejercicios, ella y sus dos ayudantes *trabajaban* con nosotras para que nuestros cuerpos de niñas reconocieran punto por punto las imperfecciones, los despistes y los errores, para que los músculos no olvidaran. Si había faltado ritmo en los movimientos, Alina simplemente decía «ritmo», y la niña en cuestión cogía una cuerda y empezaba a saltar descalza en un rincón del gimnasio, ignorada a su suerte, olvidada en su purgatorio de saltos mientras Alina y su equipo se ocupaban de las demás. Si lo que había faltado era elasticidad en el *spagat,* Alina te ordenaba hacerlo delante de tus compañeras mientras ella se ponía de pie encima de ti con un pie sobre cada muslo hasta que creías que los abductores te estallaban en las ingles y entonces daba pequeños saltos con los talones sobre tus pantorrillas. El dolor era tal que algunas caían de lado como marionetas muertas. Había posturas de reeducación para todo y para todas. Y dolor, claro. Pero para algunas de nosotras estar en la élite era sinónimo de poder salir, de poder ver lo que había al otro lado, de tener una vida. Una pequeña luz al final del camino. Para otras, la élite mantenía a sus padres libres de sospecha, o eso creíamos.

Clea escuchaba sin pestañear. Tenía el cigarrillo consumido entre los dedos y se iba tocando el pendiente con un gesto distraído y automático. Ilona tendió la mano, le quitó el cigarrillo de los dedos y lo dejó en el cenicero. Clea sonrió, pero no dejó de mirarla.

—El mismo día que cumplí catorce años me fui al suelo en el ejercicio de paralelas durante los campeonatos nacionales. Era mi último ejercicio y competíamos para clasificarnos para el Europeo de Florencia. Calculé mal la segunda suelta sobre la barra superior, me adelanté unas décimas de segundo, aterricé sobre la barra con las yemas de los dedos y no pude agarrarme a tiempo. No fue culpa de los nervios ni de la tensión, porque entre las que llegamos hasta allí no los había. Fue simplemente mala suerte. Caí de rodillas y en cuanto toqué el suelo supe que me había roto, que algo había crujido en alguna parte de mis piernas, algo que era yo y que había estallado como una rama seca en el silencio que se había hecho en el pabellón. Luego, aún de rodillas y con las manos apoyadas sobre la colchoneta, vi venir a Alina hacia mí desde uno de los laterales del aparato y de repente tuve tanto miedo, le tuve tanto miedo, que apreté los dientes, me apoyé contra uno de los soportes de las barras y me levanté para seguir con el ejercicio. En ese momento ni siquiera sentía dolor. Solo tenía miedo. Miedo a lo que vendría, al castigo, al ridículo. Entonces solté el soporte del aparato y di un pequeño salto intentando agarrarme de la barra inferior para continuar con el ejercicio, pero ni siquiera alcancé a rozarla con los dedos. Me desmayé.

—Niña —dijo Clea, poniendo las palmas contra la mesa y bajando los ojos—. Niña.

—Me operaron tres veces de cada rodilla —concluyó—. Un año después, cuando pude andar otra vez, ya era tarde para volver a la gimnasia y también para los estudios. Me *reasignaron* a un instituto técnico, una especie de escuela de artes y oficios en la que el sistema aparcaba a adolescentes como yo: deportistas descartados, cerebros malogrados, promesas que habían quedado solo en eso y que había que recolocar. Nadie dudaba de nuestro esfuerzo, pero tampoco de nuestro fracaso. Estábamos limpios, pero habíamos fallado porque en el comunismo la mala suerte no existía. Existían factores, variables, conjuras, acciones y reacciones, pero la mala suerte era un concepto que no se aplicaba por aleatorio, por no solidario. Las cosas se hacían bien o se hacían mal, servías o no servías, éxito o fracaso, blanco o negro. Como cuando un vecino denunciaba a otro: el arresto llegaba durante las primeras veinticuatro horas o no llegaba nunca. Si llegaba, la tortura y la condena en la mayoría de los casos también.

»Culpable o inocente. Veíamos desaparecer a los vecinos y no preguntábamos. La AVO actuaba como la KGB, igual de sistemática, de siniestra. Todos éramos sospechosos de algo, de haber hecho algo, de haberlo pensado, deseado, soñado. Encontrar motivos para una detención era como elegir el sabor de un caramelo en un cumpleaños. Algunos volvían. Mamá los llamaba los «reaparecidos».

Regresaban unos días más tarde, aparentemente ilesos, pero con la mirada opaca, y la vida de los que les rodeaban seguía como siempre; infiltrados, chivatos y vecinos aterrados saludándose y sonriéndose por la mañana. Cuando dejé el hospital y la rehabilitación y empecé en el instituto, fui conociendo las vidas y las historias de mis compañeros de clase y entendí que me había hecho mayor. Contábamos poco, hablábamos de nuestro fracaso infantil como quien menciona un pasado vergonzoso, violento o criminal, y desconfiábamos los unos de los otros como lo hacían nuestros mayores. En secreto, muchos nos preguntábamos cuánto tardaría en llegar un castigo que, consciente o inconscientemente, creíamos merecer.

Clea dejó escapar un suspiro y se revolvió en la silla antes de carraspear. De repente, a Ilona le dio vergüenza verse así, hablándole a aquella vieja desconocida de cosas que eran solo suyas y que debían de estar presentándola a ojos de Clea como una superviviente de algo que debía de sonarle a chino. Estuvo a punto de preguntarle si la creía. Luego quiso disculparse, pero Clea pareció adivinarlo en la expresión de sus ojos, porque se le adelantó y, con una voz plana, le dijo:

—¿Te duelen?

Ilona la miró, sorprendida.

—Las rodillas —aclaró con una mueca que pareció querer ser una sonrisa—. Que si todavía te duelen.

—No —respondió Ilona—. Aunque desde entonces no puedo correr ni saltar. Tampoco montar en bicicleta. Solo puedo usar las piernas para caminar.

Clea soltó una carcajada seca.

—¿Cómo que solo? —preguntó, ladeando la cabeza—. Espera a que llegues a mi edad y verás, niña.

Ilona esbozó una sonrisa seca.

—No sé si preferiría no llegar —murmuró.

—No digas bobadas.

Ilona no dijo nada. Clea se levantó despacio, volvió a colocar la silla en su sitio, cogió el paquete de cigarrillos y el encendedor y se fue despacio hacia el ventanal que daba a la terraza. Cuando estaba a punto de salir, se detuvo delante del cristal y preguntó sin volverse:

—¿Y lo que no son las rodillas? —Agitó suavemente la mano en el aire—. ¿Te duele?

De nuevo una sonrisa.

—Lo que no son las rodillas pueden ser muchas cosas —respondió Ilona, intentando bromear.

Clea arqueó una ceja.

—La vida, niña. Hablo de la vida —dijo con un gesto de fastidio—. ¿Te duele?

Ilona quiso encontrar algo que decir, pero todo lo que se le ocurrió le sonó a excusa, a mentira. Decidió ser sincera.

—No lo sé —respondió. Era verdad, aunque lo era a medias y el silencio que siguió pareció esperar algo más, alguna verdad más entera—. Me duele no tener a mi madre conmigo —añadió—. Que ya no esté. Aunque no sé si eso vale como respuesta.

Clea siguió mirando fuera durante un rato que a Ilona se le hizo eterno. Luego alargó la mano y se apoyó en el marco del ventanal.

—Claro, hija. Cómo no va a valer —dijo.

* * *

Desde entonces, desde esa conversación convertida ahora en recuerdo para ambas, han pasado casi tres meses. Tres meses menos tres días, para ser exactos.

A Clea y a Ilona les parece mentira. Mentira que haga tanto y a la vez tan poco, que desde esa primera mañana haya habido tanto de todo y que quede tan poco tiempo.

—¿Sabes una cosa, niña? —pregunta ahora Clea desde su tumbona.

Ilona se vuelve a mirarla antes de responder.

—No.

—Creo que me ha hecho daño eso que has dicho de que no me quieres lo suficiente —dice Clea con un suspiro de vieja cansada—. Que no somos amigas.

Ilona la ve estirada en la tumbona con la mano sobre la cabeza de Rita y un brillo extraño en los ojos. Es un brillo que ha aprendido a reconocer durante estos meses a dos, un lustre familiar.

—Yo no he dicho eso.

—No ha hecho falta —replica Clea con suavidad, bajando la mirada y rascando a Rita detrás de la oreja. Luego deja pasar unos segundos antes de alzar de nuevo los ojos y sonreír, pierde la mirada en el cielo y se sumerge en uno de esos silencios que Ilona encaja mal, porque a veces se prolongan durante largos intervalos, excluyéndola, dejándola fuera.

Cuando, pasados unos minutos, deja de esperar que Clea diga algo, la oye murmurar:

—En cualquier caso, aunque no sé si esto que tenemos tú y yo se llama amistad, sé que me gusta y que lo echaría en falta si no lo tuviera.

Ilona traga saliva. Nunca ha oído hablar así a Clea, nunca tan de tú a tú sin nada en medio, sin bromas, sin ironía... sin defensas, y se repliega sobre sí misma porque no sabe cómo tomárselo.

—Y, ya que estamos, te diré otra cosa —añade Clea. Lo hace con un pudor al que Ilona no está acostumbrada, pidiendo permiso, como si realmente lo necesitara, mientras coge un cigarrillo del paquete y lo sostiene en alto entre el índice y el anular antes de hablar. Luego parece pensarlo mejor, lo deja encima de la mesilla, pone los pies en el suelo y se levanta con un resoplido, alejándose despacio hacia el ventanal que comunica la terraza con el salón. Al llegar al umbral se detiene y, sin volverse de espaldas, dice—: La respuesta a tu pregunta es «sí».

Ilona frunce el ceño y parpadea, perdida. Una leve sonrisa que ella no ve asoma a los labios de Clea antes de añadir:

—Yo sí te ayudaría a morir si tú me lo pidieras —dice por fin, perdiéndose en la penumbra del salón.

III

KATA O EL DÍA QUE TRES TRISTES RUSOS QUISIERON COMER BIEN

Uno

—Sonará como el alma —dice con los ojos brillantes de la emoción—. Como el alma del mundo. —Y, volviéndose a mirar al chelo, añade, ladeando la cabeza—: Seguro que sí, señorita Ilona.

En el estudio, Otto Stephens está instalado en la butaca verde del rincón junto a la ventana abierta. Tiene el periódico cerrado sobre las rodillas y a su lado, encima de la mesita, están sus gafas de leer y la bandeja con la jarra blanca del té, una taza y un plato con cruasanes de mantequilla. La luz de la tarde se filtra entre las cortinas, rayándolo todo con pequeñas líneas blancas sobre las que navega el polvo en suspensión. Desde el exterior llega un trino ocasional, nada más.

La sonrisa de Otto es como la cresta de una ola pequeña: húmeda, blanca y llena de mareas que no se ven pero que están. «Así es como sonríen los viejos que han llegado bien», oye decir Ilona a su madre siempre que le ve sonreír. Es cierto: Otto ha llegado bien y a sus ochenta y seis años disfruta de cada momento como si cada minuto fuera una vida entera, un giro decisivo que pudiera cambiarlo todo a peor o a mejor, como si todo importara. Sonríe mucho Otto, y, cuando se ríe, lo hace en alto, como queriendo alcanzar con la risa hasta el último asiento de un inmenso auditorio que solo él ve, acostumbrado a ser el blanco de todas las miradas.

«Demasiado ruido de hombre —habría dicho su madre, la de los últimos meses, arqueando una ceja como Clea arquea las suyas—. Qué pereza». Y tendría razón: Ilona reconoce que hay demasiado ruido en Otto, pero también que es un ruido de doble densidad. Los primeros días que pasaron juntos en el estudio, Otto le cayó encima como un chubasco de luz, impidiéndole ver más allá de todo lo que no fuera él durante las horas que compartían. Lo que decía, lo que no decía, lo que sugería, lo que reía, lo que sabía... Otto se anunció como uno de esos hombres que apisonan la pequeñez de los demás y que se hacen enormes desde la carencia ajena, envolviéndolo todo con su mapa de ruidos propios. Luego, a medida que fue pasando el tiempo, el ruido fue apartándose y dejando espacio para que apareciera otro Otto, un hombre anciano que luchaba por retener lo vivido, perfeccionista hasta la enfermedad, obsesivo en el optimismo.

«Esclavo de mis decisiones. O peor aún: de mis invocaciones», le ha oído confesar Ilona más de una vez en un arrebato de sinceridad que en ocasiones acompaña con un suspiro de falsa resignación.

Un personaje: eso es Otto. Un mito de la música que se afana en seguir encarnando la sombra de su personaje, como les ocurre a los actores que en su día lo fueron todo y que, ya ancianos, siguen llevando a cuestas el mismo peso aunque traducido ahora a recuerdos.

Luego está el otro, el Otto íntimo que ha ido apareciendo a diario en el estudio durante las horas que han pasado juntos los dos, Ilona trabajando en el taller que él ha creado para ella y él sentado, primero en su butaca con el periódico sobre las rodillas y pertrechado a su lado después, moviéndose por el taller como una libélula lenta, atenta. Este Otto, el de aquí, es como un niño que quiere saberlo todo, que no se cansa nunca de preguntar y que con el tiempo ha ido acercándose a Ilona desde un respeto y una intimidad pausada con las que sigue sorprendiéndola incluso ahora.

—Como el alma del mundo —dice con una voz casi reverente mientras Ilona se acerca y se sienta en el brazo del sillón. Otto le pone la mano en la rodilla y le da un pequeño apretón. Emocionado, está emocionado, y ella también. Han sido casi tres meses de trabajo diario, a veces en silencio y otras compartiendo con ella su mundo de recuerdos y anécdotas, siempre con el equipo de música a punto y las decenas de cedés repartidos por la gran mesa del fondo, el único desorden que parece permitirse desde que una mañana de junio empezaron juntos «nuestra pequeña empresa», como él la llama—. Y cómo brilla —murmura, acompañándose de un nuevo apretón en la rodilla de Ilona, que no puede contener la risa. A pesar de todo este tiempo, todavía le sorprende este hombre con sus salidas, sobre todo las del Otto más niño, el que más se acerca a lo que ella no ha sido nunca, mostrándole cosas que le hubiera gustado ser o tener y que probablemente ya no esté a tiempo de disfrutar. Él, con ese buen oído interno del que tanto presume, parece adivinarlo y juega con ella a las sorpresas, buscando en Ilona hilos que esta no siempre reconoce y que no siempre sabe manejar.

Es verdad. El cuerpo del violonchelo brilla bajo la ventana, cerrándose sobre sus dos efes simétricas como dos caballos de mar en suspensión. Encima, el azul del mar se extiende a un lado y a otro del mástil apoyado contra el cristal, y más arriba el cielo despejado lo aclara todo.

—¿Está segura de que esta es la décima mano? —pregunta Otto, sin apartar los ojos del chelo.

—Sí. Hemos añadido a la capa anterior veinte mililitros de barniz negro, otros diez de extracto de rojo y veinte más de diluyente.

Él se lleva el índice a la barbilla y se da unos golpecitos, pensativo.

—¿Cuántas capas más hay que darle todavía?

Ilona sonríe. Desde el principio, Otto está impaciente por ver el chelo terminado, y ahora que lo tiene aquí, construido y real, se maneja como un niño delante de una caja de chocolates, todo ansiedad. Aunque sabe —porque ella se lo ha repetido incontables veces en estas últimas dos semanas— que las capas de barniz son once, no se cansa de preguntar.

—Una —contesta Ilona—. Falta una.

Otto deja escapar un suspiro de fastidio.

—¿Y no podríamos saltárnosla, señorita? A mi edad, ya podía hacerme alguna rebajita —dice con un guiño y una sonrisa traviesa.

Ilona le devuelve la sonrisa, pero niega con la cabeza.

—No llevará mucho tiempo. No se preocupe.

—Pero está segura de que lo tendré a punto para mañana por la noche, ¿verdad?

—Sí. Se la daré por la mañana en cuanto me levante. A mediodía ya estará seco.

Otto Stephens se levanta, apoyándose en el bastón, y se acerca lentamente al chelo hasta detenerse a un paso escaso de la ventana. Luego se agacha y lo estudia con atención.

—Un magnífico trabajo, sí, señor. —Se pasa la mano por el pelo en un gesto que Ilona ha aprendido a conocerle bien y vuelve a apoyarla en el bastón—. Ahora solo falta que cantes, pequeño —le dice al chelo, levantando el dedo en el aire como un abuelo hablándole a un nieto atento—. Así que no me falles, ¿eh? —Se acerca un poco más y baja la voz—. Tenemos mucho trabajo por delante.

Luego se queda en silencio unos segundos de espaldas a la ventana, enmarcado contra las redondeces del chelo, e Ilona respira hondo. «Es un gran trabajo, sí —decide ella—. Un trabajo casi terminado». Antes de salir, colgará a secar el chelo en el cuartito ciego que hay al fondo del pasillo, libre de polvo y de otras partículas que no deben estar porque no hacen bien. Y mañana habrá más: más barnices, colorantes, diluyentes, lija de agua, raspado, silencio... olores.

—¿Mucho trabajo por delante, señor Stephens? —pregunta con una sonrisa.

Él se vuelve despacio.

—Mucho, señorita —responde, devolviéndole la sonrisa—. Y muy importante —añade, bajando de nuevo la voz.

Otto sigue llamándola señorita después de todas estas semanas, siempre de usted, manteniendo con ella una distancia y una formalidad que con el tiempo Ilona ha aprendido a entender más dramáticas que otra cosa, parte de un personaje que de pronto rompe distancias y formalidades dándole un cálido abrazo o dos besos cuando se emociona por algo, cosa que ocurre con frecuencia.

«Muy importante», repite mentalmente.

—¿Por qué tan importante?

Otto Stephens ladea la cabeza y la señala con el dedo, agitándolo en el aire como un abuelo encantado.

—Ay, jovencita curiosona...

Ilona se ríe y él se ríe con ella. Ilona en voz baja, él no.

—¿No irá a decirme que a estas alturas está pensando en aprender a tocar el chelo? —pregunta ella, juguetona.

—Huy —salta Otto con cara de fingida ofensa—. A estas alturas, a estas alturas... ¿Usted sabe lo que un anciano como yo es capaz de seguir haciendo a estas alturas? —pregunta, arqueando una ceja y mirándola como un seductor galán de película antigua. Luego se acerca despacio y vuelve a sentarse—. No, ya veo que no.

—Todos somos capaces de muchas cosas a estas y a otras alturas, señor Stephens —se oye responder Ilona, siguiéndole la broma. No sabe por qué lo dice, pero le da igual. Lo que sí sabe es que con él las respuestas le salen fáciles, porque desde muy temprano dejó de haber miedo y porque han sido muchos días juntos, trabajando hombro con hombro.

Con Otto hay confianza. Mucha.

—¿Ah, sí? —pregunta él a su lado con una mirada chispeante que no disimula su incansable curiosidad—. Vaya, vaya... ¿cosas como qué?

—Cosas.

—¿Interesantes, señorita Ilona?

Ilona no puede evitar la risa. Él tampoco. Aun así, la curiosidad que aletea en los ojos de Otto sigue ahí, no mengua.

—Abuelo curiosón... —dice Ilona, agitando el dedo y riéndose entre dientes.

Otto sonríe de nuevo. Luego levanta la barbilla y, con una mueca teatral, se defiende:

—Qué más quisiera usted que tener un abuelo tan... tan estupendo como yo —bromea.

Turbada. Ilona se descubre turbada y siente que la risa se le corta en seco en la garganta. La respuesta de Otto ha prendido en ella una alarma, porque se ha visto bordeando un precipicio del que debería estar más alejada. «Cuidado, Ilona —piensa, acorazándose—. Por ahí no». Durante un instante, en el vacío, la oscuridad la atrae, y, aunque logra retirarse a tiempo, no es una retirada limpia porque hay herida. Mucha.

—Eso quizá habría que preguntárselo a sus nietos, señor Stephens —responde con una voz quebrada y dura que no es la que le habría gustado oír y que enseguida lamenta, porque sabe que Otto no tiene nietos y porque él mismo ha confesado más de una vez que esa es una de las pocas espinas que la vida le ha clavado mal.

A su lado, Otto la mira extrañado. Parpadea intentando ocultar su sorpresa.

—Perdone —se disculpa rápidamente Ilona, forzando una sonrisa—. No quería que sonara así.

Otto asiente despacio con la cabeza. Es un gesto automático, poco convencido.

—No importa demasiado el cómo, señorita —dice después de dejar pasar unos segundos—. Importa lo que suena —añade—. Lo que hay dentro, como pasa con los instrumentos. Eso usted debería saberlo.

Ilona se lleva la mano a la nuca y se la masajea despacio. Primero el cuello, luego la clavícula. La izquierda.

—Suena a cuerda rota, señorita Ilona —insiste Otto con una suavidad de abuelo, dándole un nuevo apretón en la rodilla—. Desafinada, así ha sonado.

Ilona baja la cabeza antes de hablar.

—Es que hay cuerdas rotas —dice—. Hay heridas, y parece que la madera todavía está demasiado tierna.

Otto deja escapar un pequeño suspiro.

—Quizá serían menos heridas si las compartiera con este viejo, señorita Ilona —propone con una voz que ella percibe reducida, casi tímida—. O quizá no. Quizá simplemente serían las mismas heridas, aunque dolerían menos.

Ilona no dice nada, pero se nota blanda. La mano de Otto sobre su rodilla le da un punto de calor que le gustaría seguir sintiendo por físico y por tierno. De repente, tiene ganas de abandonarse un poco, de sentirse otra vez parte de algo o de alguien. «¿Cuánto tiempo hace que no me dan un abrazo?», se sorprende pensando, volviendo de nuevo a asomarse al precipicio y perdiendo la mirada en la oscuridad que hay debajo, esta vez de la mano de Otto.

La segunda sorpresa llega enseguida. En voz alta. La suya.

—¿Sabe? No recuerdo haber recibido nunca un abrazo de mi madre —se oye decir con voz plana, como si hablara de alguien que no fuera ella—. Supongo que ella no lo necesitó, que no era de las que abrazan.

Otto carraspea.

—Luego, cuando cambió de idea y quiso hacerlo, ya era demasiado tarde —sigue Ilona, como si hablara consigo misma—. Después de la embolia solo podía mover un brazo.

La mano de Otto vuelve a apretar la rodilla de Ilona durante unos segundos antes de ascender despacio hasta quedar apoyada sobre su mejilla. El contacto es tan suave y hay tanta ternura en el gesto que Ilona siente que se le cierra la garganta. Vuelve a llevarse la mano a la nuca y aprieta los dientes. Sus ojos y los de Otto se encuentran. Los de él sonríen.

—Mi abuelo decía que compartir el dolor es como afinar el corazón —dice Otto, pegando la mano a la piel de Ilona—. «Cuesta encontrar el tono», decía, «pero cuando consigues que suene como debe, no hay mejor música, porque habla el alma».

Ilona traga saliva y pone su mano sobre la de él.

—Eso es muy bonito, Otto —dice.

Él asiente y le acaricia la sien con el pulgar.

—Sí, es bonito porque es verdad —murmura—. Como casi todo lo que dicen los abuelos —añade con un tinte de tristeza en la voz.

Ilona parpadea. De nuevo rigidez en la garganta. Y poca saliva. El dedo de Otto se detiene justo encima de su oreja y ella casi oye como la yema le roza el pelo que le nace a pocos centímetros de la ceja.

—Yo no conocí a mi abuelo —dice con la voz reseca.

Más silencio. Desde el jardín llega el siseo de un aspersor y alguien pasa cerca de la ventana. Un jardinero.

—Solo tuve uno —explica, bajando la voz—. El padre de mi madre. Pero no llegué a conocerle porque murió el mismo día en que nací.

Más aspersores se activan al otro lado de la ventana. La luz empieza a menguar desde fuera y ahora el chelo brilla más, despidiendo una luz anaranjada, casi dorada, mientras la humedad se cuela en el estudio, matizando el bochorno.

—Lo siento —dice Otto.

Ilona responde con una mueca difícil de descifrar.

—Yo no —contesta con una voz metálica y con su mano todavía en la de él—. Lo que siento es lo que pasó antes —añade, suavizando un poco el tono—, lo que hizo que me quedara sin abrazos. Eso es lo que siento. Y también haber tenido que esperar todos estos años para entender muchas cosas que habrían sido más fáciles si mi madre no hubiera tardado tanto en sacudirse la verdad de encima. Yo habría sido otra, Otto. Con la verdad habría sido otra Ilona. —Guarda silencio durante una décima de segundo y masculla—: Con la verdad habría querido a mi madre de otra manera y habría sentido de otra manera. Todo habría sido distinto.

Ninguno de los dos dice nada. Ahora, en el estudio solo hay luz, olor a barniz y a madera y también la mano de Otto sobre la mejilla de Ilona, que respira deprisa. Son unos instantes de vacío sobre los que ella tensa su pregunta.

—¿Por qué nos costará tanto decir la verdad, Otto? —murmura con voz cansada—. ¿Y por qué terminamos siempre diciéndola cuando ya es tarde, cuando no hay tiempo para afinarla?

Otto baja los ojos y parpadea, pero Ilona no le ve porque lo que ve no está en el estudio ni tampoco en el presente más inmediato. Lo que sus ojos encuentran en la humedad tamizada de la habitación es una mano aferrada a un cepillo que se desliza suavemente sobre una cabeza de cabellos rubios y canosos —arriba y abajo, arriba y abajo—, y una voz minúscula de mujer enferma que habla contra el espejo, perdida ella también en otro presente que sigue doliendo, contando cosas que son verdad y que, aunque no dichas, lo fueron siempre.

—No hay nada menos piadoso que la no verdad —dice Ilona, como si hablara consigo misma—. Ni más triste.

No se lo dice a Otto. Le habla al espejo y a la mujer que está sentada delante. Le habla a Kata, que no la oye porque sigue narrándole su historia tal y como la vivió, reconstruyéndola delante del espejo, porque así es la memoria enferma, así de intensa y así de torcida. Le habla a Kata mientras sigue peinándola y en la calle un tranvía toca una campanilla y la tarde parece iluminarse al instante en Budapest, como si hubiera alegría desde el otro lado de la ventana o como si de repente se apagaran las luces de un teatro y una voz en *off* anunciara lo que llega ya, y lo que llega empezara así:

—Mi abuelo los mató —dice alguien en el estudio con una voz plana, casi arrugada—. A los tres.

Es Ilona la que da la voz, pegando a su mejilla la mano de Otto y repitiendo por primera vez para él la historia de una madre que, poco antes de morir, dibujó en un espejo el mapa de sus heridas para que su hija entendiera también el de las suyas, resumiendo sin saberlo la historia reciente de un pueblo entero, la de muchas de sus mujeres, de lo que legaron y de lo que no consiguieron evitar.

Es Ilona la que da la voz y es Kata la que habla, la que desnuda.

Es la historia de un país maltratado por la historia. De sus verdades y de sus silencios.

La voz de tres generaciones fundidas en una como las tres cuerdas de un instrumento viejo.

El legado de tres tristes soldados rusos que tenían hambre y no supieron pedir.

Es el eco de tres disparos.

Y es también una escena difícil en la que una mujer de cuarenta y dos años se abandona a la mano de un anciano que le da calor sobre una herida mal cerrada, y que respira tranquila, porque de pronto no está sola y porque entiende que para afinar un corazón hay que oírlo vibrar en compañía.

Lo demás son mentiras.

Bien que lo sabe.

Dos

El nombre del pueblo era Kunmadaras. Estaba en el Hortobágy, una parte de las tierras bajas del Puszta. Yo sabía que la familia de mi madre era originaria de allí porque ella a veces me hablaba de la que había sido su vida en el pueblo, de la casa del lago y de su infancia, aunque no lo hacía a menudo y siempre con pequeños apuntes de información que me llegaban como fogonazos y que luego, cuando yo preguntaba, ella parecía lamentar. Soltaba información como si soltara lastre, asegurándose siempre de que nadie más nos oía, de que sus ojos controlaban puertas y ventanas, de que papá no nos rondaba. La escasa información que he tenido de la vida de mi madre anterior a su llegada a Budapest era que la abuela Magda había muerto al nacer ella y que mamá se había criado en la casa del lago con su padre, el abuelo Laszlo, un hombre al que solo mencionaba en raras ocasiones y que, según me enteré un día por papá, había muerto de un disparo con su propia escopeta mientras la limpiaba en circunstancias poco claras. Con la muerte del abuelo, mamá, a quien no le quedaba familia en el pueblo, había decidido instalarse en casa de tía Nadia en Budapest y empezar a trabajar de limpiadora en la biblioteca de la Facultad de Medicina.

—Un pobre hombre —escupió una noche papá durante la cena—. Tu abuelo fue un pobre hombre —me dijo, apuntándome con la cuchara de madera que había sacado directamente de la olla. Había llegado bebido y despotricando contra todo y contra todos mientras subía por la escalera. Yo tenía seis años y también miedo: a él y a sus cambios de humor, a su olor a alcohol y a su mirada opaca que no veía más que lo feo, que se detenía en mamá y la rociaba con una nube de chispas llenas de celos de hombre a medias que ella recibía tensa y asustada. Encogida.

—No hables así de mi padre, haz el... —le dijo ella.

—Hablo de quien me da la gana como me da la gana —la cortó papá, apuntándola con la cuchara y volviendo a rociarnos con las chispas de su mala vida.

A veces solo eran chispas.

Al principio.

Luego llegaron los golpes y el miedo se hizo más sólido, más físico. Mamá empezó a esconder su vida de los que no éramos nosotros tres, y los golpes y el olor a alcohol llegaban cada vez con más frecuencia, cada vez menos espaciados. A veces, papá desaparecía durante días y respirábamos tranquilas. En esos intervalos de tregua, mamá rezaba cuando venía a acostarme y yo rezaba con ella. «Que se muera, que se muera», pedía en silencio mientras ella me apretaba la mano y rezaba cosas que yo no entendía y que nunca funcionaban, porque él siempre volvía. Llegaba primero el olor y su voz desde la escalera. Llegaba luego el parpadeo de mamá, su sonrisa seca, los ojos de la ventana a la puerta, de la puerta a mí y las manos restregándose contra el uniforme de limpiadora de la biblioteca, la misma en la que había conocido a papá, que en aquel entonces se encargaba del mantenimiento del edificio. Miedo a esos años a tres en el piso de la calle Kruzslák Béla. Miedo a esos ojos, a esas manos...

Cuando cumplí siete años, papá nos llevó a merendar y a dar un paseo por el jardín japonés de la Isla Margarita. Estaba de muy buen humor y no paraba de hablar y de reír. Mamá le escuchaba a su lado. Cuando llegamos al jardín, papá me mandó a jugar a un pequeño parterre de flores blancas y mamá y él se sentaron en un banco. Les oí hablar primero. Alguna risa. De él, de ella no. Estábamos solos. Luego los silencios se espaciaron cada vez más hasta que de forma repentina dejaron de hablar a mi espalda. Pasó un hombre por delante del parterre. Cuando el hombre desapareció, la voz de papá murmuró algo que sonó mal. Mamá no respondió. Más papá y menos mamá. Más tensión, más indefensión, más «no empieces otra vez», más «vámonos», más «está aquí la niña, por favor».

Más silencio sordo como un paréntesis donde se encajaron las primeras bofetadas y los primeros gritos de mamá a mi espalda, más tirones de pelo, patadas, insultos. Y luego los gritos de papá forcejeando con un grupo de hombres, dos de ellos de uniforme. Ambulancia. Hospital.

Papá estuvo diez meses detenido. Cuando recuperó la libertad, vino al colegio. Le vi al otro lado de la calle en cuanto salí. Nos miramos y él me saludó con la mano y con una sonrisa ebria que me cortó por dentro. Entonces empezó a señalarme con el dedo y a gritar: «¡Hija de puta! ¡Hija de la gran puta de Kunmadaras! ¡Pequeña puta como tu madre!». Yo seguí donde estaba, incapaz de moverme, mientras él gritaba cada vez más furioso, hasta que llegó un coche de policía y se lo llevó. Desde entonces, papá pasaba unos meses en la cárcel hasta que volvía a salir e intentaba llegar a nosotras, aunque no lo tenía fácil, porque le habían prohibido pisar nuestra casa y acercarse a cualquiera de las dos. Aun así, cuando bebía, se envalentonaba y volvía a la carga. Al final, ya solo nos tiraba piedras a las ventanas desde la calle. Sabíamos que había salido de la cárcel cuando volvíamos a casa y encontrábamos los cristales rotos. Mamá finalmente se cansó de cambiarlos y los tapábamos con plásticos, bolsas o con tablones de madera. Hasta que un día la portera subió a decirnos que un coche había atropellado a papá durante la noche. Esa noche no rezamos. A la mañana siguiente salimos a pasear. Era verano. Mamá me compró un helado y se compró también uno para ella. Luego nos sentamos en un banco del parque y comimos en silencio.

—Creí que con un padre todo sería más fácil —dijo de pronto. Seguimos comiendo en silencio. Cuando terminamos, ella me quitó el envoltorio de papel de la mano, lo tiró a la papelera, se alisó la falda y se levantó—. Me equivoqué, hija —añadió—. Espero que algún día me perdones por haberte dado estos años con él.

Eso fue todo.

Nunca más volvió a mencionar a papá.

Hasta esa tarde delante del espejo, treinta y cuatro años y diez meses después.

Arriba y abajo, arriba y abajo. Cepillo, cabello, mi mano, sus ojos. La voz de mamá perdida en su memoria, sacando verdades y recuerdos de lo oscuro como un mago de su chistera. Verdades y recuerdos que yo fui recibiendo a su espalda, rebotados contra el espejo, viéndolos estallar sobre mí como la metralla.

—Eran tres y llegaron a mediodía —empezó mamá con una sonrisa ida—. No tendrían más de dieciocho años. Estaban destinados en la guarnición que los rusos tenían al otro lado del lago, una de las miles que salpicaban todo el Este, guarniciones como guarderías abarrotadas de niños armados, aburridos, niños a los que la Unión Soviética no pagaba y que tenían que buscarse la vida, el dinero y la comida en los países de destino. Los soldados rusos destacados en los países del bloque sembraban el temor entre la gente. El odio, no. Ya lo tenían asegurado antes de llegar: un odio sólido y silencioso, cargado de razones.

»Eran tres y llegaron a la granja del abuelo porque en la guarnición querían celebrar algo y necesitaban un cerdo. Alguien les había dicho que tu abuelo tenía dos, un macho y una hembra, y no se equivocaban. Los rusos traían órdenes de volver con comida y se decidieron por el más gordo de los dos animales. El abuelo intentó hacerles entender que la cerda era mucho más gorda que el macho porque estaba preñada, que no la tocaran, pero los soldados no le creyeron. El abuelo no dio su brazo a torcer y los rusos no tenían mucha paciencia. Cuando se empeñaron en llevarse a la cerda, el abuelo intentó impedírselo. Fue al granero y apareció en el corral con la escopeta. No estaba cargada, pero los soldados no lo sabían. El primer culatazo se lo dio el menor de los tres, un pelirrojo de Moscú al que le faltaban casi todas las muelas. Luego llegaron más: más culatazos, patadas, escupitajos, insultos. Cuando el abuelo perdió el conocimiento, se mearon encima de él. Luego cogieron a la cerda y la cargaron en el camión antes de desaparecer en dirección a la orilla opuesta del lago.

Arriba y abajo. La voz de mamá vaciló durante unos segundos y yo dejé de cepillar. Ella sonrió al espejo. Su sonrisa me dio miedo.

—Lo supe en cuanto el camión se paró en el camino y vi a la cerda de papá en la parte de atrás, gritando aterrada —continuó, poniéndome la mano en el brazo—. Oí el freno del camión y alguien dijo desde dentro: «Es su hija». Luego una segunda voz añadió: «Hoy van a ser dos las cerdas preñadas».

»No corrí. No grité. Mientras ellos se turnaban contra mí, yo me acordaba de una de las cosas que papá me decía cuando era pequeña y me quejaba del frío. «Piensa que eres un árbol. Intenta respirar como si lo fueras, como si el frío te pasara por encima sin tocarte, sin verte. Como si no le importaras», decía. Yo me quedaba quieta y contenía la respiración, imaginando que tenía la piel cubierta de corteza y que no sentía el frío porque no tenía con qué. A veces funcionaba.

»Mientras ellos se turnaban, yo sentía las piedras del suelo contra la espalda e intentaba contarlas. Piedras contra corteza, corteza contra frío, frío contra piedras. Ellos se movían y yo me clavaba dura contra el suelo. Arriba, en el cielo, había nubes que se movían. Estaban limpias y yo rezaba para que el viento las barriera y a mí con ellas. Abajo, en la tierra, la cerda de papá chillaba en el camión, callando el chasquido del metal de los uniformes sobre mí. En mí.

»Uno de los soldados me escupió desde la ventanilla antes de que el camión arrancara. Luego se rio. «Si es pelirrojo, ya sabes de quién es, cerda», dijo.

»Cuando llegué a casa, encontré a papá tumbado en el corral sobre un lecho de paja ensangrentada. Apenas respiraba. Tenía tantas cosas rotas que cuando llegó al hospital entró directamente a quirófano y estuvieron con él diez horas allí dentro intentando recomponer aquel laberinto de huesos y músculos rotos. Lo tuvieron ingresado tres meses y medio. Perdió un riñón y tres dedos. El resto logró conservarlo.

»En cuanto se enteró de que estaba embarazada, ni siquiera preguntó. No le hizo falta. Vivimos los meses siguientes cuidando el uno del otro, hablando poco, él más cerca de mí que nunca con sus silencios cargados de culpa y yo apenas saliendo de casa, no dejándome ver. Sabía que, como les había ocurrido antes a otras en el pueblo, un embarazo sin padre a mi edad se leía entre nosotros como lo que no era: un servicio a los rusos, un vuelco de mala suerte, un ponérselo fácil. Colaborar. El país estaba lleno de chicas que viajaban solas a pueblos y a ciudades que no eran los suyos, buscando refugio en casa de algún pariente donde construir sobre el embarazo una mentira a tientas, esperanzadas en el anonimato.

»Niños rubios paridos por madres morenas. Todos sabíamos quiénes eran los padres. Todos mirábamos a otro lado.

»Parí en el hospital de la ciudad porque papá se empeñó en que no se fiaba de la comadrona del pueblo. Él no vino a verme. Dos días después volví a casa y me encontré con la maleta hecha y a él en la puerta, esperándome. En cuanto bajé del autobús, se acercó, cogió al bebé en brazos y le hundió la cara en el cuello. Luego me abrazó y me dijo: «Tía Nadia te espera en Budapest».

»Tragué saliva y quise decir algo, pero él me puso la mano en la mejilla y dijo: «No puedes quedarte. No es seguro».

»Me acarició la mejilla con el pulgar y yo le puse una mano sobre la suya. «Ellos... no volverán», añadió, bajando la cabeza durante un instante.

»No supe qué decir. Levantó entonces la cabeza y nos miramos. Fue apenas un segundo. «Voy a bajar al lago, hija», dijo, entrecerrando los ojos, «me llevaré la escopeta».

»Nos miramos una vez más. Él intentó sonreír. Yo no pude. «No vuelvas, Kata. No hables. Ni digas. No cuentes. No confíes», me susurró.

»Cogió la maleta y me acompañó hasta la parada del autobús. No volví a verle. Tampoco regresé al pueblo. Me enteré por tía Nadia que papá había muerto esa noche. Un accidente. Se había pegado un tiro cuando limpiaba su escopeta junto al lago. «Un accidente», dijo.

»Tu abuelo nunca bajaba al lago a limpiar la escopeta. Tu abuelo no tenía accidentes.

Mamá guardó silencio y cerró los ojos durante unos segundos. Yo seguía peinándola como si peinara una muñeca vieja, sin tener conciencia de mi mano sobre su pelo. De repente, abrió los ojos, me miró desde el espejo y forzó una sonrisa triste.

—Ninguno de los tres soldados tenía tu color de pelo, niña —dijo—. Ninguno era moreno ni tenía el azul de tus ojos —añadió, buscando mi mano—. El pelo y los ojos los heredaste de tu abuelo.

Tragué saliva y mi mano encontró la suya.

—¿Duele? —le pregunté, apretándole los dedos.

Ella bajó la mirada. Durante unos segundos no hubo palabras. Solo pelo y cepillo.

—No, niña —dijo por fin—. Hace mucho que no.

No dije nada. Volví a tragar. Sal y agua. Dolió.

—¿Y sabes por qué? —preguntó, llevándose mi mano a la mejilla.

No, no lo sabía.

—No duele porque... porque cada vez que me acuerdo de esa tarde en el bosque pienso en ti, en lo que nació de eso y, aunque sé que es horrible escucharlo, volvería a pasar por ello una y mil veces para poder tenerte conmigo, niña. Para poder ser tu madre.

* * *

La mano de Otto sigue moviéndose despacio sobre la mejilla de Ilona, recogiendo en silencio humedad y sal con el pulgar. Desde fuera, la tarde se mece contra las ventanas, restando calor.

—Su madre debió de ser una mujer excepcional, señorita —murmura Otto.

Ilona no dice nada. Un jardinero grita en algún lugar del jardín que separa el estudio del edificio principal mientras ella asiente con la cabeza una, dos, tres veces, como una niña que acabara de caerse en el parque, las rodillas ensangrentadas, las manos también, y Otto parpadea, porque sabe que la niña necesita consuelo, no compasión. «Esta mujer necesita una familia», piensa, y al hacerlo se le ocurre que quizá él también, que quizá esa sea su carencia, la de muchos. Entonces, apartándose la idea de la cabeza, se vuelve a mirar al chelo y sonríe.

—No debió de ser fácil para ella —vuelve a hablar, pegando aún más la mano a la mejilla de Ilona—. No debió de ser fácil quererla a usted tanto como para callar durante todo ese tiempo.

Ilona se tensa durante un instante contra la mano de Otto y aprieta los dientes. Es solo un segundo. Una herida tocada, una cuerda rota y la punzada de un cuerpo que se defiende.

—No la culpe por haber callado y tampoco por haber hablado al final, hágame caso. Sé de lo que hablo —murmura él. Luego suelta un pequeño jadeo—. Supongo que es algo que a la gente de mi edad nos pasa muy a menudo. Me refiero a lo de hablar, a las ganas de reparar lo que no se ha hecho bien, aunque muchas veces sea demasiado tarde —dice con una sonrisa que quiere ser afable, pero que se dibuja cansada—. Además, piense que hay una edad en la que uno tiene la sensación de haber vivido muchas vidas en una. Por eso, en ocasiones, se nos va la cabeza y no sabemos en cuál estamos. Entonces la verdad y la mentira se confunden, porque en el fondo todo es lo mismo. Es pasado —añade con una carcajada seca.

Silencio. Ilona deja de cabecear y Otto cierra los ojos durante un segundo. Los aspersores se reactivan en el exterior, repartiendo humedad.

—Es cierto —dice él, volviendo los ojos hacia la ventana—. Llega un momento en que la vida es solo pasado.

Vuelve el silencio al estudio, un silencio que se alarga durante unos segundos hasta que finalmente Otto Stephens lo corta con un carraspeo incómodo.

—¿Se acuerda usted del día que empezamos a trabajar juntos, señorita Ilona? —dice de improviso.

—Sí —asiente Ilona.

—¿Se acuerda de lo que le dije? ¿De lo que le pedí?

Ilona busca con los ojos a Otto en la blancura velada de la tarde. Los de él brillan reflejando la luz azulada de septiembre sobre el barniz del chelo al tiempo que sus dedos se separan de su mejilla y se apoyan en el brazo de la butaca.

Ella asiente una vez más con la cabeza.

Despacio, la mano se separa del brazo de la butaca y llega un nuevo apretón en la rodilla de Ilona.

—Fue una verdad a medias, señorita Ilona —confiesa Otto, todavía con la mirada en el suelo—. Una verdad de... de anciano, como diría no sé quién.

Ilona intenta sonreír pero no lo consigue, y la mano de Otto en su rodilla deja de sentarle bien. «Una verdad a medias», dice Otto. «Es decir, una mentira a medias —se oye pensar ella con una de sus voces más desconfiadas—. Es decir, una mentira».

Otto alza los ojos.

—Fue a medias, porque no la terminé —dice—. Le conté el porqué del chelo, el porqué de todo esto —añade, abarcando el estudio con la mirada—. Esa fue la mitad.

Ilona intenta decir algo, pero no sabe qué.

—Quizá haya llegado la hora de confesarle lo que ni yo mismo sabía en aquel entonces —sugiere Otto con voz insegura. Luego, sacudiéndose de encima el silencio desconfiado con el que ella le cubre a su lado, añade—: Me refiero al para quién, señorita Ilona. —Ella le mira, pero no dice nada, y él parpadea, tímido, antes de preguntar—: ¿No cree usted?

Tres

Desde que Ilona empezó a trabajar en el estudio, Otto Stephens la esperaba todas las tardes sentado en su butaca, con el periódico y el té. La saludaba al entrar con una sonrisa y un «buenas tardes, señorita», y leía durante un buen rato. De vez en cuando chasqueaba la lengua o soltaba entre dientes algún «bah» o un «ya, ya» sin apartar los ojos del periódico. Luego, cuando terminaba de leer, se servía una taza de té y observaba trabajar en silencio a Ilona hasta que llegaba la hora y ella se marchaba. En cuanto ella se quitaba la bata y se preparaba para salir, Otto se levantaba, apoyándose en el bastón, y le abría la puerta, despidiéndola con una gran sonrisa y un amable «hasta mañana, señorita Ilona», antes de cerrar la puerta a su espalda y desaparecer dentro. El primer día de la tercera semana, a Ilona le sorprendió ver, al llegar, sobre el brazo de la butaca una especie de trapo blanco pulcramente doblado. Encontró a Otto Stephens en su sitio, impecablemente vestido y con el periódico abierto sobre las rodillas. Cuando él le dio las buenas tardes y ella le devolvió el saludo, Otto la siguió con los ojos hasta la mesa de trabajo y, tras dejar pasar unos segundos, habló.

—Dicen que para ser un buen director de orquesta hay que saber escuchar —empezó con una extraña sonrisa, volviendo la mirada hacia la ventana—. Pero no es cierto.

Ilona no dijo nada. Colgó la bolsa del respaldo del taburete y empezó a ponerse la bata.

—No, no es cierto —insistió Otto—. Para ser un buen director no hace falta escuchar. Lo que hace falta es un buen oído, un oído con intuición, que no es lo mismo.

Ilona terminó de ponerse la bata y se sentó. El olor a té llenaba el aire templado de junio y la luz era amarilla desde fuera, casi naranja. Cerró los ojos e inspiró hondo, meciéndose en el silencio neutro del verano recién estrenado.

—¿Sabe qué es lo menos agradable de hacernos mayores, señorita Ilona? —oyó preguntar a Otto desde la oscuridad matizada de sus ojos cerrados. No dijo nada. Esperó a que llegara la respuesta—. El tiempo —dijo él—. Que sobra. ¿Y sabe por qué? Porque cuando sobra el tiempo muchos empezamos a repasar el pasado y a pensar en lo que no hemos hecho bien, y entonces descubrimos que la lista es tan larga que dan ganas de no seguir.

Sentada en el taburete y todavía sin abrir los ojos, Ilona sintió un pequeño escalofrío. Las palabras del señor Stephens podrían perfectamente haber salido de boca de su madre. Volvió a oír su voz durante un par de segundos y se le encogió la garganta.

—Por eso los mayores pensamos tanto en la muerte. No porque la veamos más cerca. No, no es eso. Es porque a veces solo vemos en ella el descanso que anuncia, lo que nos ahorramos si llega. Y entonces la preferimos a lo otro, a lo que queda de la vida.

«Eso podría haberlo dicho también mamá», pensó Ilona con una sonrisa que no pudo mostrar a tiempo.

—Yo no he sabido escuchar, señorita —oyó decir a Otto Stephens a su espalda—. Y no he sabido escuchar porque no he sabido ver —añadió—. Qué curioso lo injusta que es a veces la vida, ¿no cree? Qué curioso haber tenido tan buen oído para la música y tan mal ojo para lo que realmente importa —dijo, bajando un poco la voz.

Ilona siguió con los ojos cerrados unos segundos más, incómoda y violenta ante esa muestra de intimidad tan temprana y tan a deshora, esperando por si el señor Stephens no había terminado de hablar. Cuando por fin los abrió, se enfrentó al trabajo que tenía por delante y durante unos instantes dejó que la manchara la angustia, retorciéndole el placer de estar allí, en aquella burbuja tranquila rodeada de herramientas, útiles, pigmentos y barnices, y sintió el estómago tenso y duro como un ladrillo frío. Tuvo que tragar a fondo para poder vencer la náusea que le subía desde el estómago y callar la única frase que desde el primer día le había estado martilleando la cabeza en cuanto ponía los pies en el taller.

«Creo que no soy la persona indicada para esto, señor Stephens».

Así sonaba la frase: «Creo-que-no-soy-la-persona-indicada-para-esto-señor-Stephens». Y es que todas las tardes, de cuatro a ocho, Ilona repartía angustia por la mesa del taller como una mancha de aceite usado, barajando una y otra vez esas once palabras sobre el tablero y rumiándolas en silencio sin poder hacer más que eso: barajar, barajar, barajar. Así llegaron también esa tarde, encadenadas como un falso collar, mientras a su espalda le pareció oír que Otto se movía mascullando entre dientes, perdido en sus cavilaciones. Le oyó resoplar al levantarse, oyó sus pasos salpicados por el golpeteo del bastón sobre la madera y olió su colonia en el aire. Entonces, como todos los días a esa misma hora, el recuerdo de Miguel la descubrió con tanta violencia desde los cuatro rincones del estudio que durante unos segundos todo se llenó de vacíos, golpeándola desde dentro.

Once. Once los vacíos como once las palabras que encadenaban la frase maldita.

Y once también los años de vida que había compartido con Miguel, los años de trabajo a dos, de complicidad, de altos y bajos, de admiración mutua, de querer hacerlo bien. Dos realidades unidas por cuerdas como las dos realidades que Ilona hilaba con dedos torpes desde hacía una semana en el taller de Otto.

La primera realidad —la que no era— sonaba así:

Todas las tardes, desde su llegada a Buenavista, Ilona se sentaba en el taburete del estudio y escribía en su libreta, preparando datos, materiales y calculando medidas de espaldas a Otto.

La segunda —la que era— decía así:

Todas las tardes, desde su llegada a Buenavista, Ilona se sentaba en el taburete del estudio y garabateaba distraída en su libreta, incapaz de hacer nada. El recuerdo de Miguel llenaba una página tras otra, acogotándola contra todo. Durante esas cuatro horas anclada al taburete, todo era Miguel, porque Miguel eran los años dedicados a los violines, la labor a cuatro manos construyendo, reparando, barnizando, lijando.

Miguel e Ilona: pareja de lutiers en Barcelona, par de triunfadores, par de triunfos en la mano contra la vida y la mala suerte. Y el amor, también el amor construido en un taller donde nada que no tuviera alma sonaba bien. El amor armónico, ese que no se repite.

Miguel había sido para la niña de las rodillas rotas la barra fija de la que era imposible caer, el amor metódico, constructivo, ordenado. Con él, Ilona había crecido abandonada, confiada. Había creído que las cosas podían ser, que a veces la vida nos da oportunidades para que la hagamos mejor y que a ella le había regalado años de bonanza en Barcelona con aquel hombre callado y huraño que vivía para convertir la madera en música y que insertaba las almas en los instrumentos como un dios menor, dotando de espíritu a los cuerpos, preciso y experto.

Miguel había sido once años de tiempo en paz en una vida difícil, amurallada.

Para Ilona, había sido el reposo. Lo cierto. Llegar bien. Quedarse. Querer más.

Pero un día la vida giró y con ella giró también la luz sobre ambos, descubriendo claroscuros allí donde hasta entonces el blanco y el negro no habían dejado lugar a la duda. La crisis, cuando llegó, lo hizo en silencio, como casi todo lo que ocurría en el taller. Fueron primero gestos, pequeñas discusiones provocadas por nada en particular, respuestas a deshora, mal humor. Los silencios hoscos de Miguel llegaban cargados de cosas no dichas, irascibles, y las miradas eran menos firmes, el tacto menos suave. El Miguel cotidiano empezó a oscurecerse y a diluir sus contornos, e Ilona fue poco a poco haciéndose a un lado, a la espera de que la oscuridad fuera solo una nube pasajera y de que tras ella llegara un sol más limpio, renovado. Aparecieron los desencuentros, también el aburrimiento: el mutuo y el recíproco. Tras unos meses de torcedura, llegaron las conversaciones, los intentos por retomar, por rediseñar una nebulosa que ni Miguel ni Ilona sabían cómo ni por qué había empezado, pero que no hacía más que crecer alrededor de los dos, restando aire, acumulando rabia. Trayendo lo feo.

«Un tiempo», se dijeron los dos una tarde, rendidos después de una de las muchas conversaciones que llegaban para salvar restos de intenciones y que se disgregaban enseguida, porque ni Miguel ni Ilona sabían en aquel entonces que la crisis —o lo que ellos vivían como tal— era miedo a haber llegado al final de la aventura, a que no hubiera nada más al otro lado. La crisis era una extraña falta de fe en el otro, en uno mismo, en lo real. «Démonos un tiempo», se dijeron.

Y el tiempo llegó, pero llegó torcido.

Apenas dos días después de esa última conversación en el taller, sonó el teléfono. Desde un hospital de Budapest, una voz metálica anunció al oído de Ilona la llegada de la enfermedad y el nombre de la enferma.

Kata. Embolia.

El tiempo que Miguel e Ilona habían decidido darse llegó a la fuerza. El tiempo y la distancia. «Nos hará bien», pensaba Ilona en silencio mientras, sentada delante de la pantalla del Mac, tecleaba los dígitos del número de la Visa en el formulario de compra del billete de avión. «Ayudará», pensaba Miguel unas horas más tarde, viéndola cómo se perdía por la puerta de salidas del aeropuerto con su portátil y una pequeña maleta de mano azul.

Tres años.

Mil quinientos veinticuatro kilómetros.

El tiempo y la distancia hicieron bien su trabajo, acercando a Kata y a Ilona mientras Miguel se diluía poco a poco en la otra orilla de lo que muy pronto empezó a ser un pasado en presente continuo y Kata lo ocupaba todo con su parálisis. El paréntesis que Miguel e Ilona quisieron darse quedó de pronto invadido por la sonrisa torcida de la madre que veía a su hija sufrir en silencio por un hombre por el que ella jamás había sentido ninguna simpatía.

Porque para Kata, Miguel era un hombre con demasiados «demasiados». Ninguno bueno.

Demasiado mayor. Demasiado callado. Demasiado lejos.

Demasiado tardó en llegar la muerte de Kata. Tres años fue mucho tiempo dándose tiempo. El paréntesis se había convertido en conjunto vacío. Miguel lo sabía. Ilona, no.

Miguel voló a Budapest y ayudó a Ilona a enterrar a Kata. La encontró tan destrozada y tan necesitada de calor que esa noche, de regreso al apartamento, se dejó encontrar por ella y la arropó contra el cariño que aún conservaba en su cuerpo de hombre callado. Ella se abandonó a un sexo que entendió mal porque venía del hombre al que todavía esperaba, y él no supo hacerlo mejor, porque llegó hasta Ilona con una maleta cargada de culpa y de cosas no dichas que ya era tarde para vaciar.

Fue un sexo triste porque no curó. Por la mañana, antes de acompañar a Miguel al aeropuerto, fueron a desayunar al café Gerbeaud. Era temprano. Hablaron de cosas que no contaban, llenando el tiempo hasta que Miguel encendió un cigarrillo y clavó los ojos en uno de los ventanales que daban a la plaza.

—¿Qué vas a hacer? —preguntó a Ilona, sacando el humo por la nariz. No la miró.

Ilona parpadeó y enderezó los hombros. Luego se llevó las manos a las rodillas y las masajeó con suavidad. «Qué vas a hacer», se repitió en silencio. «Tú». «Hacer». No «nosotros». No «vamos».

«Primera persona. Singular. Yo. Sola».

—Tengo que cerrar el piso —dijo—. Limpiarlo. Apartar lo que quiero conservar de mamá... esas cosas.

Esas cosas. Miguel asintió con la cabeza y esbozó una sonrisa que quiso ser cálida.

—Después he pensado volver a Barcelona —añadió Ilona. Miguel siguió mirando hacia la plaza. Fuera, un par de chicas hablaban junto a la portería de un edificio. Parecían contentas de verse. Se reían, cogidas del brazo. Ilona tardó unos segundos en volver a hablar. Esperaba que Miguel dijera algo, que hubiera calor. Esperaba también que la invitara a volver con él. Fue en vano—. Aquí ya no tengo nada —se oyó decir con una voz que le llegó cansada.

Miguel le puso la mano en el brazo y la acarició con el pulgar. Tocó algodón, piel no.

—Si vuelves, puedes quedarte en casa el tiempo que necesites, ya lo sabes —dijo, mirándola finalmente a los ojos.

Ilona tragó saliva y se acordó de la noche anterior. Volvió a sentir durante un instante el peso del cuerpo de Miguel sobre el suyo y palpó la humedad que habían compartido después bajo el calor del edredón, él pegado a su espalda, respirándole al oído, y ella despierta, vigilante, creyendo oír a Kata en cada crujido, sintiéndola presente en el aire pesado de la habitación. Viva.

Al otro lado de la ventana, las dos chicas se despidieron con un par de besos y cada una siguió su camino, dejando la plaza vacía. Miguel miró su reloj y, en su gesto, Ilona entendió que las horas compartidas durante la noche habían sido tan solo un afán de compañía, casi de compasión. Poco más. Le vio mirar su reloj y leyó en el hombre que tenía sentado delante que los tres años de tiempo que la muerte de Kata había cerrado no habían servido para unir. «El tiempo nos ha hecho daño», pensó, volviendo a tragar.

—Creo que deberíamos irnos —dijo Miguel, retirando la mano de su brazo y descruzando las piernas. Ella asintió con la cabeza y él se levantó.

Lo demás fue una simple concatenación de acciones que cada uno vivió sin compartir, acotados los dos en terreno propio: puerta, calle, esquina, taxi, abrazo, te llamaré, claro, avísame si vienes a Barcelona, claro, si necesitas cualquier cosa no dudes en llamarme, claro.

Claro.

Instantes más tarde, el taxi se fundía con el tráfico de la avenida hasta desaparecer, dejando a Ilona en la acera, envuelta en su propia voz y en el sol de primavera que calentaba ya el aire de la ciudad. Siguió de pie unos minutos, apoyada en el semáforo, mientras los transeúntes pasaban junto a ella, ajenos la mayoría, cada uno en su órbita de tiempo y espacio. A medida que el coche se alejaba hacia el aeropuerto, Ilona comprendió que había calculado mal y que una vez más había errado en el salto desde la barra superior a la inferior, clavando las rodillas contra el suelo duro de la calle y oyéndolas crujir. Entonces, en sus oídos se hizo un silencio que lo apagó todo y que la envasó al vacío desde el estómago, abriéndole una brecha de calambre que la cruzó de lado a lado y que le cerró la mano sobre el poste del semáforo, doblándola en dos. La voz de Kata llenó el silencio. «Mi niña de las rodillas rotas», la oyó decir Ilona desde algún lugar que no era calle ni tampoco presente. Cerró más la mano sobre el semáforo y tragó saliva. «Levántate, pequeña —volvió a sonar la voz de Kata sobre el rugido de una moto que dejó al pasar una estela de humo gris—. Levántate».

—Mamá —susurró Ilona, llevándose la mano al vientre antes de inspirar hondo un par de veces para no llorar y echar a andar de regreso a casa entre calambres y ganas de no estar—. Mamá, abuelo, árbol, corteza, frío —empezó a recitar mientras ponía un pie delante del otro y ganaba metros y fuerza contra el dolor, saliendo adelante a trompicones hacia una vida que tenía que ser mejor, que no podía quedar así. Así de rota. De torcida.

En cuanto llegó al apartamento, corrió al baño y vomitó. Luego se lavó la cara, llamó a la patrulla municipal encargada de vaciar pisos, se preparó un té, se sentó a esperar junto a la ventana en la mecedora de Kata y siguió balanceándose con la mirada clavada en el cristal hasta que, horas más tarde, llamaron a la puerta.

Poco podía imaginar que dos semanas más tarde estaría sentada en el despacho de Rocío, abriendo una extraña grieta entre la Ilona que había sido hasta entonces y la que habría de llegar. Poco podía adivinar que la rueda de la vida había empezado a girar de nuevo y que quizá por fin —solo quizá— había empezado a hacerlo desde ella. Con ella. Para ella.

* * *

—Señorita.

Ilona soltó el lápiz que tenía en la mano. A su lado, Otto dejó escapar una risilla que enseguida vistió de carraspera.

—Perdone, no quería asustarla.

Ilona se llevó la mano a la nuca y estiró el cuello, pero no se volvió a mirarle. De pronto, aterrizó de lleno en la luz dorada del taller y se encontró con la libreta de notas llena de garabatos que tenía sobre la mesa y con la misma frase que llevaba silenciando desde que había puesto por primera vez los pies en el taller de Otto.

«Creo que no soy la persona indicada para esto, señor Stephens».

La voz de Otto le llegó desde su lado, despejándola de golpe. En cuanto se volvió, lo encontró de pie a su izquierda con las manos sobre la mesa. Sonreía.

—Siempre, desde que empecé en la música, he creído que la voz del violonchelo debe de ser lo más parecido a la voz del alma, señorita Ilona —dijo, ladeando la cabeza.

«Y yo llevo quince días en este taller y todavía no he sido capaz de hacer nada porque yo así no sé —pensó Ilona, clavando la mirada en la ventana—. No, señor Stephens. No puedo porque nunca lo he hecho sin Miguel, porque cuando trabajábamos, Miguel y yo construíamos algo más que un instrumento: creábamos un mundo pequeño que era solo nuestro. Trabajábamos con un para qué que nos unía más a lo que queríamos que fuera nuestra vida. A veces inventábamos una historia al instrumento que teníamos entre manos. Le dábamos un nombre, una razón, un destino imaginado. Eran cuentos de taller, fantasías que él escuchaba en silencio. Éramos dos y todo estaba bien porque había un fondo común, señor Stephens. Y también un futuro. El mismo que ya no sé cómo encontrar sin él».

—Y cuando digo el alma me refiero a eso que da sentido a todo —siguió diciendo Otto, ajeno a las cavilaciones de Ilona—. Esa calma que cura y que nos reconcilia con todas las cosas que no hemos sabido ver, ni oír, ni vivir.

Ilona parpadeó. No entendió lo que él le decía ni tampoco lo que hacía allí, a su lado, con esa bata blanca que enseguida explicó la extraña mancha que había visto sobre el brazo de la butaca al entrar al estudio. «Sola no puedo, Otto —pensó una vez más—. No quiero».

—Yo... —dijo Otto Stephens, bajando la mirada—. Yo quiero pedirle algo.

Ilona frunció el ceño. La voz tímida de Otto la cogió por sorpresa. «No puedo. No puedo. No puedo», siguió pensando durante el instante que él tardó en volver a hablar.

—Me gustaría, si a usted no le supone mucho inconveniente, que me dejara ayudarla.

Ilona se frotó la frente con el pulgar en un gesto automático y heredado de su madre que aparecía sin avisar en los momentos de confusión.

—¿Ayudarme?

Otto carraspeó y sonrió.

—Con el chelo —dijo—. A construirlo.

Ilona clavó la mirada en la página en blanco de la libreta y se masajeó la nuca durante unos segundos. Luego suspiró. «No puedo, no puedo», seguía susurrando la voz en su cabeza. A su lado, Otto dejó escapar un suspiro.

—Ya sé... ya sé que soy viejo y que estas manos no dan para mucho —dijo con un hilo de voz—. Pero le prometo que no la molestaré. Solo quiero... —Inspiró hondo y cerró las manos sobre la mesa—. Participar.

Participar.

Se hizo un silencio frío en el taller. La luz de la tarde cubrió el suelo de oro e Ilona se oyó respirar.

—Señor Stephens... —dijo finalmente, volviéndose a mirarle.

Otto la interrumpió con una sonrisa llena de luces y de sombras que provocó en Ilona un escalofrío.

—Yo... quiero que sepa que para mí es un honor tenerla aquí, señorita —dijo él, antes de rodear la mesa de trabajo con sus pasos ligeros hasta situarse justo delante de ella, de espaldas a la ventana. Luego añadió—: Pero el auténtico honor sería que me permitiera trabajar con usted, ayudarla a construir el chelo. Ser su... su aprendiz en esto, si me permite llamarlo así.

Ilona no supo qué decir, envuelta como estaba en su larga estela de «no puedo, no quiero, no debo». Desde un rincón de la tarde, los ojos de Miguel la miraron durante un instante. Notó un pequeño calambre en el esternón y tragó saliva. Luego apretó los dientes y, antes de hablar, sintió la mirada acuosa de Otto que la esperaba desde el otro lado de la mesa.

—Señor Stephens, creo que no soy la persona adecuada para... —empezó con una voz que le sonó ajena.

—Por favor, no diga eso, señorita —la interrumpió él. Había alarma en sus manos cerradas. Quizá también una sombra de miedo—. Si yo no participo... —insistió—, si no participo, no será lo mismo. No servirá.

Ilona le miró, sorprendida.

—¿No servirá?

—No.

—No le entiendo, señor Stephens.

—Lo sé, lo sé —murmuró él—. Y no la culpo, créame. Pero en este momento no sabría ni podría explicarle mucho más. Solo puedo decirle que sin esto —recorrió la mesa y el espacio del taller con los ojos—, sin este violonchelo... si no puedo ayudarla a construirlo, habré perdido. Todo. Lo habré perdido todo, porque ya no habrá tiempo para más.

Ilona tragó saliva. Por primera vez desde que había empezado a trabajar con Otto, el hombre empequeñecido por la angustia que encontró al otro lado de la mesa era un anciano de ochenta y seis años reales, con sus inviernos y sus veranos ya gastados, y tan vulnerable que tuvo que contenerse para no levantarse, acercarse a él y estrecharlo entre sus brazos para darle calor.

—Soy viejo y estoy solo, señorita —dijo él, con una mirada tímida—. Pero tal vez nuestro chelo me ayude a reparar un daño que no sé aún si tendrá perdón. No me pida que le explique más, por favor se lo pido, porque me da demasiada vergüenza. Solo déjeme participar. Seguramente será mi última oportunidad para saldar una deuda con la música y con lo que ha sido mi vida —terminó, con voz temblorosa y bajando de nuevo la mirada—. Hay tanto por recolocar y tan poco tiempo...

Ilona tragó saliva una vez más y cerró los ojos. En el negro de sus párpados, la voz de Kata apagó todas las demás, superponiéndose a lo más inmediato: «Deja que la vida te recoloque, niña. Tú, que todavía estás a tiempo». Ilona esperó unos segundos hasta que el eco de la voz se amortiguó.

«¿Dolerá, mamá?», preguntó sin hablar a la voz que ya no estaba, buscando en la oscuridad de sus ojos cerrados.

No hubo respuesta. Solo la espera ansiosa de Otto y la luz dorada de la tarde. Y segundos: de espera, de indecisión. Pocos.

Entonces Ilona abrió los ojos y se levantó despacio, cogió la libreta y rodeó la mesa hasta llegar junto a Otto, que seguía respirando pesadamente sin levantar la mirada. Puso la libreta delante de él, sacó un bolígrafo del bolsillo de la bata y lo dejó junto a la libreta. Luego rodeó a Otto con el brazo y murmuró con suavidad, acercando la boca a su oído:

—Empezaremos por el fondo. Haremos un inventario exacto de las medidas, los tipos de madera que utilizaremos para cada pieza y los pigmentos. Después deberíamos centrarnos también en la tapa.

Otto levantó la cabeza. La luz que inundaba su mirada fue tan intensa que Ilona parpadeó y contuvo una sonrisa. «Ojos de niño mayor —pensó—. Como los de Miguel».

Entonces él le cogió la mano y se la besó. Había humedad en sus labios.

—Un beso de un anciano aprendiz, señorita —dijo con un guiño—. Otto Stephens, para servirla.

CUATRO

Ilona mira a Otto y él sonríe mientras la tarde cae sobre Buenavista, suavizándose a la espera de que llegue el crepúsculo.

—¿El para quién? —pregunta ella, el ceño fruncido, tensas las manos.

—Sí, señorita.

Ilona se lleva la mano a las rodillas. Un suave masaje. Inconsciente.

—Creía que el chelo era para usted.

Otto baja los ojos.

—No.

—Ah.

Alguien pasa junto a la ventana. Es un jardinero acompañado de Rocío, que le da instrucciones sobre los setos que rodean el muro que bordea el acantilado. La voz seca de Rocío llega entrecortada. El tono, preciso: «Demasiado alto. Quiero el *Pittosporum* unos cinco centímetros por debajo del muro. Que se vea la piedra. Y la glicina me la desbrozas, no quiero sorpresas. Ah, y aquí, en esta pared, hay que plantar hiedra o viña virgen, lo que prefieras».

Debajo de la ventana, el barniz del chelo atrapa un rayo de luz, proyectándolo sobre la pared. La voz de Rocío se aleja hacia el edificio principal e Ilona siente encogerse la mano de Otto sobre su rodilla.

—¿De verdad quiere saberlo? —pregunta él, levantando la cabeza.

—Me encantaría.

Otto sonríe. Retira la mano de la rodilla de Ilona y la apoya sobre el mango del bastón, uniéndola allí a la otra. Luego pierde la mirada en algún punto del suelo y deja escapar un pequeño suspiro.

—Hace muchos años conocí a una mujer —empieza sin apartar la mirada de la tarima que bordea la mesa—. Una mujer tan... cómo decirlo... tan grande que empequeñecía todo lo que no era ella. —Guarda unos instantes de silencio antes de proseguir—. En el fondo, lo que voy a contarle no es nada original, o al menos nada que usted no pueda imaginar —dice, sin volverse—. Me enamoré. La enamoré. Nos buscamos y quizá la vida nos encontró, qué sé yo.

Ilona le mira y asiente despacio.

—Era una artista. Una artista de verdad, de raza —sigue Otto, hablándole al suelo—. Había tanta sensibilidad en esas manos... tenía un don tan especial... que tuve miedo de no ser suficiente. Temí su éxito, señorita. Su éxito y el abandono que llegaría después.

Ilona traga saliva. Otto niega con la cabeza, perdido en su relato y en el recuerdo. Habla dolido, arrepentido.

—La perdí porque no supe más —dice con los ojos aún cerrados—. Porque no la supe ver.

Ilona se lleva la mano a la nuca y se da un pequeño masaje en la base del cráneo. A pesar de ser un gran conversador, Otto Stephens no es un hombre dado a las confesiones. Es más un dador de conversación que un hombre que hable fácilmente de su vida más íntima. En estos tres meses ha mencionado algún detalle de su pasado y de su presente familiar, aunque siempre vagamente, dando leves pinceladas con las que ha salpicado las mil y una historias de su recorrido profesional. «Superficial en lo íntimo y complejo en lo universal», suelta a veces con una sonrisa orgullosa cuando Ilona se queja, medio en broma, medio en serio, de que nunca cuenta nada de él y de que, por el contrario, siempre aprovecha la menor oportunidad para preguntar, incansablemente curioso, ávido de saber.

—La perdí porque no supe quererla como una mujer así se merece que la quieran —dice Otto con una mueca de pesar—. Le malbaraté el futuro, la apagué. Luego, cuando me di cuenta de lo que había hecho, le di la espalda y hui hacia delante, falsamente convencido de que la vida estaba en otra parte, de que yo solo me bastaba. Que el éxito bastaba. —Separa una mano del bastón y vuelve a apoyarla en la rodilla de Ilona. Triste, está triste. Ilona lo ve en el arco que dibuja su espalda y en el pequeño suspiro que le inflama el pecho durante un instante—. Yo... me equivoqué —prosigue Otto, antes de pasarse la mano por el pelo y volverse a mirar a Ilona—. Me equivoqué y han tenido que pasar casi sesenta años para que la vida me haya dado la oportunidad de poder enmendar el error, señorita —dice con los ojos brillantes—. Es lo que tiene la vida: que cuando uno cree que ya no, es cuando sí, y cuando uno espera que sí, no hay forma de que salga nada.

Ilona parpadea y frunce ligeramente el ceño, sin entender. Otto la mira y esboza una sonrisa casi invisible.

—Perdí el amor de esa mujer y he vivido mal desde entonces, señorita. He viajado mal, he triunfado mal y he mentido mal, porque hice daño a quien me quiso y no lo he sabido reparar. He vivido partido por la mitad: la derecha ha sido el Otto de los grandes logros; la izquierda quedó desde entonces paralizada por la culpa, inmovilizada, inútil. Un hombre a medias, eso es lo que he sido todos estos años.

—No diga eso —dice Ilona sin pensarlo, acordándose de pronto de Kata y de su sonrisa torcida, de la voz cuarteada y de los últimos años que han pasado juntas, cuidando ella de una madre hecha mitad y llena de cosas enteras que no cabían en tan poco cuerpo, en tanta realidad.

Otto agita con suavidad la mano en el aire. Es un gesto cansado. Breve.

—Creí que moriría así, señorita —dice—. Partido y mal colocado. —Vuelve a poner la mano en el bastón y suspira hondo. Luego sonríe—. Pero, como le decía, hace un tiempo, muy poco, la vida dobló una esquina que yo ni siquiera me habría atrevido a imaginar y me dio una segunda oportunidad.

Ilona desvía inconsciente la mirada hacia el chelo y, viéndolo brillar bajo la luz menguante de la tarde, se lleva la mano a las rodillas y se las acaricia por encima de la tela de la bata.

—Una mujer —dice Otto, negando con la cabeza—. La vida me ha regalado a una mujer que quizá me deje recolocar con ella lo que he traído mal puesto hasta ahora. —Mira a Ilona y sonríe al ver la expresión de asombro que asoma a sus ojos. Luego vuelve a hablar—. Una gran mujer, señorita. —Antes de que Ilona pueda decir nada, levanta el bastón y apunta con él al chelo—. Nuestro pequeño es para ella, porque nadie como ella sabrá apreciarlo en lo que vale y porque nadie más que ella puede ayudarme a saldar mi deuda con el pasado. —Y añade con una mueca emocionada—: Nadie mejor que ella para encontrarle la voz y darle alma, créame.

Ilona no dice nada. Está tan perpleja que sigue masajeándose las rodillas en silencio. Otto se levanta, apoyándose en el bastón, y camina hasta la ventana. Al llegar al chelo, se agacha sobre él y lo acaricia despacio.

—Solo ella puede cambiarlo todo, ¿verdad, pequeño? —susurra al chelo sin dejar de acariciarlo mientras Ilona se levanta también, se acerca despacio a él hasta quedar a su espalda y le pone la mano en el hombro. Durante un instante los dos se quedan así, mano de mujer sobre hombro de anciano y mano de anciano sobre hombro de chelo, hasta que Otto levanta los dedos del chelo y los desliza entre los de Ilona sobre su hombro sin volverse.

—El nombre de esa mujer es Clea, señorita Ilona —dice, clavando unos ojos velados en la ventana y apretando con sus dedos la mano de Ilona—. Clea Ross.

Libro segundo

I

UN HOMBRE SOLO

Uno

Clea sonríe. Es una sonrisa insinuada que interrumpe con una calada fugaz al cigarrillo que se consume en el cenicero. Sentada delante del tocador, recorre en el espejo lo que queda a la vista de la suite y espira el humo despacio. Junto a la mesita, Rita duerme en la almohada hecha un ovillo. Clea detiene en ella la mirada y sonríe de nuevo.

—Estamos viejas, Rita —dice al espejo. Sobre la almohada, la perra levanta la cabeza y bosteza.

Desde el jardín llegan unos segundos de conversación entre dos mujeres cuyas voces se desvanecen en la distancia. Clea acerca la cara al espejo y se observa con atención.

—Estás vieja y pelleja, Clea —dice, arqueando una ceja y cogiendo los dos pendientes de oro blanco que tiene sobre el tocador.

Son dos impresionantes conchas salpicadas de brillantes. Se las deposita en la palma de la mano y siente su peso. Después coge una y se la coloca en el lóbulo de la oreja con un chasquido, tuerce la boca en una mueca de satisfacción y le da una calada al cigarrillo antes de ponerse la otra.

—Vieja, sí, pero con unas buenas orejas —dice, retocándose el pelo con un gesto, coqueta.

A su espalda, Rita ha vuelto a despertarse y se ha acercado caminando delicadamente sobre la cama. Al llegar al borde, se sienta y ladea la cabeza, clavando los ojos legañosos en la imagen de Clea que ocupa el espejo.

Al verla, Clea se vuelve en la silla.

—¿Te gustan estos o me pongo los de esmeraldas?

Rita inclina la cabeza y parpadea. Clea frunce el ceño.

—¿Sin pendientes? ¿Tú crees? ¿No será ir demasiado sobria?

Rita ladea la cabeza hacia el lado contrario.

—Ah, bien. Entonces estos —dice llevándose las manos a las orejas.

Rita sigue mirándola fijamente.

—No me mires así.

Rita parpadea y suelta un gemido.

—No te puedo llevar conmigo, cariño. Esta noche, no.

Un segundo gemido. Clea chasquea la lengua.

—No te preocupes. Serán solo un par de horas —dice volviendo a mirarse en el espejo—. Con lo poco que comemos las viejas... —añade mirando a la perra por el espejo—. Aunque... qué te voy a contar que tú no sepas —susurra. Luego apaga el cigarrillo en el cenicero y se levanta para acercarse al espejo y mirarse bien—. Hay que ver lo que cambia una con unos buenos pendientes.

Vuelven las voces de las dos mujeres desde el jardín. Se acercan. Se alejan. Clea clava los ojos en su propia mirada.

—La última cena, Clea Ross —dice con voz grave. Luego cierra los ojos, deja escapar un suspiro que rápidamente se convierte en carraspera y añade con una voz que quiere ser dramática—: Esta noche empieza todo y termina todo, señor Stephens. Espero que hoy la suerte y lo que no lo es coincidan y estén de nuestro lado. Por su bien y por el de esta vieja de orejas duras.

* * *

Coincidencias.

Clea Ross y Otto Stephens coincidieron en la sala de juegos de Buenavista el día siguiente de la llegada de ambos al centro. Después del almuerzo, Rocío había organizado un pequeño encuentro con el resto de los residentes para hacer las presentaciones de rigor. Clea apareció con casi un cuarto de hora de retraso y saludó con un gesto malhumorado a los cuatro ancianos que esperaban sentados a una mesa preparada para el café.

—Soy Clea Ross —dijo, adelantándose a Rocío. No tendió la mano. Ni siquiera se movió—. No, no se levanten. Hay riesgos que es mejor no correr —soltó con una sonrisa traviesa. Rocío carraspeó a su espalda—. Encantada de haberles conocido, aunque no creo que vayamos a vernos muy a menudo porque no me gusta demasiado la gente, y menos la de mi edad. Además, fumo como una posesa y tengo una perra a la que no se le da demasiado bien la condición humana. —Recorrió a los ancianos con la mirada y añadió con una mueca de fastidio—: No, a ella tampoco.

Se hizo el silencio en el salón de juegos. Antes de que nadie pudiera intervenir, Clea salía por la cristalera con Rita pegada a los talones. Rocío la siguió con la mirada antes de volverse hacia Otto, dispuesta a ocuparse de él, pero en ese momento Clea reapareció de improviso, asomando la cabeza por el ventanal.

—¿Usted es Otto Stephens, el director de orquesta? —preguntó, apuntando a Otto con el bastón.

Él asintió con la cabeza.

—El mismo.

Clea chasqueó la lengua.

—Eso me había parecido.

Rocío sonrió, cambió el peso del cuerpo del pie derecho al izquierdo y soltó un suspiro de alivio que nadie oyó.

—Mmmm... —dijo Clea, sin dejar de apuntar a Otto—. En las fotos sale mejor. —Él dejó escapar una carcajada—.

Creía que eso de que los famosos están igual de solos que el resto de los mortales era mitología griega —soltó Clea con voz distraída, como si hablara consigo misma—. Ya veo que es cierto. —Luego le miró con una especie de sonrisa torcida y añadió—: Pobrecito.

Otto ladeó la cabeza y respondió sin borrar la sonrisa de su rostro:

—Y yo jamás habría imaginado que hubiera mujeres tan hermosas en los centros como este.

Clea arqueó una ceja.

—Asilos, señor director. Se llaman asilos —soltó con voz aburrida—. Y, si lo dice por Rocío, podría ser su tataranieta —añadió con un tono de voz extrañamente ofendido—. Debería darle vergüenza.

Eso fue lo último que dijo: «Debería darle vergüenza». Luego desapareció.

Desde el jardín, sacudió la cabeza al oír la risa ronca y contagiosa de Otto Stephens que llegaba desde dentro. Le gustó esa risa. Le hizo sonreír.

Cinco minutos más tarde estaba sentada con cara de falsa paciencia en la consulta del médico del centro, un hombre joven de piel morena que la había recibido en la puerta con una sonrisa de dientes perfectos antes de presentarse como el doctor Amancio.

—Bien —empezó el doctor después de haber dedicado un par de minutos a repasar la carpeta que tenía sobre la mesa—. He estado estudiando su historial, señora Ross, y aparte de algunas cosillas, debo decir que está usted en plena forma. Bien el corazón, los riñones, el colesterol bajo, digestión correcta... Ya quisieran muchas llegar a su edad así.

Clea le dedicó una sonrisa forzada.

—Aunque quizá podríamos ayudarla a mejorar algunas... cosillas, si me lo permite.

Una ceja arqueada.

—¿Cosillas?

—Bueno —dijo el doctor—, esos pequeños... achaques, ya me entiende —aclaró con un guiño—. La medicación para la osteoporosis es la correcta, pero creo que podríamos hacer algo más para ayudar a esos huesos, y también para reforzar la musculatura de las piernas.

—Ajá.

—Y quizá debería plantearse fumar menos. Según leo, fuma casi dos paquetes diarios.

Clea carraspeó.

—Borre el casi.

—Mmmm, mal hecho —la reprendió, negando con la cabeza—. Diría que fuma usted demasiado, señora Ross.

Clea inspiró hondo y soltó el aire por la nariz.

—Y yo diría que fumo demasiado, que pienso demasiado, que aguanto demasiado, demasiados achaques, demasiada gente opinando sobre mi vida... Es lo que tenemos las viejas, doctor: que somos un cúmulo de demasiados. Casi ninguno corregible.

El doctor soltó una carcajada y pareció relajarse antes de apuntar algo en el informe.

—¿Sabe lo que creo?

—Seguro que no.

—Que nos vamos a llevar bien usted y yo.

Clea soltó una risilla que él recibió encantado.

—Ji, ji, ji. No me diga.

—Y también que va a estar muy a gusto aquí, con nosotros, ya lo verá.

Clea bajó los ojos durante un segundo para mirar su reloj.

—Así, por lo pronto, me gustaría hacerle dos recomendaciones.

—Usted dirá.

—La primera es que no se aísle —dijo el doctor, cruzando las manos sobre la mesa—. Relaciónese. *Sosialise,* hágame caso. Aquí encontrará a gente con la que seguro que conecta bien, créame. Y el centro ofrece muchas posibilidades para entretenerse: brigde, sesiones de cine, talleres para la memoria... hasta cursos para aprender a usar Internet tenemos. Imagínese la sorpresa que puede darle a sus hijos y a sus nietos si de repente un día decide comunicarse con ellos por Internet.

Clea fue a decir algo, pero el doctor Amancio no la dejó hablar.

—Es más. Yo le recomendaría, y es su médico el que le habla, que probara las clases de aquagym en la piscina salada. No, no. No me mire así. Son clases muy... personalizadas, no se vaya usted a creer. Movimientos suaves en el agua que le ayudarán a reforzar la musculatura y que no suponen ningún peligro para esos huesos de cristal.

Clea sonrió.

—Ajá.

—Es un *ejersisio* estupendo, de verdad. Además, le ayudará a limpiar un poco esos pulmones.

Clea parpadeó y siguió sin decir nada, y el doctor se inclinó un poco hacia delante sobre la mesa.

—¿Qué? ¿Qué me dice?

Clea se pasó la lengua por los dientes y chasqueó la boca.

—¿A usted le pagan por hacer esto, doctor... Amancio?

El doctor sonrió de nuevo, tensando los dedos.

—Sí, claro.

—Y entiendo que le pagan bien.

Una pequeña carcajada.

—No tengo queja.

—Me alegro —dijo Clea, echándose un poco hacia delante en la silla. Luego abrió el bolso que tenía sobre las rodillas y sacó un paquete de tabaco—. Deje que le dé un consejo, doctor. Y es su paciente la que le habla —dijo con un parpadeo casi coqueto—. Si quiere seguir calentando esa silla, será mejor que empiece a dejar de decir estupideces.

El doctor irguió la espalda. La sonrisa desapareció y Clea se llevó la mano al pelo en un gesto pausado.

—Porque si de verdad cree que voy a meterme a bailar en remojo en una piscina con un puñado de viejas meonas para que los abuelos esos me vean con los pellejos al aire, es que usted tiene de médico lo que yo de novia de Frankenstein.

—Señora Ross, yo...

—Eso es, muchacho: señora, usted lo ha dicho. Y vieja, también vieja. Tengo noventa años, dos pulmones, dos riñones y dos paquetes de tabaco en el bolso que están por la mañana y que han desaparecido cuando llega la noche. Y con eso vivo de sobra, así que no me venga a dar consejos de simpatiquillo de barrio porque para dar consejos estamos las viejas, no se me confunda.

El doctor tragó saliva y suspiró, tenso.

—Yo... no pretendía...

—No pretendía, no pretendía... —le interrumpió con una mueca de aburrimiento—. Bah, ¿socializar, dice? ¿Con la docena de carcamales que he visto babear ahí fuera? ¿Pero usted qué se cree? ¿Que he venido aquí a hacer amiguitos? ¿Que voy a pasarme las tardes jugando al dominó con cuatro abuelos gagás como si estuviera en el casino del pueblo?

El doctor se reclinó contra el respaldo de la silla y lanzó una mirada furtiva al interfono blanco que tenía a dos palmos escasos de la mano mientras, al otro lado de la mesa, Clea sacó un cigarrillo del paquete, se lo hincó entre los labios y empezó a buscar en el bolso sin dejar de mascullar entre dientes.

—Brnmdmkjkslemrcherodeldemonioslskdetantascosasaghh.

Por fin, levantó la cabeza, se quitó el cigarrillo de los labios y chasqueó la lengua.

—*Sosialise* y deme fuego, ande. No sé dónde he puesto el maldito encendedor.

El doctor parpadeó, incrédulo.

—Señora Ross, esto es la consulta de un médico. No le puedo permitir que…

Clea cerró despacio la cremallera del bolso, se puso en pie con un gruñido y agitó la mano en el aire con el cigarrillo entre los dedos a la altura de la cara del doctor.

—No se preocupe, muchacho —ladró con la boca torcida—. La consulta acaba de terminar.

Un par de segundos más tarde, Ilona se levantó del sillón de la pequeña sala de espera al verla salir de la consulta y se acercó a su encuentro.

—¿Qué tal ha ido? —preguntó, ofreciéndole el brazo para que Clea se apoyara en él mientras le entregaba el bastón.

Clea arqueó una ceja y sonrió.

—Estupendamente —contestó con un guiño—. Un encanto de muchacho… al que no tengo intención de volver a ver.

Ilona la miró sin comprender y en ese momento Rocío asomó la cabeza por la puerta de la salita. Llegaba acompañando a la consulta a otra de las huéspedes del centro, una mujer gruesa y teñida de caoba cargada de oro a la que Clea ni siquiera miró. Cuando Roció saludó y quiso hacer las presentaciones de rigor, Clea puso los ojos en blanco y dijo:

—Por cierto, Rocío. Si alguna vez necesito un médico, llama al 061, al 666 o a los bomberos, pero como se te ocurra aparecer con míster Bogotá te incendio el asilo. —Sonrió, tirando de Ilona—. Quedas avisada.

Otto Stephens y Clea Ross coincidieron más, muy poco al principio, porque ella únicamente salía de su suite tres veces al día y nunca sola. Rita la acompañaba. Los movimientos de Clea se reducían a eso: una rutina de anciana obstinada a la que ella se aferraba con una fidelidad casi desafiante. En realidad, solo salía al jardín del centro por dos motivos: el primero era dar los dos paseos diarios a Rita. El segundo, tomarse un té con leche fría en el cenador después del almuerzo. El resto era, como ella misma repetía, «vida interior».

Fue precisamente durante uno de esos paseos cuando volvió a coincidir con Otto. Durante el encuentro no ocurrió nada especial, tan solo el intercambio de un «buenos días, ¿cómo está?» de rigor y un par de comentarios sobre el tiempo, tras los que Clea rápidamente dio la conversación por finiquitada. El cruce de caminos se repitió al día siguiente y también al siguiente —«Hola, buenos días, bien, calor, agradable, adiós», poco más—, y fue haciéndolo a diario durante el resto de la semana. El lunes Otto quiso más —más conversación, más tiempo, más atención— y se ofreció a acompañar a Clea en su paseo. Tras un instante de titubeo hubo, en efecto, más tiempo, más atención y más conversación. Otto Stephens y Clea Ross dieron su primer paseo por el jardín de Buenavista a última hora de la tarde de un lunes de finales de junio envueltos en las nubes circulares de vapor de agua que repartían los aspersores y el primer trajín nocturno que se adivinaba ya en algunas suites y en el comedor de la casa principal. La conversación fue, como serían muchas en el futuro, pequeños apuntes sobre el tiempo, alguna noticia, el centro... la vida, en suma, pero ni el uno ni el otro se permitió un mínimo roce a las parcelas más íntimas, más personales. No hubo territorio compartido. Tan solo territorio común.

A la vuelta, Otto decidió invitar a Clea a tomar un té a la terraza de su suite. Ella sonrió al oír la invitación y Rita ladeó la cabeza.

—¿Para qué? —preguntó.

Otto parpadeó. No abandonó la sonrisa.

—Bueno... —respondió—. ¿Y por qué no? Somos dos personas adultas, hace una noche estupenda, tenemos todo el tiempo del mundo y además da la casualidad de que no solo es usted una mujer hermosa, sino que también es mi vecina. ¿Tiene algo de malo conocerse un poco más?

Clea ladeó la cabeza. La suya y la de Rita dibujaron el mismo ángulo sobre el verde del césped. Agudo.

—¿Adultas?

Otto arqueó una ceja. No pudo responder.

—Querrá usted decir «ancianas», señor mío. Personas ancianas.

Otto soltó una carcajada.

—Sí, eso también.

—No, señor director —replicó Clea—. También, no. Que somos un par de ancianos es algo empíricamente demostrable.

—Sí.

—Pero eso no nos convierte en personas adultas.

—Cierto.

—Y yo he preguntado «para qué», no «por qué». Siempre he pensado que si la gente contestara exactamente a lo que se le pregunta, las cosas funcionarían mucho mejor. Nos ahorraríamos mucho de todo: mucha voz, explicaciones, aire. Mucha contaminación.

Otto inspiró hondo y sacudió la cabeza.

—Cierto también.

—¿Puedo preguntarle una cosa, señor Stephens?

—Otto, llámeme Otto.

—Señor Stephens está bien de momento.

—Como quiera.

—Cierto.

Otto Stephens sonrió de nuevo.

—Pregunte, señora mía. Pregunte.

Clea asintió y carraspeó.

—Quiero pensar, después de estos últimos días de sospechosas coincidencias, que no está usted intentando tontear conmigo, ¿verdad? —Y antes de que él pudiera responder, añadió chasqueando la lengua—: Si es así, ya puede ir quitándoselo de la cabeza, porque esta vieja no está ni para tontear con sus vecinos de asilo ni para otras bobadas parecidas. Así que usted verá. Yo en su lugar no perdería el tiempo con nosotras —dijo, bajando los ojos hacia Rita, que acababa de bostezar— y lo intentaría con la gagá de la número 20. Tiene pinta de estar muy necesitada.

Otto Stephens no dijo nada. Simplemente se agachó a acariciar a Rita, que, al notar su mano sobre la cabeza, parpadeó con coquetería y se tumbó boca arriba, pidiendo más. Clea tiró de la correa y Rita soltó un pequeño gruñido.

—Casi tanto como ella —dijo con una sonrisa torcida—. Zorrita.

Otto se incorporó y se rio entre dientes.

—Para conocerla mejor —dijo de pronto. Al ver la expresión confusa de Clea, aclaró—: Para eso me gustaría invitarla a tomar un té en mi terraza. Para conocerla mejor.

—¿Mejor? —Clea arqueó una ceja—. Mejor sería si ya me conociera. Querrá usted decir: para conocerme.

Otto inspiró hondo de nuevo.

—Eso es, sí.

Clea le dedicó una sonrisa satisfecha.

—No creo que vaya a gustarle demasiado lo que quizá esté por conocer, señor director de orquesta. No tiente usted a la suerte.

Otto volvió a la risa.

—Puede que no me guste o puede que sí, quién sabe. Quizá nos sorprendamos los dos y resulte que estamos a las puertas de una gran amistad. La vida, ya se sabe...

Clea soltó un bufido que Rita recibió con un ladrido.

—Por edad, diría que estamos más a las puertas de un gran funeral que de una gran amistad.

Otto parpadeó, un poco incómodo.

—Bueno, puede ser... aunque supongo que una cosa no quita la otra, ¿no le parece?

—Una gran amistad... una gran amistad... —refunfuñó Clea como si hablara consigo misma—. Con el tiempo que nos queda por vivir a usted y a mí, yo más bien lo dejaría en una hipotética fugaz amistad, señor Stephens. —Otto fue a decir algo, pero ella se le adelantó—: No, no diga nada, hágame el favor.

Otto la miró y asintió. Clea se llevó la mano al bolsillo de la rebeca de hilo y sacó el paquete de tabaco.

—¿Sabe lo que pasa, señor director?

Otto sonrió.

—No.

Clea se llevó un cigarrillo a la boca y lo encendió.

—Que no tiene usted aspecto de ser un hombre capaz de ser amigo de una mujer. Eso es lo que pasa.

—¿Ah, no? —preguntó él, ladeando la cabeza.

—No —sentenció ella, soltando una breve bocanada de humo—. Demasiado galán me parece a mí. Demasiadas miraditas de esas... ya me entiende. Y eso no se cura. Ni siquiera con la edad.

Otto soltó una carcajada abierta. Estaba realmente divertido. La situación le divertía. Clea también.

—No debería juzgarme tan a la ligera, mi querida señora.

—¿Ah, no?

—No.

Clea dejó escapar un suspiro seco antes de volver a hablar.

—Puede. Es la ventaja que tiene haber llegado a los noventa: que ya podemos juzgar sin temor a equivocarnos. Y no porque no nos equivoquemos, sino porque el arrepentimiento es un lujo que solo da la esperanza de futuro. Eso usted debería saberlo tan bien como yo, aunque todavía no los haya cumplido.

Se hizo un silencio que únicamente rompió un leve gemido de Rita. Clea agachó la cabeza hacia ella.

—En cualquier caso, hoy se nos ha hecho un poco tarde para aceptar invitaciones y amistades, ¿verdad, cielo? —Rita alzó la mirada y parpadeó varias veces y Clea se volvió a mirar a Otto—. Tengo que darle el antibiótico. —Otto no dijo nada—. Quizá mañana, si no le importa —comentó con una sonrisa ida antes de volverse de espaldas y echar a andar hacia su suite.

Otto siguió donde estaba durante unos segundos. Cuando también él decidió volver a su habitación, oyó refunfuñar a Clea:

—Y si todavía seguimos vivos.

Otto no volvió a ver a Clea en lo que quedaba de semana. Intentó hacerse el encontradizo con ella durante los tres días siguientes, pero fue en vano. Clea parecía haber cambiado los horarios de sus paseos y no la encontró en el cenador después del almuerzo. La mañana del cuarto día se levantó casi al alba y se acomodó en la tumbona de su terraza, decidido a montar guardia. Pidió el desayuno en la suite y se dedicó a leer los periódicos disfrutando de la primera luz de la mañana y del fresco del amanecer sobre el jardín, atento en todo momento a los movimientos que tenían lugar más allá del seto de la terraza. Por fin, entre las diez y cuarto y las diez y veinte, vio aparecer a Ilona con Rita por el sendero que bordea el acantilado y, adivinando el trayecto que seguirían mujer y perra, se levantó, salió al jardín y esperó. Veinte minutos más tarde, las vio reaparecer por el sendero acompañadas de Gladys, otra de las cuidadoras, y salió a su encuentro.

Tras los saludos de rigor, preguntó:

—Hace días que no veo a la señora Ross. ¿Se encuentra bien?

Ilona le miró, divertida.

—Perfectamente.

—Ah. —No supo cómo seguir preguntando. Ilona sonrió.

—Lleva unos días encerrada en su habitación. —Guardó un instante de silencio antes de aclarar—: Trabajando.

Otto parpadeó.

—¿Trabajando?

Ilona asintió con la cabeza. Luego se volvió a mirar a Rita, que se había acercado a Otto y le pedía caricias con la pata.

—Escribe —dijo, bajando un poco la voz.

Otto la miró, interrogante.

—Algo sobre la amistad —añadió Ilona con una mueca incómoda—. Aunque no ha querido decirme más.

Otto se había agachado para acariciar a Rita y detuvo la mano en el aire.

—Ah.

Ilona se encogió de hombros.

—Por cierto, antes de salir me ha dicho que le diga que en cuanto lo tenga, le enviará el contrato. Que está a punto de terminarlo.

Otto frunció el ceño.

—¿El contrato?

—Eso ha dicho —respondió Ilona—. Luego la he oído refunfuñar no sé qué sobre los amigos y el tiempo, pero no la he entendido bien.

Otto parpadeó, confuso.

—De todas formas, me ha dicho que usted ya estaba al corriente.

—Ah.

—Y, ahora, si me disculpa, tengo que irme.

—Sí, claro.

Ilona, Gladys y Rita se alejaron y Otto siguió donde estaba, apoyado en la puerta de madera que daba acceso a su terraza.

«El contrato», pensó con una mueca de perplejidad, acariciándose la barbilla y siguiendo con la mirada las dos figuras que perdían volumen y definición bajo la luz azulada de la mañana. «El contrato», siguió repitiéndose en silencio antes de entrar despacio a la terraza y volver a instalarse en la tumbona con un suspiro de hombre mayor que no se molestó en disimular. Minutos más tarde, roncaba con el diario desplegado sobre el pecho.

A Agata, la limpiadora polaca que pasó media hora después por delante de la terraza en dirección a la lavandería cargada con una cesta de sábanas mojadas, casi le pareció oírle canturrear algo en la tumbona. Al ver a Otto dormido balbuceando y discutiendo en sueños, meneó la cabeza y arrugó los labios.

—Viejos ricos —masculló, antes de perderse entre los setos hacia la casa principal.

Cuando, alrededor de la una, Otto despertó de su siesta matinal y fue a levantarse, dispuesto a darse una ducha y prepararse para el almuerzo, el corazón le dio un vuelco. Apoyó las manos en la lona de la tumbona para recuperar el equilibrio y apretó los dientes. A un par de metros de él, sentada a la mesa de teca de la terraza, Clea leía el periódico con una taza de té en la mano y un cigarrillo que humeaba en el cenicero. Rita descansaba a sus pies.

No levantó los ojos del periódico, pero sí habló.

—Ronca —dijo—. Debería dormir de lado.

Otto inspiró hondo, confuso por el calor del mediodía y la sorpresa de tener a Clea allí sentada.

—Pero ¿cómo...?

—Y habla en sueños —remató ella—. Bonita combinación.

Otto se pasó la mano por el pelo, peinándoselo hacia atrás.

—Le he traído el contrato, señor director —anunció Clea con voz cortante, cerrando el periódico con brusquedad y apartándolo a un lado. Luego cogió de la silla que tenía junto a ella un portafolio negro y sacó de él dos documentos grapados que puso sobre la mesa, uno delante de ella, el otro en el extremo más alejado—. Si quiere, podemos leerlo juntos.

Otto siguió sentado en la tumbona. Tenía la boca seca y sentía la camisa pegada a la espalda. «Qué calor, de repente», pensó, intentando concentrarse en lo que Clea le decía.

Clea chasqueó la lengua un par de veces. Luego movió la cabeza otras tantas, se tomó el té que todavía le quedaba en la taza y aplastó el cigarrillo contra el cenicero.

—Ya veo que no he venido en un buen momento —dijo, levantándose. Rita la imitó—. Siento haberle asustado. Le dejó aquí las dos copias. Léalas, hágame el favor, y si está de acuerdo, fírmelas y me hace llegar una. —Otto siguió mirándola sin saber qué decir—. Ah, y nada de regateos. Es o un sí o un no —añadió, dirigiéndose hacia la puerta de madera y saliendo al jardín seguida de Rita—. Tómese su tiempo, señor Stephens.

Desapareció. Clea desapareció y Otto siguió sentado durante unos segundos en la tumbona, aturdido aún, hasta que finalmente se levantó, se sirvió un poco de té, se puso las gafas y se sentó a la mesa. Cuando cogió el documento y empezó a leer, a sus labios asomó una sonrisa entre tímida y divertida que al instante se convirtió en una carcajada rasposa.

—Es usted una mujer tremenda, señora Ross —murmuró, sacudiendo la cabeza al tiempo que se volvía a mirar al jardín y se secaba el ojo derecho con el pañuelo que llevaba en el bolsillo de la camisa. Al fondo, junto a la casa de los guardeses, dos jardineros replantaban algo en el parterre que rodeaba el pequeño chalé. Uno de ellos trabajaba agachado y el otro parecía descansar apoyado contra la pequeña furgoneta eléctrica que utilizaban para recorrer la propiedad. En el silencio del mediodía, una gaviota trazó varios círculos sobre el cenador y volvió a la amplitud del océano mientras el hombre que trabajaba agachado debió de decir algo gracioso, porque el segundo echó la cabeza hacia atrás y soltó una carcajada.

Otto contempló la escena durante unos instantes más. Luego volvió a concentrarse en el documento y siguió leyendo.

* * *

Clea se ha quitado los pendientes y los ha dejado sobre la mesilla. Está sentada en la cama y fuma con Rita dormitando a su lado. No hay prisa. Todavía es temprano. Tiene tiempo de sobra para prepararse.

—Casi tres meses ya. Parece mentira —murmura de improviso a nadie—. Quién me iba a decir a mí que el tiempo podía pasar tan deprisa en un sitio en el que se vive en el descuento. —Se vuelve a mirar a Rita, que acomoda la cabeza sobre sus rodillas y bosteza—. He decidido que no me voy a poner pendientes, cielo. Ni los de oro, ni los de esmeraldas —le dice—. Mejor ir con las orejas bien ligeras, no vaya a ser que se me escape algo de lo que nuestro querido señor Stephens tenga que decir esta noche. Ya sabes lo listo que es. Seguro que intenta colarnos alguna.

Voces. De pronto las voces de dos mujeres se acercan desde algún ángulo del jardín y Clea sostiene el cigarrillo en el aire. Rita levanta la cabeza y se vuelve a mirar hacia la ventana antes de soltar un gemido nervioso.

Un par de segundos más tarde, Clea reconoce el origen de las voces y se acerca el cigarrillo a los labios. Al otro lado del seto, Ilona y Rocío se alejan ya hacia la casa principal, perdidas en una conversación de la que a Clea solo le han llegado unos retazos, entre los que han sonado palabras como «contrato, nada más que unos minutos, enseguida terminamos». A Clea le gusta la voz de las dos mujeres. Suenan bien, juntas y por separado, sobre todo la de Ilona, esa voz suave y dulcificada por todas las cosas que Clea sabe de ella y por los años vividos en Budapest mezclados con los hablados en lenguas ajenas.

Lejos. En el extremo opuesto del jardín, Otto Stephens se asoma al ventanal de su suite. Acaba de despertarse de la siesta, dispuesto a prepararse, él también, para la cena. Como es habitual, ha decidido tomarse su tiempo para ducharse, vestirse y acicalarse. Sabe que no será una noche fácil, que quizá haya dolor y sorpresas no deseadas, y sabe también que, por mucho que lo intente, es inútil predecir. «Conociendo a Clea Ross, todo es posible», piensa mientras desde su ventana las figuras de las dos mujeres se pierden por la puerta del despacho de Rocío.

Dos

Un escritorio transparente con patas de acero, una silla de piel blanca, dos estanterías de diseño y una *chaise-longue* de Le Corbusier de piel de potro. Las ventanas son de madera blanca y maciza. Sobre el escritorio, poca cosa: un Macintosh blanco, una Tolomeo, un teléfono inalámbrico y una foto enmarcada que Ilona no alcanza a ver. Ni un solo papel.

Mientras espera a que Rocío rodee la mesa y se siente, Ilona aprovecha el intervalo para mirar la hora: las cuatro y trece minutos de la tarde. Si Rocío no hubiera aparecido en su habitación poco antes de las cuatro para pedirle que la acompañara a su despacho, a estas alturas estaría, como todos los jueves, de camino a la ciudad en uno de los coches que el centro facilita a los cuidadores para que se desplacen adonde quieran en sus días libres.

La invitación de Rocío ha llegado escueta y neutra.

—Lamento molestarte en tu día libre, Ilona, pero me gustaría hablar contigo antes de que salgas. No te importa, ¿verdad? —Al ver la mirada confusa de Ilona, ha añadido con una sonrisa que ha querido ser tranquilizadora—: Será solo un momento.

Ilona, que estaba a punto de salir, ha asentido con la cabeza.

—Claro.

Ahora Rocío la mira desde su lado de la mesa, enmarcada contra el cristal de la ventana. Sonríe, moviendo el ratón del Mac durante un instante. Luego carraspea.

—Mañana se cumplen los tres meses de tu llegada al centro, y, tal y como quedamos en su día, me había propuesto darte noticias sobre tu futuro aquí —empieza. Al ver que Ilona no dice nada, vuelve a carraspear antes de continuar—: Desgraciadamente, no va a ser así.

Ilona parpadea, intentando concentrarse en las palabras de Rocío, aunque sin demasiado éxito.

—No —sigue Rocío—. No podré decirte nada hasta mañana, porque aún quedan algunos cabos que no he conseguido atar.

—¿Cabos?

—Variables.

—Ah.

—De lo que no debes preocuparte es de tu continuidad en Buenavista. Estamos muy contentos contigo. —Ilona mira su reloj disimuladamente—. Pero no sé todavía si seguirás compartiendo a la señora Ross y al señor Stephens o si te quedarás solamente con uno de ellos y el otro pasará al cuidado de Irene, que, como sabes, se reincorpora pasado mañana.

Ilona clava la mirada en la ventana antes de pasearla por los escasos objetos que salpican la mesa. «Qué mirada más cerrada», piensa Rocío durante un escaso segundo antes de preguntar:

—¿Estás bien?

Ilona sonríe. Es una sonrisa ausente.

—Sí.

Rocío pone las palmas sobre la mesa y ladea la cabeza, esperando que el «sí» de Ilona se haga más explícito. Cuando, tras unos segundos de silencio, entiende que la espera es en vano, decide hablar de nuevo.

—Bueno, la verdad es que no tengo mucho más que decir. Mañana a esta hora debería tener noticias que darte.

Ilona parpadea y se encoge ligeramente.

—¿Noticias?

«No está aquí —piensa Rocío—. Ilona no está». Y entonces se acuerda del día en que la vio alejarse desde la ventana de su despacho por el sendero que bordea el acantilado y vuelve a asaltarla la misma sensación de estar ante una mujer enmarcada por una extraña plenitud que, como siempre que se han visto a solas, la pone sobre aviso y enciende en ella una pequeña luz de alarma. «Me gustaría saber qué hace esta mujer en la ciudad todos los jueves. ¿Adónde irá? ¿Tendrá a alguien allí? ¿Un hombre? ¿Una amiga?». Teniendo a Ilona así, sentada al otro lado del escritorio con la mirada perdida y las manos sobre las rodillas, Rocío entiende de pronto que no la conoce, que durante estos últimos tres meses la ha visto moverse por el centro como una más y que eso es lo que ha sido, como ocurre con todos los empleados que circulan por Buenavista bajo su supervisión: simplemente una más.

—Había pensado en preguntarte si, llegado el caso, preferirías quedarte a cargo de la señora Ross o del señor Stephens. No creo que Irene tenga especial preferencia por ninguno de los dos.

Ilona baja los ojos.

—No —dice.

Ahora es Rocío la que parpadea. El «no» de Ilona ha sonado como un chasquido en el silencio del despacho, rebotando contra toda la blancura de la habitación.

—¿No? —pregunta con suavidad.

Ilona vuelve a levantar la mirada.

—No me obligues a elegir —dice. Luego recorre la mesa con los ojos y los clava en la parte trasera de la pantalla del Mac—. Yo... —Se lleva la mano al cuello y se masajea la nuca durante unos segundos. De nuevo parece perderse en un plano que la aísla de la realidad del despacho y de Rocío, empequeñeciéndola, antes de añadir—: No podría...

—Entiendo.

—Además, ni siquiera sé si me sentiría cómoda acompañando solo a uno de los dos.

Rocío se lleva la mano a la mejilla.

—Creía que eso ya lo habíamos hablado, Ilona.

—Sí.

—Te avisé de que no te encariñaras con tus clientes.

—Sí.

Rocío se mira las manos e inspira hondo. No le gusta tener que recordar a sus empleados cosas que ha dado por sabidas. De algún modo, entiende que la falta de memoria del personal del centro habla mal de ella.

—Pero es que entonces no sabía que Clea y Otto eran así —dice Ilona, depositando una mirada suave en los ojos de Rocío. Sonríe. Es una sonrisa difusa—. No sabía que eran tan... complementarios —añade.

—¿Complementarios? —Irritación. Hay irritación en el tono de Rocío y ella se da cuenta. Ilona no. Está con Otto y con Clea. Al otro lado del cristal.

—Sí —responde Ilona con una sonrisa que es una extensión de la anterior—. No sabría explicarlo mejor. Es como si, compartiendo el día con los dos, viviera dos realidades en una... no sé si me entiendes. —Rocío asiente ligeramente con la cabeza, más como un gesto automático que como una muestra de acuerdo—. Muchas veces, cuando estoy con Clea, me imagino que Otto puede oírnos y enseguida sé que se reiría con las mismas cosas que ella, a su manera, claro, pero se reiría. Y lo mismo me pasa con él. No sé... a veces tengo la sensación de que... —No termina la frase, y Rocío acerca la mano a la foto que está sobre el escritorio y la deja suspendida en el aire.

—¿De qué? —pregunta.

Ilona baja los ojos.

—De nada. No me hagas caso.

Rocío sonríe y apoya los dedos sobre el marco de la foto.

—Bueno —dice con un suspiro seco, pasando el pulgar por el cristal—, en cualquier caso, hasta mañana no sabré nada. Pero no te preocupes, en cuanto tenga noticias te lo diré.

Ilona hace un gesto afirmativo y vuelve la mirada a la ventana.

—Muy bien.

Las dos mujeres se quedan como están durante unos segundos y el silencio de la tarde las envuelve a ráfagas desde el exterior, mezclado con el zumbido del aire acondicionado. «No sé nada de esta mujer», se oye pensar Rocío mientras aparta el dedo del cristal y pone las palmas sobre la mesa. Incómoda. Ilona la pone incómoda con su presencia, aunque Rocío es lo suficientemente inteligente como para saber que no es su presencia lo que la altera, sino el reflejo que de sí misma encuentra en ella. Huele en Ilona cosas que le resultan familiares y que las encierran en un conjunto vacío al que no quiere pertenecer. Huele la orfandad en Ilona, eso es lo que huele: ese halo de mujer sola en el mundo que, a diferencia de Ilona, ella se ha labrado a conciencia, sin victimismos, como mujer que en un momento de su vida decidió elegirse a sí misma por encima de todo y de todos. Lo que Rocío lee y entiende de pronto en la figura de la mujer que tiene sentada delante es algo que a ella el tiempo ha ido quitándole sin preguntar, una resta con la que no contaba y que ya no sabe convertir en suma: Ilona busca algo porque, a pesar de todo, de lo que los años hayan podido quitarle, de las renuncias, los tropiezos y de lo que a buen seguro le duele, sigue esperando algo de la vida. Sigue emocionándose. Vital a su manera. Viva a su manera.

Durante una décima de segundo, Rocío siente envidia de ella y, en el tiempo que dura ese breve chispazo de lucidez, el dolor le clava las uñas porque entiende que no lo ha hecho bien. No: apostó por salir adelante sola y no volver a confiar en nada ni en nadie que no pudiera controlar. Apostó por vivir defendiéndose de los mil y un peligros que encierra la emoción y aprendió a salir adelante, sí, pero la salida se ha alargado demasiado en el tiempo y ahora ya no sabe cómo volver, cómo tender la mano hacia lo que no es ella y pedir lo que le falta, que es mucho. Apostó, en suma, por la supervivencia y dejó la vivencia para los demás.

—Bueno —oye decir a Ilona, que retira la silla sobre el parqué para levantarse al tiempo que sigue acariciándola con esa mirada tierna y llena de cosas sentidas que ella encaja con pocas ganas—. Si no necesitas nada más...

Rocío se acaricia el cuello con la mano y coloca el ratón del Mac junto al teclado en un gesto sobrante. Luego vuelve a poner los dedos sobre el cristal de la foto y, presa de un extraño impulso que no alcanza a reprimir, se oye decir:

—A veces me gustaría.

Ilona se queda de pie con las rodillas ligeramente flexionadas y apoya la palma de la mano en el borde del escritorio justo en el momento en que Rocío despega bruscamente los dedos del cristal de la foto y, sin querer, golpea con la uña el marco, que cae plano hacia delante. Boca arriba.

—Necesitar algo, quiero decir —murmura Rocío con una mueca que quiere ser una sonrisa antes de bajar los ojos hacia la foto—. A alguien. Me gustaría.

Sobre la mesa, el marco de madera blanca mira al techo como un conjunto vacío. Ilona traga saliva y parpadea, clavando la vista en la mancha negra que encierra el marco. «Nada —piensa durante un instante antes de apartar la mirada y fijarla en la ventana mientras Rocío vuelve a colocar el marco en vertical, de espaldas a Ilona—. No hay nada».

Rocío traga saliva y parpadea, visiblemente tensa. Ahora son dos mujeres incómodas ante una verdad destapada que seguramente nunca comentarán. Están más cerca y, durante una décima de segundo, Rocío está a punto de acercarse aún más a Ilona y de hablar. De explicarse.

«Había... hubo alguien —quiere decir—. Alguien que tenía un nombre, una edad, un pasado... cosas que compartía conmigo y otras que no». Y, antes de poder contenerse, murmura entre dientes, sin apartar los ojos de Ilona:

—Había alguien.

Zum. Un aspersor entra en funcionamiento al otro lado de la ventana y un chorro de agua raya el cristal como una grieta de puntos en el momento exacto en que la voz de Rocío rompe el silencio con sus cuatro palabras confesadas a media voz. Sobresaltada por las palabras de Rocío y por el golpeteo del agua en el cristal, Ilona termina de estirar las rodillas hasta levantarse del todo al tiempo que Rocío se vuelve hacia la ventana con cara de fastidio.

—Serán inútiles —dice sin levantar la voz. Rocío vuelve a ser Rocío: directora. Supervisora. Al mando—. ¿Cuántas veces tengo que decirles que...?

En ese momento, el zumbido del inalámbrico sesga desde la mesa la telaraña de intimidad que cubre el despacho, y Rocío tensa la espalda y chasquea la lengua antes de responder con un escueto «sí». Ilona rodea sigilosamente la silla en la que estaba sentada y sale despacio, cerrando con cuidado la puerta tras de sí.

En el jardín, los aspersores giran al unísono desde el suelo, humedeciendo el calor, y más allá, al otro lado del muro de piedra que rodea el recinto, espera lo que Ilona no comparte, el hilo que la une a la vida que aún palpita, con sus miedos, con sus riesgos, con todo lo que solo ella sabe.

La tarde de los jueves en la ciudad.

Cinco horas. Ida y vuelta. La Ilona que Clea, Otto y Rocío desconocen.

Tras aspirar la humedad que impregna el aire, Ilona echa a andar hacia la puerta, buscando en el bolsillo del pantalón la llave del coche.

TRES

Música.

Sobre las piernas de Otto, un pequeño montón de hojas de papel dobladas en dos.

La música calla. Se apaga. Deja de hablar.

Fuera, la figura perfilada de Ilona se aleja por el jardín hacia la puerta del centro hasta perderse de vista. Otto la sigue con la mirada mientras Ilona termina de desaparecer por fin tras la verja este del jardín.

En el silencio renovado de la suite, Otto entorna los ojos, respira hondo y deja pasar unos segundos antes de cerrar los dedos sobre las páginas y sonreír.

La primera vez que leyó el documento, no pudo evitar una fugaz sonrisa, que rápidamente se encogió sobre sí misma.

La primera vez hubo sonrisa, sí, una sonrisa que no ha vuelto, porque conforme avanzaba en la lectura tardó muy poco en entender que cada una de las palabras, puntos, comas y espacios que salpicaban el blanco de las páginas habían sido meditados, calculados y escogidos desde la más pura intención. Lo que Clea había bautizado con el nombre de «el contrato» era una declaración de intenciones en toda regla, una confesión y también un desafío: Clea Ross en estado puro.

Ahora, una vez más, Otto lee en el silencio tibio de la suite. Despacio. Atento. El papel cruje todavía entre sus dedos. Es un buen papel, escogido para durar.

El texto dice así:

> Señor Stephens:
>
> Intentaré ser breve. Como usted sabe —o debería saber a estas alturas—, la brevedad es una bendición que la mayoría de los viejos sabemos apreciar en su justa medida, básicamente porque, llegados a una edad, breve es el tiempo que nos articula y también la esperanza de buena vida.
>
> Brevedad pues.
>
> Soy una vieja gruñona y solitaria con mucho pasado, un dudoso presente continuo y un futuro precario. Soy también muchas cosas más, es cierto, pero eso, de momento, es información clasificada, y no por íntima, no me entienda mal, sino por desordenada —ya sabe, la memoria de los viejos no dementes no es lineal, sino básicamente emocional (¿infantil?)— y, por ende, también caótica. En fin, a lo que voy. He estado dándole vueltas a su proposición —a la de amistad, claro— y debo confesar que tengo sentimientos encontrados. Como siempre que eso me ocurre, he hecho dos listas: una con las ventajas que veo en su propuesta y la otra con los factores que, a mi entender, no auguran nada bueno. Algunos de esos factores son los que siguen:
>
> EN CONTRA:
>
> 1. Clea Ross no ha tenido un solo amigo hombre. El único que debería haberlo sido tardó muy poco en demostrarme que para que un hombre sea capaz de entender la amistad del mismo modo que la entendemos nosotras, las mujeres, debe aprender a vernos no como a iguales complementarios —pues a Dios gracias no siempre lo somos—, sino como a entidades individuales, inabarcables y a menudo incomprensibles. No creo en los hombres que

hablan de «las mujeres» (la gran mayoría) como hablan de «el fútbol» o de «la música». El hombre al que me refiero, el que debería haber sido mi amigo, fue mi marido. Invertí en él la vida entera, y para ello esperé y renuncié a lo que ninguna mujer debería verse renunciando jamás, pero fue en vano, porque me equivoqué. Yo quería un amigo y él... él quería tenerme. Yo quería la vida con él, y él, mi vida. Habla usted de la amistad muy a la ligera, señor Stephens. Propone amistades como quien habla de unas vacaciones, y eso es algo que, sin duda, juega en su contra. Clea Ross no es unas vacaciones de la vida de nadie, señor mío. Desgraciadamente, ni siquiera de la mía propia.

2. Miedo. Esta vieja tiene miedo a que le hagan daño, no me importa reconocerlo, y a mi edad dudo que ese sea un riesgo que merezca la pena correr. He llegado a este asilo bien instalada en mi soledad, preparada y concienciada para seguir así hasta el final. Cómoda, me he vuelto cómoda y también perezosa. La sed de aventura ha quedado saciada con las ausencias de todos aquellos a los que he querido y ya no están porque se fueron antes. Vivo cómoda con mis recuerdos, reconfortada con el pasado, porque sé que no me depara sorpresas dolorosas. Demasiadas despedidas, señor Stephens. Demasiadas cicatrices. ¿Debemos, ahora que todo se acaba y que por fin ha llegado la calma a esta orilla, saludar la llegada de algo nuevo? ¿Nos hará bien? ¿Me hará bien?

3. El tiempo. La amistad, por tibia que sea, necesita tiempo, señor Stephens, además de dedicación y atención, y tiempo es precisamente lo que no tenemos, ni usted ni yo, por mucho que intente convencerse de que a los artistas de éxito como usted la vejez sabrá premiarles por haber dedicado sus días a sublimar lo sublime y a cultivar la belleza para el disfrute de sus semejantes. La nuestra, si ha de existir, deberá ser una amistad acelerada, concentrada y sin adornos, quizá ni siquiera hermosa, porque el tiempo juega con las cartas marcadas y siempre gana. No sé si tengo fuerzas para tanto, señor mío. Esa es la verdad.

4. Posibles incompatibilidades. Son estas:

–Soy una vieja de izquierdas, una vieja roja, para entendernos, y la intuición me dice que no compartimos la misma visión política. Sí, ya sé. Me dirá usted que la política no le interesa, como hacen muchos viejos a los que, en su pequeña mezquindad, les importa solo lo que les toca de cerca, es decir: su dinero, sus hijos, sus nietos, su salud y su aburrimiento. Peor me lo pone. Prefiero un viejo facha a un viejo no comprometido. No lo olvide.

–Es usted un galán acostumbrado a enamorar. Sabe sonreír cuando toca, decir lo que conviene y dar conversación como quien regala flores falsas. En suma, un ser social por naturaleza, habituado a ser el centro de atención. Señor Stephens, si busca usted una admiradora de lujo para revivir con ella sus días de gloria, la falsa condesa del moño de la suite número 17 —sí, la demente de las medias feas que se pasa las tardes haciendo solitarios y hablando con la pared— estará encantada de babear por sus encantos, créame. Si es usted uno de esos hombres a los que les gusta «pasar el tiempo» en buena compañía, las conversaciones agradables, las charlas interesantes y toda esa mandanga, seguro que este asilo también ofrece ese servicio. Con lo que nos cobran, ya pueden. Yo quiero intensidad. No necesito a nadie con quien pasar mi tiempo, muchas gracias. Con Rita y con mis fantasmas me basta y me sobra, créame.

–El sexo. Sí, ha oído bien. Mira usted como un ave de presa, señor Stephens, y no procede, ni por edad ni tampoco por respeto. Desconfianza, eso es lo que provoca en mí con su mirada, por si le interesa saberlo. Si, como dice, propone amistad, que la propuesta sea esa y no otra, y si lo que quiere es jugar a engatusar a la pobre abuela sola de turno, déjeme decirle que llega con retraso. Quizá sea cierto eso de que hay sexo y apetencia en la tercera edad, no se lo discuto, pero también lo es que la tercera edad tiene también su fin y yo estoy ya en la siguiente —y deje que le recuerde que usted también, aunque algo me dice que no acaba de encajarlo como debiera— y hace tiempo que conjugo el sexo en pretérito perfecto —porque, aunque ya no importe, debo decirle que cuando fue, fue bueno—. Relaje pues las hormonas que le quedan y, si lo necesita..., en fin, no seré yo quien le diga lo que puede o debe hacer con sus necesidades.

A FAVOR (aunque probablemente no por este orden):

1. Su risa. Contagiosa. Qué envidia.
2. La música. Su música. Mi música.
3. Ilona. Nuestra Ilona.
4. Secretos. A pesar de todo —y ese todo incluye mucho, créame—, sigue despertándome curiosidad la condición humana y usted es parte de ella. ¿Qué esconde esa sonrisa? (Por cierto, me pregunto si son todos suyos. Los dientes, digo).

Como ya ocurriera el primer día que leyó la carta de Clea, Otto interrumpe la lectura y deja escapar un pequeño suspiro. Luego sonríe y mueve ligeramente la cabeza antes de volver al texto.

Podría alargarme, pero no creo que sea necesario. Dicho esto, y después de meditarlo con calma, mi respuesta a su proposición es «sí». Sí, señor Stephens, quizá debamos intentarlo. Quizá, después de todo, no haya nada que perder y sí algo que ganar. Quizá, quizá, quizá... como dice la canción. De todos modos, y como creo que debe de imaginar ya, mi «sí» no es incondicional, sino una concesión con ciertas medidas cautelares que intuyo que ayudarán —nos ayudarán— a optimizar lo que pueda dar de sí esta pequeña aventura.

Lo que aquí le propongo, señor Stephens, es un plazo de prueba de tres meses. Durante ese tiempo podremos vernos a diario, si a ambos nos parece, coincidiendo con los paseos de Rita o con el té de primera hora de la tarde en el comedor de verano después del almuerzo. Reservaremos además una noche de la semana —los jueves, por ejemplo— para cenar juntos y dedicar esas veladas a las conversaciones más íntimas, eso si no hay fútbol, claro —lo siento, pero el fútbol y mi serie de televisión favorita son sagrados—. Propongo asimismo que ambos firmemos un contrato con las que, a mi juicio, son cláusulas indispensables para que, dada nuestra edad y condición, podamos optimizar recursos y energía.

Las cláusulas del contrato son las que siguen:

1. No habrá nombres propios. Ni de hijos, ni de excónyuges, ni de nietos (si los hubiera). Lo siento, pero la edad me ha enseñado que los nombres dicen poco y, además, si la relación no resulta, es preferible no mezclar datos tan personales que tampoco aportan nada. Cuando hable de su esposa, hágalo de «Ella» o de «mi esposa», y yo utilizaré «Él» o «mi marido» para referirme al hombre que, a pesar de los pesares, no logró nunca ser mi amigo.

2. Rita. Mi perra me acompaña siempre. No hay Rita, no hay Clea. Espero que quede claro, aunque reconozco que es un bicho con un carácter endemoniado y que más de una vez tengo que contar hasta diez para no retorcerle el pescuezo. Supongo que la pobre es como su madre, así que no la culpo.

3. Fumo, como ya se habrá dado cuenta. Y mucho. Mi marido decía que como una carretera, aunque mi marido era especialista en decir estupideces. Si le molesta el humo, lo entenderé, por supuesto, y lo respetaré, cómo no. Aunque se lo advierto: la abstinencia me convierte en un alma del purgatorio y merma mi paciencia. Usted verá: o humo o riesgo de incendio. Respete usted mis adicciones y yo respetaré las suyas, mi querido director.

4. Mentiras y verdades. No habrá, bajo ningún concepto, mentiras entre nosotros. Secretos, los que quiera; mentiras, ninguna, y eso incluye también las incoherencias que no lleguen provocadas por el inevitable efecto de la senilidad (sin duda altamente probable). Miéntame usted y esta carroza (literalmente) se convertirá en el acto en calabaza y este maldito asilo de viejos ricos se llenará de rato-

nes con ganas de venganza. Soy implacable con la mentira, señor mío. Exagere usted lo que quiera, adorne o decore, pero no me cuente nunca lo que no es. No lo perdono.

5. De «usted», señor Stephens. Tráteme de usted mientras seamos simples conocidos, y yo haré lo mismo. A nuestra edad, lo contrario sería casi improcedente. Si, superado el periodo de prueba, decido que es usted digno de mi confianza y que sus deseos de amistad son, como usted dice, reales, seré Clea y usted, Otto. No antes.

6. La última cena, esto es, la cena del último jueves, deberá ser una ocasión especial. Si no nos hemos arrepentido antes y seguimos adelante con este periodo de prueba, deberá ser una demostración de confianza. Cada uno de nosotros compartirá con el otro un secreto, una confesión que no haya formulado jamás hasta el momento y que habrá de ser, cómo no, una prueba de fe en el otro. A fin de cuentas, para eso están los amigos, ¿no le parece?

7. Por último, aunque no menos importante, por ser usted quien ha hecho la propuesta que da motivo a este contrato, entiendo que seré yo quien decida si es usted merecedor de lo que pide. Después de nuestra última cena, deliberaré durante el tiempo que considere oportuno y le comunicaré mi respuesta en firme, dando los términos, cláusulas y condiciones de este contrato por finiquitados.

Espero su respuesta. Si es afirmativa, le ruego que firme en la línea de puntos y me haga llegar una de las dos copias que obran en su poder. En caso de que no reciba noticias suyas en un plazo razonable (y recuerde, señor mío, que el tiempo no juega exactamente a nuestro favor), entenderé que su proposición ha sido un elegante y osado error provocado sin duda por una mezcla más que comprensible de soledad, arrojo y un golpe de senilidad acalorada.

PD. Un apunte más. Las cenas de los jueves serán a las nueve. Se ruega puntualidad.

Fdo. Clea Ross ....

Otto levanta la mirada y dobla el papel en dos. En el jardín, un silencio de media tarde estival lo cubre todo. Como hace a menudo en la soledad de la suite, repasa despacio con la memoria las conversaciones y momentos que desde hace semanas ha compartido con Clea Ross y se felicita una vez más por haber accedido a un compromiso que en cualquier otro momento de su vida habría desestimado sin más. Un acierto, sí. Lo supo en cuanto terminó de leer la última línea del contrato. Supo que había juego y también vida para él en Buenavista y supo también leer en el texto que Clea había escrito por duplicado de su puño y letra lo que ella no decía, porque leyó como si tuviera ante sus ojos una partitura con sus corcheas y sus semicorcheas, las blancas y las negras, y también lo que había entre líneas.

«Por su voz habla el chelo, señora Ross —pensó, garabateando su nombre en la línea de puntos—. Y yo quiero seguir oyéndolo».

Hubo muchas cosas de Otto en esa firma, cosas que Clea no supo entonces y no sabe todavía. Hubo ilusión, ganas de vida y, sobre todo, hubo intuición, una intuición que tardó muy poco en descubrirse acertada, brutalmente acertada.

—Qué acierto —murmura ahora sin abrir los ojos—. Qué acierto esto nuestro, señora Ross —añade, acariciando distraídamente el papel con los dedos.

Más allá del muro que separa la terraza del jardín común, la tarde se despereza a merced de un septiembre de cielos azules como huecos de mar.

II

LA VOZ DE LOS PERDIDOS

Uno

Pocas horas después de haberse presentado en la suite de Otto para darle el documento a cuya redacción había dedicado buena parte de los últimos tres días, Clea Ross recibió la copia del contrato debidamente firmada por él, acompañada de una orquídea blanca y una pequeña nota que decía así: «Que suene, pues, la música». Guardó la nota y el contrato en el cajón de la cómoda y puso la orquídea encima de la mesilla.

—La llamaremos «Primera» —dijo, arqueando una ceja a Rita, que levantó una oreja y bostezó, enseñando sus dientes mellados de perra vieja—. Habrá más.

Luego se arrellanó en el sillón delante del televisor, se tapó las piernas con una manta de algodón blanco, cogió el cuenco de palomitas que tenía preparado sobre la mesita y se enfrascó con un gruñido de satisfacción en la edición doble de su programa favorito.

Desde la mañana siguiente, tal y como había quedado explicitado en el contrato, los encuentros con Otto se sucedieron a diario, coincidiendo con los paseos de Rita y el té de la tarde. Durante los primeros días, las conversaciones que salpicaron los paseos eran charlas tranquilas e intrascendentes que no iban más allá de comentarios sobre la salud, el tiempo, las monerías de Rita y temas de actualidad poco comprometidos en los que Otto parecía moverse como pez en el agua y que Clea sobrellevaba sin demasiado interés. El primer jueves después de la firma del contrato, durante el paseo de la mañana, Clea parecía especialmente ausente. Caminaban despacio bordeando el muro que lindaba con el acantilado mientras Otto comentaba un editorial que había leído en el periódico cuando de pronto Clea tiró bruscamente de la correa de Rita, que soltó un pequeño chillido y se detuvo en seco. Otto la imitó y se volvió a mirarla.

—¿Ocurre algo? —preguntó, ladeando ligeramente la cabeza.

Clea arrugó los labios.

—No. —Fue un «no» cargado de mal humor que puso a Otto en alerta. Clea encendió un cigarrillo y echó el humo por la nariz como un dragón viejo—. Eso es exactamente lo que ocurre, señor director de orquesta.

Otto puso cara de sorpresa.

—Nada. No ocurre nada —gruñó Clea—. Desde hace tres días no ocurre nada, y esta vieja siente que pierde el tiempo con tanta tontería sobre la crisis, las bobadas que lee usted en ese maldito periodicucho y los chismes sobre la palurda de la suite 12 y el pesado de la 9. —Dio una calada al cigarrillo y frunció el ceño—. Me aburro como una mona, señor-proyecto-de-amigo. Así no vamos a ninguna parte.

Otto intentó disimular una sonrisa, que no pasó inadvertida.

—Creía que íbamos a dejar lo importante para las cenas de los jueves —dijo con un tono de voz juguetón, que Clea recibió chasqueando la lengua.

—Y así es —replicó Clea—. Pero entre lo importante y esta nada cotidiana a la que me tiene condenada desde hace tres días le aseguro que hay mil mundos de cosas mucho más interesantes.

—Puede ser.

—Puede ser, no, señor mío. Es. Y, si no es, es que estamos metidos en un buen lío, y yo no tengo ni edad ni paciencia para líos, créame, y menos para los aburridos.

Otto no dijo nada. Intuía que cualquier cosa que dijera tan solo serviría para sumar mal humor al derroche de crispación que Clea no se molestaba en disimular. Rita intentó alejarse hacia un seto y recibió un nuevo tirón.

—Si no tiene usted nada más que decir, aparte de darme el parte diario de todas las obviedades que va memorizando entre horas —continuó Clea, dejando caer el cigarrillo sobre la grava del camino—, prefiero quedarme en mi habitación esperando a morirme. —Y, volviéndose de espaldas, añadió—: Quizá esto no haya sido una buena idea, señor Stephens. Quizá no valga la pena seguir —murmuró, encogiéndose ligeramente de hombros y echando a andar de regreso al edificio principal seguida a regañadientes por una Rita contrariada y remolona que veía con malos ojos abortado así su paseo matinal.

Otto Stephens se dio dos segundos para contemplar a esa mujer encendida y tensa que empezaba a alejarse despacio sobre la grava del camino, tironeando de la perra y farfullando entre dientes. Fue un plazo breve, aunque no por ello desaprovechado. De nuevo reprimió una sonrisa cuando Rita se tumbó en el suelo, clavando las uñas en la grava y Clea se detuvo. No se giró.

Ese fue el momento que eligió para hablar.

—¿Sabe usted por qué firmé el contrato, señora Ross?

Clea se encogió de hombros y sus dedos apretaron el cuero de la correa. No hubo respuesta, solo espera. Una gaviota chilló en el aire, quizá avisando. Luego, silencio.

—Porque vi líneas en blanco entre las que me envió, señora Ross —dijo Otto Stephens, rompiendo el silencio—. Una melodía extraña como el canto de un chelo cuando el chelo tiene cuerpo y el aire se llena de frases que despiertan cosas no siempre hermosas, aunque reales. Llámeme loco, si quiere, pero yo oí esa melodía y sigo oyéndola todavía cuando comparto estos paseos con usted. Está ahí, en lo que usted es y en lo que intuyo que ha sido. «Suena un chelo», pensé mientras leía, «y yo quiero un poco de esa música en esto que es ahora mi vida». —Guardó un instante de silencio y después añadió con un pequeño suspiro—: Por eso firmé, señora Ross. Por eso estoy aquí.

Sobre el blanco de la grava, Clea curvó la espalda unos milímetros hacia delante y durante una décima de segundo sus dedos huesudos se posaron con delicadeza en la nuca desnuda, frotando la piel. Luego la mano desapareció y volvió a erguir la espalda. Rita se levantó del suelo y echó a caminar alegremente, tensando de nuevo la correa un par de metros por delante de su dueña.

—Le espero esta noche en el cenador, señor Stephens —dijo Clea en un murmullo antes de reemprender la marcha—. A las nueve. No me falle.

* * *

Ha pasado el tiempo desde entonces, el tiempo y todo lo que el verano en Buenavista ha traído y se ha llevado consigo. Ahora, cuando faltan pocas horas para que todo concluya, Clea se mira al espejo y abre despacio el batín de lino blanco. Rita sube a la silla y se queda sentada con la espalda muy tiesa y los ojos clavados en la imagen que llena la mitad izquierda del espejo.

La imagen termina de quitarse el batín antes de colocarlo sobre el respaldo de la silla y coger uno de los frascos de crema que salpican el tocador. Luego hunde en él los dedos y, al sacarlos cubiertos de pasta blanca, deja la mano en el aire e inclina la cabeza.

—Tantas cremas y tantos potingues para nada —murmura, mirando a Rita con cara de fastidio—. No sabes la suerte que tienes con todo ese pelo, zorrita. —Rita gira el cuello y le enseña los dientes antes de tumbarse y bostezar—. Mira —insiste Clea, tocándose la cara con la mano limpia y pegándola al espejo. Luego se masajea los pellejos de los brazos y se levanta la camisa hasta la cintura, dejando a la vista unas piernas escuálidas que terminan en una especie de bragas ligeramente acolchadas—. Se me cae todo, Rita. ¿Tú crees que es digno llegar a esta edad con la cabeza tan clara y teniendo que cargar con todo este jardín de pellejos? —Rita suspira otra vez y estira las pezuñas—. Sí, hija, me quejo porque estoy en mi derecho y porque, aunque tú no puedas imaginarlo porque ya me conociste colgona, mamá fue joven en un tiempo. Y guapa. Tenía un cuerpo y una cara como los de las rubias retocadas que aparecen en las revistas. Y me sobraba agua en la piel, litros. Yo no sé por qué demonios a los viejos se nos va quedando todo así, flojo y pequeñito, como para que quepamos bien en la tumba. —Se calla de pronto al oír unos pasos que se acercan por el pasillo y se vuelve hacia la puerta. Cuando los pasos se alejan, arquea una ceja y se mira en el espejo—. Ya ves. —Vuelve a la carga pellizcándose el antebrazo—. Hueso y piel, como los pollos esos llenos de hormonas que se quedan en nada cuando los metes en el horno. Y esta cara —murmura acercándose de nuevo al espejo y estirándose la mejilla con los dedos—. Te voy a decir una cosa, pequeña —empieza, levantando en el aire un dedo amenazador—. Los viejos somos la prueba viva de que existe la fuerza de la gravedad. Y yo, con este cuerpo, soy la reina indiscutible de la gravedad. Qué digo la reina. La emperatriz suprema del planeta Gravedad. ¿Has visto qué piernas? —gruñe, embadurnándose la cara de crema—. Y este pañal que me tiene la... intimidad irritada. Y estas... —se lleva la mano a un pecho que apenas perfila su forma pequeña y mustia bajo la camisola blanca y chasquea la lengua—, estas dos cosas que son peor que nada —ladra entre dientes antes de soltar una carcajada rasposa que despierta a Rita de su sueño de tarde—. Tú no sabes lo que eran. No, tú no sabes... claro, cómo vas a saberlo, pobrecita. Qué culpa tendrás tú de tener una madre con un cuerpo tan... tan así.

Más pasos. Esta vez Clea ni siquiera se vuelve a mirar a la puerta y sigue poniéndose crema hasta que el blanco se absorbe del todo. Luego se aplica un fugaz toque de maquillaje de un tono casi neutro, la sombra de ojos —un par de tonos más oscura que el resto de la cara, color «jengibre», lo llama ella— y el *rouge* —granate apagado, nada de brillos—. Por último, pega los labios y con una toallita de papel termina de perfilar y de limpiar lo que sobra antes de alejarse un paso del espejo y estudiarse durante un instante, el tiempo justo para desviar la mirada unos centímetros y tropezar con ella en la pequeña sombra verde que descansa sobre los pies de la cama como un libro blando y abierto.

Clea sonríe y se acaricia el cuello con los dedos mientras se vuelve de espaldas, alarga la mano y coge el pañuelo verde con delicadeza y lo sostiene en alto durante un suspiro antes de desplegarlo y envolverse con él los hombros. A pesar de los años, la seda sigue fiel a lo que fue: suave, fría, amable, y el inmenso fondo de color aguamarina se entreteje con las minúsculas flores que lo salpican. Entre el índice y el pulgar, la seda resbala, y Clea se observa de nuevo en el espejo —semidesnuda, los hombros cubiertos de un halo magnífico, los labios delicadamente perfilados—, coqueta esta vez, crecida.

El tacto despierta el recuerdo que llega despacio, y la imagen se diluye en el espejo al tiempo que ella entrecierra los ojos y se ve de nuevo sentada en el cenador de verano en compañía de Otto Stephens, envuelta en el mismo pañuelo y acariciando la punta de la misma seda.

Ese es el recuerdo: seda contra yemas, tacto, la voz de Otto entrecortada por el tintineo de las cucharillas y las dos camareras rubias revoloteando discretamente entre las mesas vacías como dos luciérnagas cansadas.

El primer jueves. La primera cena. Principios de julio. Una velada tranquila, que tras dos breves horas de conversación fluida se apagaba ya entre los últimos sorbos de café. Apenas hubo intimidad, aunque sí acercamiento. Otto se descubrió como un gran conversador. Sabía hablar y disfrutaba compartiendo con Clea cientos de anécdotas que llenaban sus años de conciertos y de escenarios —«Mis años de mundo», como él los llama—. Ella intervenía poco, lo justo para que, cuando la conversación decaía o quedaba tropezada en algún silencio incómodo, la Clea más curiosa lanzara una nueva pregunta que volvía a poner a Otto en órbita, reactivando la conversación al instante.

Música. Otto habló de música durante dos horas: la música y él, los músicos y él, los conciertos y él, él y el éxito, él y el público, grandes maestros, grandes rivales, grandes envidias, los comienzos, las horas de estudio, el esfuerzo recompensado, la gloria... desplegándose ante Clea como una miríada de luces y sombras deseosas de encandilar, lleno de sí mismo.

Cuando Otto Stephens dejó la servilleta sobre la mesa y levantó la mano para llamar a una de las camareras, Clea Ross puso su taza en el plato y arqueó una ceja.

—Todo lo que acaba usted de contarme podría haberlo leído en cualquiera de las mil entrevistas que le han hecho durante estos últimos cincuenta años, señor director —dijo impasible—. Gracias por ahorrarme la lectura.

Otto parpadeó, todavía con la mano en alto.

—No imaginaba que se sintiera usted tan solo, la verdad. —Clea inclinó la cabeza, sacó un cigarrillo del paquete que tenía junto al plato y lo encendió, aspirando el humo sin prisa. Luego estiró la espalda y se arrebujó en el pañuelo—. Aunque confieso que me alegra que me haya soltado primero todo lo que ya no es y lo que ya no importa. Con un poco de suerte, a partir de esta noche quizá se anime a empezar a mostrar al Otto que queda.

Otto bajó despacio la mano y la apoyó sobre la servilleta.

—Y ahora, si entre tanta gloria y tanto éxito recordados tiene usted un momento, le hablaré del chelo —dijo ella, sacando el humo por la nariz. La mirada confundida que vio en él casi la enterneció—. El chelo, señor Stephens —repitió—. La voz que dice usted haber oído mientras leía el contrato. ¿Se acuerda?

Otto asintió torpemente con la cabeza. Luego una chispa de luz le iluminó los ojos.

—Sí, por supuesto. ¡Cómo no voy a acordarme!

Clea intentó una sonrisa.

—Mi primer chelo fue un regalo de mi padre —dijo, apagando el cigarrillo en el cenicero—. Papá apareció con él unas Navidades cuando yo tenía siete años y en casa Santa Claus ya no existía, porque eran años de poca magia, mucha hambre y millones de muertes y de heridas abiertas por la sombra de una guerra que todavía dolía y que parecía pesar sobre los que aún seguíamos vivos para contarlo. Los niños de esos años, ricos y pobres, sanos y tullidos, madurábamos muy pronto, eso debe de saberlo usted tan bien como yo. Crecimos encogidos, mamando lo feo de un mundo que de pronto intentaba pasar página y mirar al futuro con ganas de algo nuevo mientras la vida que nos rodeaba era una extraña partida de ajedrez. A un lado, los vencidos. Al otro, los vencedores. Aquí los que jugaron mal y allí los que tuvieron suerte. Europa era un cementerio de tierra demasiado tierna y los niños que transitábamos por ella, como lo han hecho millones de ellos tras otras guerras antes y después de aquella, aprendimos demasiado pronto que el mundo tiene dos caras: los que atacan y los que defienden, los que hacen daño y los que sufren.

Otto asintió despacio, pero no dijo nada. La luz de sus ojos pareció brillar menos y sus dedos se cerraron con suavidad sobre la servilleta.

—Mi padre era judío, señor director. Yo también lo soy. Nací entre perdedores en una ciudad rota y errada, y tuve que crecer rápido para entender que sobrevive no quien mejor se defiende, sino quien antes consigue adivinar la peor cara posible de quien tiene delante. Judíos austriacos, los Ross. Papá era profesor de historia en la universidad, mamá vivía encerrada en la vergüenza y en la culpa colectivas de tanta derrota y yo, hija única y tardía de un matrimonio difícil instalado en una ciudad castigada, encontré en ese chelo al amigo imaginario que hasta entonces no había sabido inventar y que mamá recibió encogiéndose de hombros en una de sus múltiples muestras de la poca alegría que aún conservaba. «Un instrumento triste que toca solo música triste», la oí decir a papá en el salón mientras yo frotaba ya torpemente el arco contra las cuerdas junto al ventanal que daba a la avenida. «¿No lo oyes?», añadió segundos después, «es la voz de los perdedores». Los pasos de papá sobre la tarima oscura del salón quedaron silenciados por la alfombra. Luego llegó su voz conciliadora, la que usaba solo con mamá. «No, Eva. Es la voz de los perdidos, no la de los perdedores. Es música. Déjala».

Otto cruzó la pierna izquierda sobre la rodilla derecha y acarició distraídamente con el índice la porcelana de la taza antes de bajar la mirada.

—Desde ese día viví para esa voz, señor Stephens, la de los perdidos. Perdida yo entre papá y mamá, perdida la guerra, perdida la infancia por ausencia de muchas cosas que jamás deberían faltar en la vida ni en los ojos de un niño, me volqué en la música y aprendí a zurcir con las cuatro cuerdas de mi chelo todo lo que desde fuera, en aquellos años de posguerra, me llegaba herido. Y aprendí rápido, créame. En esas cuerdas estaba todo lo limpio que había de llegar, y yo lo supe desde muy pequeña. Era buena tocando, tan buena como precoz. Cuando cumplí quince años, perdí a mi madre. Más pérdidas, más chelo, más música. Cuatro años después, el monstruo de la guerra despertó de nuevo y, desoyendo los consejos de amigos y parientes, papá reaccionó a tiempo y abandonamos Viena cuando todavía las voces que escupían entre dientes desde hacía meses su odio oscuro contra los Ross, los Stein, los Auerbach y tantos otros eran solo eso, voces. El espanto, el horror que auguraban y que se extendería como un manto estridente y maldito poco tiempo después se encontró con nuestra ausencia y con la estela de recelo y desconfianza que dejamos tras nosotros al cerrar la casa de la avenida y viajar primero a París y de allí a Nueva York, donde nos instalaríamos para lo que, según papá, había de ser un «periodo de espera hasta que las cosas vuelvan a su cauce en Europa» y que terminó convirtiéndose, para él al menos, en el final del viaje. —Clea desvió la mirada hacia la oscuridad que circundaba el cenador y se acarició el cuello. Otto la observaba sin perder detalle, a la espera de oírla continuar—. Cumplí diecinueve años durante la travesía desde Le Havre a Nueva York, señor director. Cuatro años más tarde, di mi primer concierto en la Universidad de Berkeley. Mi padre no pudo verlo. Dos meses antes del concierto murió mientras dormía, después de haber entendido que los perdidos no éramos nosotros, los exiliados, sino los que, confiados, se habían quedado: los abuelos, tía Magda y tía Sigrid, las gemelas, muchos amigos con sus familias, con sus historias, sus apegos y sus renuncias... los que se habían quedado ya no estaban, el monstruo de la guerra había vuelto a barrer Europa y esta vez la limpieza había llegado sistemática, masiva. No había una patria a la que volver, no habría reencuentros, lo común era historia y memoria, nada más. Papá murió en silencio, como muchos otros aquellos años, lejos y sin despedirse porque no tenían de quién, aferrados a lo que pudo ser y no fue, agotados por la espera. Un aneurisma le inundó de sangre el corazón, vaciándome de su compañía, y yo... —Se interrumpió y guardó silencio al ver que Otto seguía disimuladamente con los ojos el movimiento de una de las dos camareras, una mujerona alta y rubia llamada Oksana que, según Clea había podido saber por Ilona, era ucraniana y de currículum inventado. Los ojos de Otto se pasearon en un gesto inconsciente por el trasero de la no tan joven Oksana antes de volver al brusco silencio de la mesa con un parpadeo incómodo. Clea repasó también durante un instante ese trasero. «La falda demasiado corta, demasiado blanca y demasiado ajustada —decidió—. Celulitis y varices incipientes, gemelos torcidos provocados sin duda por el abuso de tacones baratos, ¿lordosis?». En ese momento, Oksana se inclinó sobre una mesa y Clea contuvo el aliento. «Tanga», ladró en silencio antes de desviar rápidamente la mirada, depositarla en la boca de Otto y cubrir con la mano el paquete de cigarrillos.

—¿Le aburro, señor Stephens?

Otto volvió a parpadear y tragó saliva. Luego sonrió, mostrando unos dientes inmaculados y perfectos.

—En absoluto.

Clea suspiró.

—Supongo que, a nuestra edad, el umbral de atención tiene sus límites, sobre todo en ustedes, los hombres —declaró con una voz engañosamente suave—. En cualquier caso, y aunque entiendo que debe de estar cansado, déjeme decirle tres cosas antes de retirarnos —añadió, sacando un cigarrillo del paquete y dejándolo sobre la servilleta—. La primera es que esa pobre alma ucraniana a la que no le quita los ojos de encima, o de debajo, debe de tener por lo menos cincuenta años menos que usted y, por lo que sé, es de las que han pasado hambre. Así que cuidado con ella.

La sonrisa de Otto se desdibujó levemente. Quiso decir algo, pero Clea no le dejó.

—La segunda —prosiguió— es que no sé si sonríe usted tanto porque le acaban de poner los dientes y tiene ganas de amortizar el gasto o si lo suyo es simplemente un tic de viejo sin ningún valor añadido. —Y agregó—: Sea lo que sea, le aconsejo que modere su sonrisa. El abuso abarata el encanto.

Clea cogió el cigarrillo, se lo llevó a los labios y lo encendió, aspirando el humo despacio y colocándolo después en el cenicero. Luego se volvió a mirar hacia el jardín y pareció perderse en los retazos de oscuridad que lo entretejían.

—¿Y la tercera? —preguntó Otto con suavidad, mirándola muy serio.

Clea tardó un par de segundos en responder. Lo hizo con una voz distinta, más tranquila.

—La tercera, señor mío, es que no sé por qué le he contado todo lo que acabo de contarle sobre mí —dijo, sin apartar los ojos de la oscuridad. Otto volvió a sonreír, esta vez fue una sonrisa fugaz, solo labios, solo gesto—. Lo que en realidad quería contarle es que fui concertista de violonchelo hasta poco antes de cumplir treinta años. Y era buena, muy buena, créame.

Otto ladeó la cabeza.

—La creo.

—Y feliz —añadió ella sin acusar el comentario—. Fueron años hermosos, señor Stephens. Felices mi chelo y yo y lo que la vida nos regalaba con cada concierto, con cada nueva ciudad. Nueva York, Chicago, Los Ángeles, Toronto, Montreal... Cada día era una promesa de futuro desde un presente sin lastre, sin perdedores. Europa estaba lejos, sufría lejos mientras yo viajaba encerrada en territorio seguro con mi música y la música me devolvía una alegría nueva y autónoma... inmensa. Llegó el éxito, el triunfo, la satisfacción... todas esas cosas que en los que nos hemos dado a la música alimentan las ganas de más, eso que justifica y recompensa la soledad de las habitaciones de hoteles baratos, la tensión, comidas fugaces, esfuerzo, tesón... sacrificio. Viví unos años maravillosos que he atesorado durante cada segundo del resto de mi vida, señor Stephens.

Otto Stephens la observaba inmóvil desde el otro lado de la mesa, abarcándola con toda su atención. Al ver que ella no volvía a hablar, decidió preguntar.

—¿Qué pasó?

Clea frunció el ceño y bajó la mirada, pero no contestó. Al fondo del cenador, Oksana y la otra camarera cuchicheaban apoyadas en la pared, ajenas a ellos. Alguna risa contenida, gestos de complicidad al final de una larga jornada.

—¿Por qué lo dejó? —insistió suavemente Otto con una nueva sombra de sonrisa en los labios.

Clea se encogió ligeramente de hombros y chasqueó la lengua.

—Me enamoré —respondió a regañadientes—. Supongo que del hombre equivocado, supongo que esperando lo equivocado, aunque en ese momento era imposible saberlo.

Otto movió el pie que tenía en el aire adelante y atrás en un gesto incómodo que Clea no alcanzó a ver.

—Tuve que elegir, o eso creí entonces —añadió ella con un suspiro entrecortado—. Eran otros tiempos, ya sabe. Para nosotras, al menos —explicó con una mueca torcida—. Mi historia no es muy distinta de la de muchas mujeres de aquella época. Bueno... ni de las de aquella ni de las de esta.

—Ya.

—Me enamoré. Me casé. Creí que podría aparcar la música durante un tiempo y que las cosas serían distintas.

Que podría... qué sé yo —dijo, agitando una mano en el aire—. Sí, señor Stephens, creí que ser dos sería sumar, que el hombre que se enamoró de mí me ayudaría a ser más aún, más Clea, más grande, que mi éxito sería el suyo. Cuando entendí que no era así, que me quería retirada, era ya demasiado tarde. —Cogió el paquete de tabaco y lo sostuvo en el aire durante un instante—. Estaba embarazada —murmuró—. Ya no hubo marcha atrás.

Otto inspiró hondo y bajó la mirada al tiempo que Clea apoyaba las manos sobre el mantel y se levantaba despacio, dejando escapar un ligero gruñido. Él hizo amago de levantarse para ayudarla, pero Clea le detuvo con un gesto.

—Malditas rodillas de vieja —refunfuñó entre dientes, cerrando los dedos sobre el mango del bastón. Otto volvió a recostar la espalda contra el cuero rojo de la silla—. En fin, errores de juventud —dijo Clea con una mueca de cansancio. Luego se volvió de espaldas, se colocó el pañuelo sobre los hombros y empezó a alejarse hacia la puerta del jardín. Después de haber avanzado unos pasos se detuvo, vaciló y dijo—: Pero a pesar de los años, de los golpes y de los errores, sigue habiendo en esta vieja un rincón de voz para los perdidos, señor Stephens. Para los que, como me ocurrió a mí, nos quedamos por el camino porque no supimos leer las señales a tiempo. Sigue la música, créame —susurró—. Aunque mi marido jamás lo supo, no he dejado de tocar el chelo hasta el día que ingresé en este maldito asilo. —Irguió entonces la espalda, ladeó la cabeza y siguió caminando hacia los amplios escalones de piedra que bajaban a la pegajosa oscuridad de la noche.

* * *

El pañuelo de Hermès no parece de Hermès porque no incluye ninguno de esos yunques monstruosos ni tampoco las cadenas doradas sobre fondo blanco que Clea detesta. Es una pieza extraña, de las que ya no se hacen: rectangular, discreta y singular, una de esas prendas diseñadas para durar. Clea se arrebuja en él y vuelve a disfrutar del frescor de la seda, dejando escapar un suspiro de satisfacción.

—Parece mentira que una vieja de mi edad pueda seguir maquillándose y funcionar sin la ayuda de nadie, ¿no te parece, pequeña?

Rita sacude una oreja. Duerme ya.

—¿Sabes lo que te digo? Que la vejez tiene también sus cosas buenas —dice, retocándose la comisura de los labios con el dedo—. No te imaginas la tranquilidad que da saber que, con excepción de los médicos y de la cuidadora de turno, nadie va a querer verte desnuda. Es como si las viejas dejáramos de tener cuerpo, como si de repente lo físico fuera solo lo que tenemos dentro, es decir, la maquinaria. Sí, hija —añade, mirando a Rita en el espejo—, las viejas tenemos que taparnos, porque las que todavía no lo son ven en nosotras el espejo de lo que les espera. Y lo odian. Odian que les enseñemos que lo suyo también se acabará, que son finitas y que aquí no se libra nadie. ¡Ja! Pues que se fastidien. Y que aprendan. La vida, mi querida Rita, es una maratón y nosotras, de momento, seguimos en carrera, le duela a quien le duela —suelta acompañándose de una risilla maliciosa antes de volverse de espaldas y acercarse a Rita para acariciarle la cabeza—. Y ahora mamá se va a encerrar un ratito en el baño para hacer sus cositas. Luego se cambiará el pañal y se pondrá bragas limpias. Tú sigue durmiendo, ¿vale, cielo?

De camino al cuarto de baño, Clea rodea la cama y, deteniéndose delante de la luna de uno de los inmensos armarios de la suite, sonríe al verse así, con el pañuelo verde sobre los hombros, maquillada y con el pelo cubierto por una especie de red de finas hebras, las bragas infladas sobre el pañal y unas piernecillas escuálidas de huesos cortos y torcidos que terminan en unos calcetines nórdicos de lana gruesa con suela de goma.

—Una maratón, eso es la vida, señor Stephens —dice con voz grave, estudiándose con atención de la cabeza a los pies—. Y esta noche, Clea Ross llega fuerte al final de la carrera, mi querido director de orquesta. Así que no se confíe —dice con tono casi triunfal—. Yo en su lugar no lo haría.

Dos

Como todos los jueves, Ilona ha dejado el coche en una de las tres plazas que Buenavista tiene en propiedad en un aparcamiento del centro y sale a la calle por las escaleras que desembocan en las Ramblas. Al instante, el bullicio de las nubes de turistas se la traga en su abrazo pegajoso bajo la tarde de septiembre y ella se protege del barullo con el iPod mientras sortea un grupo de adolescentes americanas que buscan entre chillidos y risas nasales una heladería que seguramente no tardará en aparecer. Satie, suena Satie en los auriculares blancos de Ilona, y con él llega también la calma encapsulada que permite respirar sin prisa. Desde algún lugar de la ciudad, más abajo, el olor a mar barre otros olores menos limpios, estirando el verano.

En cuanto tuerce a la derecha por la primera bocacalle y se adentra en la sombra del casco antiguo, Ilona aminora la marcha y pasea distraídamente la mirada por los escaparates. Los acordes de Satie inspiran en ella imágenes lentas y recientes que la devuelven primero al despacho de Rocío y a ese marco sin foto que no ha dejado de acompañarla desde que el muro de piedra de Buenavista ha desaparecido en la distancia. «Cuántas mujeres solas», piensa ahora, deteniéndose durante un instante delante del escaparate casi desierto de una tienda de lencería barata. Pero

Rocío y su conjunto vacío duran poco. La imagen del marco huérfano desaparece de pronto bajo la sonrisa tímida y casi infantil que Otto Stephens no ha sabido disimular cuando, a media mañana, ha aparecido en su habitación cargado con el chelo y, sin pasar de la puerta, le ha pedido con una voz que Ilona no había oído hasta entonces en él:

—Quisiera pedirle un favor, señorita —ha dicho, bajando la mirada hacia el chelo.

El favor es importante e Ilona lo sabe. La voz temblorosa de Otto sigue ahí, llena de matices que encierran un laberinto de emociones e interrogantes entretejido a base de ilusión, miedo y deseo. En la habitación de Ilona, sobre la cama, descansa desde entonces el chelo en su funda de cuero marrón. Contra la oscuridad de la funda, un sobre y un nombre: Clea Ross.

—A medianoche, señorita. No antes —ha insistido Otto con luz en los ojos antes de volverse y alejarse despacio por el camino de grava—. Es importante.

Importante. Ilona despega los ojos del escaparate y sigue adelante por la bocacalle hasta desembocar en una arteria peatonal salpicada de músicos callejeros, un grupo de adolescentes que bailan *breakdance* a las puertas de un centro comercial y japoneses que deambulan por el barrio antiguo como rebaños de cazatalentos en una feria de teatro. Pulsa un botón del iPod y suena ahora la voz destilada y sola de Eva Cassidy. Delante de ella más bocacalles, más esquinas, la ciudad que no descansa, abonada al ruido, y al fondo, en un rincón que no tardará en abrirse a sus pasos, una iglesia de piedra oscura que levanta sus paredes al abrigo de una plaza tranquila que ve llegar a Ilona como todos los jueves de las últimas semanas.

Ilona respira hondo y disfruta del silencio que la saluda al entrar. Conoce bien la luz y el espacio: las paredes sobrias, la piedra gris, el crujido del portón y el eco de sus pasos sobre las losas blancas del pasillo hasta llegar al primer banco de madera oscura, donde se sienta despacio. La iglesia está vacía y hay frescor en la penumbra salpicada por la luz de algunas velas. El silencio es total. Las campanas tocan la media. Las de Sant Felip Neri son campanas de verdad, no esas grabaciones enlatadas que Kata aborrecía cuando las oía sonar los domingos desde la cocina del piso de Gömb Utca y que le arrancaban sin falta un gruñido de rabia.

—Tantos años sin curas ni campanas y ahora que podemos tenerlas nos ponen esa porquería grabada. Menuda vergüenza de país —decía, volviéndose hacia la ventana con cara de resignación. Luego se recogía el pelo, se ponía el abrigo y bajaba a misa sin demasiadas ganas.

Como ella, eran muchas y muchos los vecinos que se encontraban en la iglesia los domingos, sobre todo gente mayor, aunque la mayoría de ellos no fueran religiosos. Y es que, como la democracia, la fe, en los años que siguieron a la caída del comunismo, había pasado a ser un derecho —una posibilidad—, y las iglesias se llenaron de fieles que querían manifestar con su presencia no tanto su fe religiosa, sino su voluntad de reclamar lo que les habían quitado. Ir a misa era por fin un derecho como lo era también votar, y los que habían conocido la fe antes de la creación del bloque del Este y habían tenido que vivirla durante años en la oscuridad de lo prohibido querían verse de nuevo codo con codo, dándose la mano entre los bancos, celebrando que había valido la pena la espera, el silencio, el sacrificio.

Las iglesias de Hungría, como las de tantos otros países del Este, se llenaron sin demora de fieles recuperados que se veían en muchos casos como mártires de la fe. Muchos buscaban reconocimiento. Otros —los menos— simplemente respuestas, un sentido, calor o compañía.

Algunos buscaban algo que les ayudara a olvidar lo reciente para recuperar lo remoto. Kata estaba entre ellos.

Ilona acompañaba alguna vez a Kata a misa y la oía rezar y cantar junto a los centenares de fieles que se apretujaban en los bancos y que entonaban el mismo cántico al unísono con una fuerza y un empuje que, más que de un fervor espiritual, bebían de un deseo casi invertebrado de airear la victoria sobre el infiel, sobre ese estado de terror que al final había caído como cae todo lo que no es eterno. «Todo es finito», respondían algunos cuando llegaba la hora de darse la mano y el cura les invitaba a «darse la paz». Hermanos. Eso eran: supervivientes de la fe, y Kata encontraba en esa iglesia llena de almas rotas que vibraba con las voces desafinadas de todos ellos un rincón de pasado compartido y distante en el que cobijarse de un presente demasiado nuevo para ella, demasiado lleno de cosas, de color, de elecciones.

Ahora Ilona cierra los ojos e imagina a Kata sentada a su lado en la soledad de la iglesia como lo ha hecho todos los jueves desde que regresó a Barcelona, huérfana de madre y de muchas otras cosas. Así hablan madre e hija desde entonces: la una real y la otra imaginada, recogidas durante una hora a la semana en el frescor de una iglesia extraña, compartiendo el calor del banco y los minutos escasos de una cita que da para poco, pero que para Ilona es un hilo de unión necesario a lo que no sabe soltar, porque sin esos minutos con Kata el mundo sigue siendo aún demasiado vasto y el conjunto, demasiado vacío.

—Pareces cansada, hija —dice Kata, volviéndose a mirarla con una sonrisa que Ilona no recuerda haberle visto en vida y que ahora parece dibujarse sin esfuerzo, como si siempre hubiera estado ahí.

Ilona también sonríe. Es, en efecto, una sonrisa cansada.

—¿Siguen los mareos? —pregunta Kata, recorriendo el altar con los ojos.

—Sí, aunque cada vez menos. —Y antes de que Kata vuelva a hablar, ella misma da respuesta a la pregunta que sabe que ha de llegar—. Las náuseas ya no.

Kata asiente y cierra los ojos. Durante un par de segundos vuelve el silencio. Es Ilona quien lo rompe.

—Mamá.

—Dime, hija.

Hay tantas cosas, son tantas las preguntas que a Ilona le gustaría hacerle, tantas las cuentas no saldadas, los ovillos a medio hilar, las medias verdades entretejidas en la historia común de las dos, que es difícil saber por dónde empezar. Siempre es así. Todos los jueves es así: difícil entre las dos, difícil el puente de palabras entre lo real y lo imaginado. Y, a pesar de que durante la semana Ilona piensa y prepara ese careo buscado con su madre, anotando preguntas, dudas, reproches, confesiones y mil y una verdades que quiere saldar con Kata, cuando la tiene allí, sentada a su lado en la intimidad de la iglesia, todo se funde en un borrón oscuro del que no logra sacar nada articulado, solamente emociones crudas que empequeñecen todo lo demás y que suenan así: «Odio, te quiero, necesito, añoro, dame, quédate, duele, por qué, mira, mírame... mamá».

La que hoy suena tímidamente en el primer banco de la iglesia es quizá el resumen de todas las anteriores: una confesión murmurada que Ilona deja escapar como una pequeña tos ronca y que Kata recibe a su lado con un ligero estremecimiento.

—Tengo miedo, mamá.

—Todos tenemos miedo, hija.

Ilona se vuelve a mirarla.

—¿Sí?

—Claro. Los que estáis y los que ya no estamos. Nosotros lo tuvimos y vosotros lo heredasteis, como nos ocurrió a los que estuvimos antes.

Ilona no dice nada. Espera a que Kata diga algo más.

—Es parte del alma —habla Kata por fin—. Del alma del mundo, quiero decir.

Ilona frunce el ceño y durante un instante recupera el rostro de Otto. Vuelve a ver iluminados sus ojos mientras acaricia con ellos el barniz reluciente del chelo y asegura, triunfal: «Sonará como el alma, señorita Ilona. Como el alma del mundo». Qué curiosa expresión y cuánto más curioso aún oírla repetida desde dos voces ancianas, vivas o no. Eso es lo que piensa Ilona en el instante de silencio que discurre entre la voz de Kata y la suya.

—Dice el señor Stephens que no hay mejor música que la de un corazón afinado. Y que entonces suena el alma del mundo, porque suena lo que es verdad.

—Cuánta razón, hija.

—¿Puedo preguntarte una cosa?

Kata se vuelve a mirarla. Sus ojos transparentes atrapan la difusa claridad que se refleja desde el mármol blanco del altar.

—Claro.

Ilona inclina un poco la cabeza y baja la mirada.

—Si pudieras volver a hacer... quiero decir, si pudieras empezar de nuevo, ¿harías las cosas de otra manera?

Kata sonríe. Es una sonrisa descargada y liviana, casi adolescente.

—¿Cosas como qué, hija?

Ilona traga saliva.

—Cosas...

Kata se encoge de hombros y suelta una carcajada acristalada que parece llegar llena de agua y piedras.

—¿Cosas contigo, quieres decir? —pregunta, divertida—. ¿Te refieres a si elegiría ser una madre distinta?

Ilona asiente con la cabeza.

—¿Serías tú, si pudieras, una hija distinta? —pregunta Kata con suavidad—. ¿Una Ilona distinta?

Ilona no dice nada.

—Volvería a ser tu madre, cariño. Elegiría serlo tantas veces como la vida me diera la oportunidad de serlo, créeme.

Ilona también sonríe.

—Pero no es esa la pregunta, ¿verdad, hija?

La sonrisa desaparece.

—No.

—Ya.

Ilona se acaricia las rodillas. Una de ellas, la derecha, cruje levemente, y Kata arruga la frente.

—No hagas eso.

—Perdona.

De pronto, a la espalda de las dos mujeres, el portón de la iglesia cruje también y dos sombras menudas se adentran discretamente en la iglesia. Ilona y Kata callan, expectantes, hasta que segundos más tarde las dos figuras murmuran algo y vuelven a salir al calor de la tarde. Ilona levanta la cabeza.

—¿Me abrazarías? —susurra entre dientes.

Silencio.

—Si volviéramos a empezar, si pudiéramos cambiar las cosas y...

—No podemos cambiar las cosas, hija —la interrumpe Kata, clavando la mirada en la llama moribunda de un cirio que languidece a su derecha.

Ilona aprieta los dientes y se vuelve a mirarla.

—¿Me abrazarías, mamá?

Kata no aparta los ojos de la llama, que, tras un chisporroteo húmedo, se apaga bruscamente, dejando escapar un hilo fino de humo negro.

—Siempre creí que el cariño te haría débil, hija —dice—. Que nos haría débiles a las dos. Y esa era una amenaza que ni tú ni yo podíamos permitirnos, porque, más allá de lo que éramos nosotras, la vida era el enemigo y yo tu única protección. Las de esa época éramos madres guardianas, como lo son los animales con sus crías en territorio hostil. Teníamos que criaros fuertes, preparadas para durar, para sobrevivir como lo habíamos hecho nosotras.

El cariño era un lujo que muy pocas podíamos permitirnos, hija.

—Pero si...

Kata sacude lentamente la cabeza.

—No, Ilona. No haría las cosas de otro modo si pudiera volver atrás. Eso te corresponde a ti. Es tu herencia, lo poco que he podido dejarte. Tú eres quien debe hacerlas distintas, como lo hice yo con lo que no recibí de mi madre y ella con lo que no recibió de la suya. Eso, esa ristra de herencias cojas, es la que hace de la vida lo que es, con su luz y con su oscuridad, con su música y su silencio. Yo no puedo deshacer lo hecho, pero tú sí puedes rehacerlo, o al menos intentarlo. Y te equivocarás, claro que sí. Como todas. Querrás compensar y descompensarás, intentarás dar lo que te faltó, pedirás donde no hay. Y, mientras eso ocurra, mientras sigas echando de menos lo que no tuviste, habrá alma en el mundo y la rueda seguirá girando, generación tras generación, alimentando la vida.

Ilona cierra los ojos y traga saliva, incapaz de encontrarse la voz.

—Por eso debes seguir, hija. Sin mí, sin lo que no pude darte. Y sé que tienes miedo, pero eso es parte del juego, para lo bueno y también para lo malo. No te juzgues por ello. El miedo no te hace cobarde, sino humana. Vívete así, entiéndete así, y deja de refugiarte de la vida, porque, ahora lo sé, por mucho que te escondas, la vida, como la muerte, siempre termina encontrándonos. Sal ahí fuera, Ilona, y búscate. Y si quieres abrazos, atrévete a pedirlos. Y si te abrazan mal, atrévete a huir. No hay nada más triste que una vida arrepentida, hija, ni nada más pobre que una muerte quieta.

Las últimas palabras de Kata quedan enmudecidas por el metálico tañido de las campanas de la iglesia que ella saluda con una sonrisa y una luz de alegría en los ojos.

—Estas sí que son de verdad, ¿eh?

Ilona también sonríe y asiente un par de veces con la cabeza, mirando disimuladamente su reloj.

—Sí.

—¿Tienes que marcharte?

—Sí, ya es hora —contesta Ilona, llevándose una vez más las manos a las rodillas.

Kata pasea lentamente la mirada por el altar y pone las palmas de las manos sobre el bolso de cuero marrón que descansa sobre sus rodillas.

—¿Has decidido ya lo que vas a hacer?

Ilona tensa la espalda. Como ha ocurrido durante los últimos jueves, la pregunta, aunque esperada, no es del todo bien recibida. Siempre llega al final, cuando el tiempo no permite muchos rodeos. Y siempre así, directa, casi acusadora.

—¿Hacer?

Kata arruga los labios.

—Con lo tuyo.

Con lo tuyo. A pesar de todo, Ilona no puede evitar una sonrisa. «Lo tuyo» es una expresión que define a Kata y que ella utiliza cuando quiere referirse a algo que, por uno u otro motivo, la incomoda por demasiado íntimo. Desde siempre, cuando quiere hablar de algo que prefiere no explicitar, opta por expresiones como «lo mío» o «lo tuyo». Ilona sabe qué es lo que Kata no nombra y entiende que, como le ocurre a su madre, también ella prefiere no darle nombre todavía. «Y es que, cuando las cosas se nombran, ya no hay marcha atrás. Lo que tiene nombre, tiene vida, es real, sea o no querido», recuerda haber oído decir a Clea en más de una ocasión. Ilona sabe que es cierto. Kata lo sabía también. Esa es una herencia que madre e hija comparten con otras decenas de millones de hombres y mujeres que sufrieron el Este, con eso a lo que muchos siguen llamando tímidamente «lo nuestro».

—No, todavía no lo he decidido —responde Ilona, bajando un poco la voz.

Un suspiro de madre resignada. Kata mueve despacio la cabeza.

—No deberías esperar más, hija.

Ilona tensa la espalda.

—Ya lo sé.

—¿Entonces?

—No tardaré en saberlo, no te preocupes.

Kata se encoge de hombros, molesta.

—No se trata de saberlo, Ilona. Se trata de decidir. Sobre todo de decidir.

Ilona se levanta despacio, apoyándose sobre las rodillas, que esta vez se contraen sin un solo crujido.

—Es que todavía hay algo que no sé, mamá —dice, volviéndose hacia el pasillo seguida por la mirada atenta de Kata—. Y no puedo decidir sin estar segura de que no voy a equivocarme.

Kata deja escapar un pequeño suspiro de impaciencia. Cuando retoma la palabra, lo hace con una dulzura forzada que no logra convencer. Sabe que Ilona no quiere hablar, que tiene prisa porque le espera su segunda parada en la ciudad, esa que ella no aprueba ni entiende, porque está mal y porque encierra a Ilona en una ruleta llena de números negros como pozos sin futuro en los que solo anida la mala suerte.

—Ya te estás equivocando, hija —dice, muy a su pesar—. Desde que decidiste volver.

—Tengo que irme, mamá.

—Te equivocas porque sigues esperando que ocurra lo que para ti sería el milagro, volviendo una semana tras otra a ese maldito parque para torturarte como ninguna mujer debería hacerlo nunca.

Ilona se vuelve de espaldas y camina despacio hacia el pasillo hasta llegar al extremo del banco. Desde allí oye rebotar la voz de Kata como un susurro frío entre la piedra ennegrecida de los muros del templo.

—Él no es la vida, niña —dice la voz—. No, hija, Miguel no es ni puede ser la vida —añade—. Y no lo es porque la vida no es nadie. La vida es, cariño, grande, pequeña, triste o maravillosa, pero nunca, y sé bien de lo que hablo, es espera. Eso tiene otro nombre, Ilona, un nombre feo que da miedo y que tú no te mereces.

Ilona traga saliva y parpadea, conteniendo la humedad caliente que ahora le vela la mirada y que desdibuja las losas blancas del pasillo que se extiende delante de ella. De pronto, el pasillo se le antoja inmenso, interminable. Durante una décima de segundo, está tentada de dar media vuelta, desandar lo andado y buscar en Kata y en el recuerdo vivo que aún alimenta de ella un aliento que sabe que no ha de llegar.

—De todos modos —vuelve a hablar Kata—, decidas lo que decidas, no olvides nunca que tu madre, como lo han hecho muchas otras antes y lo harán tantas otras después, jamás se arrepintió de haberte regalado la oportunidad de ser parte de esto —dice, abarcando con la mirada el espacio que la envuelve—. Volvería a hacerlo una y mil veces, hija, aunque para ello tuviera que negarte una y mil veces mi abrazo y aunque ni siquiera la muerte me haya ayudado a perdonarme por haberte dejado sin él.

Ilona cierra los ojos y respira hondo. Luego baja la cabeza y casi a ciegas echa a andar con paso vacilante por el pasillo de la iglesia hacia el portón cuyo perfil se adivina en la penumbra.

Al otro lado, en la plaza, el calor perezoso de la tarde la espera ya bajo un cielo salpicado de jirones de nubes que invaden lentamente la ciudad desde la playa.

TRES

Los encuentros de Clea Ross y Otto Stephens fueron repitiéndose con ordenada frecuencia, y el roce, como no podía ser de otro modo, ayudó a alimentar la intimidad. Llegó lo cotidiano, las voces fueron contando y, desde la memoria compartida, emergieron poco a poco esas incontables fichas del rompecabezas que perfila las vidas muy vividas cuando deciden formularse en voz alta. Los paseos, las cenas y los episodios de té de la tarde en el cenador fueron desvelando a una Clea de reacciones imprevisibles y humor extraño que encontraba en el incansable optimismo de Otto un espejo no siempre bienvenido.

Durante uno de los paseos, mientras la noche terminaba de cerrarse desde el oeste y las gaviotas sobrevolaban perezosamente la playa, Clea Ross y Otto Stephens decidieron descansar unos minutos en un banco del camino de grava. Rita husmeaba entre los setos y los parterres de pensamientos. Clea se sentó con un pequeño gruñido y él la imitó. Luego ella clavó los ojos en el azul y encendió un cigarrillo.

—¿Tiene usted hijos? —preguntó de improviso. Otto no respondió de inmediato. Necesitó unos segundos para encajar el momento y lo que, como ya intuía, podía traer consigo. La pregunta de Clea llegaba por y para algo. Siempre era así. Intentó estar preparado.

—Dos —respondió.

—¿Hijos, hijas, o él y ella?

Otto sonrió.

—Él y ella.

Clea arqueó una ceja, pero no dijo nada.

—¿Y usted? —preguntó Otto.

—También.

—¿Él y ella?

Clea asintió y espiró el humo despacio antes de volver a preguntar.

—¿Nietos?

Otto parpadeó y arrugó la boca en una mueca triste que Clea no vio.

—No.

—Yo tampoco —dijo ella, chasqueando la lengua.

—Me habría encantado. —La voz de Otto llenó un espacio mínimo a su alrededor. Fue una voz pequeña. Clea suspiró.

—A mí no.

—¿Por qué?

—Porque no.

Otto soltó una carcajada tímida.

—Una razón muy convincente.

Clea arqueó de nuevo la ceja y volvió a fumar, buscando a Rita con la mirada. No la encontró.

—¿Dónde demonios se habrá metido esta perra? —masculló entre dientes.

—Creo que se ha colado debajo del seto.

—Todo el día detrás de ella como una idiota —refunfuñó Clea—. ¿Entiende ahora por qué no me hacen falta los nietos?

En ese momento, una pequeña silueta blanca cruzó alegremente el camino de grava en dirección al banco. Un instante después, Rita se tumbaba a los pies de Clea y empezaba a lamerse las patas distraídamente.

—Me gusta su nombre —dijo Otto.

—¿Rita?

—Sí.

—No es un nombre. Es un diminutivo.

Otto no dijo nada. Se agachó sobre sus rodillas y acarició a la perra en la cabeza.

—De zorrita —explicó Clea—. De pequeña era una sobredosis de feromonas. Un zorrón.

Otto se rio y siguió acariciando a Rita, que en cuestión de segundos estaba tumbada panza arriba, pidiendo más.

—Lo que le decía —dijo Clea con voz de fastidio—. Ve un hombre y se hace pis.

Se hizo de nuevo el silencio. No duró.

—Mi hijo era el mayor —arrancó Clea de nuevo con la mirada al frente. Su boca dibujó una línea recta antes de continuar—. A ella la tuve mucho después. —Encendió otro cigarrillo y carraspeó—. No la esperábamos.

—David también era el mayor —dijo él.

Clea se volvió y le fulminó con la mirada.

—Habíamos quedado en que nada de nombres, señor Stephens —escupió con una voz arenosa.

—Perdón, no quería...

—Pues si no quería, tenga un poco más de cuidado, hágame el favor —farfulló, llevándose el cigarrillo a la boca. Luego, después de añadir algo entre dientes que Otto no entendió, preguntó—: ¿Algún favorito?

Él no entendió. Clea arrugó los labios.

—Sus hijos. ¿Cuál de los dos?

Otto no disimuló una sonrisa sorprendida.

—No sabría decirle, la verdad.

—No me venga con esas, señor director. Siempre hay un favorito. Además, a estas alturas, qué más da.

Otto inclinó la cabeza y también él perdió la mirada en el azul casi negro del cielo.

—Supongo que ella —respondió con timidez.

Clea soltó un bufido.

—Ya, claro. Los padres, ya se sabe.

—¿Y usted?

—Mi niño. —Fue una respuesta automática, casi una declaración de principios.

—¿Por qué?

Una sonrisa maliciosa asomó a los ojos de Clea.

—Pues porque las madres, ya se sabe.

Otto se rio y ella también. Durante un instante no hubo tensión y sí una mirada cómplice y cálida que pareció abrir una puerta a un espacio más cómodo y que Clea acuchilló de inmediato con un gesto de la mano. También con la voz.

—Perdí a mi hijo poco después de que cumpliera veinte años —dijo de pronto, abortando en seco el frágil hilo de complicidad que les había unido durante un instante—. Lo encontraron muerto en la habitación de un hotel.

Otto la miró y no supo si preguntar. Dudó, pero Clea no le dejó hablar.

—Un hotelucho de Roma —dijo, bajando la voz—. No dejó ni siquiera una nota. Nada. No pude despedirme de él.

—Lo siento.

—Eso mismo dijo mi marido cuando se enteró. Como siempre, estaba de viaje. En Lisboa. También dijo: «Yo me encargo de todo, Clea. No te preocupes». Yo me encargo de todo. ¿Qué le parece? Pura emoción la de mi marido —añadió, encogiéndose de hombros—. La versión oficial fue que había muerto de un infarto mientras dormía. Mi marido llenó de esquelas los diarios, esas porquerías llenas de estupideces que dicen cosas como: «La familia lamenta profundamente la pérdida de tal y cual». Le enterramos allí y allí sigue, en esa ciudad del demonio llena de ruinas. No he vuelto a pisar Roma desde entonces. —Arrojó el cigarrillo al suelo y lo aplastó con el pie. Luego se cruzó de brazos y apoyó la espalda en el respaldo de madera—. Me quedaba mi hija. Pero no la ilusión para dedicarme a ella, así que los perdí a los dos.

Otto siguió acariciando a Rita, que parecía haberse quedado dormida y que de vez en cuando dejaba escapar un ronquido entrecortado.

—Yo conocí poco a mi hijo —empezó sin incorporarse. Clea no se volvió a mirarle, pero sí le interrumpió.

—No es fácil conocer a los hijos —murmuró, más para sí misma que para él—. Ni a los hijos ni a nadie. Mi marido decía que esa era una de las grandes maravillas que hacen de la vida lo que es. Me refiero a lo de no llegar a conocernos nunca del todo. Aunque, claro, mi marido era un gran especialista en decir grandes sandeces.

El silencio que saludó su comentario la devolvió al instante al discurso interrumpido de Otto Stephens.

—Disculpe —dijo—. No quería interrumpirle. —Otto se incorporó y apoyó las palmas de las manos sobre sus rodillas—. Decía usted que conoció poco a su hijo.

Otto asintió despacio con la cabeza.

—Su madre me apartó de él en cuanto nació. No me quiso con ellos, o al menos yo lo viví así —continuó, ajeno a la mirada de Clea—. Cuando entré a la habitación de la clínica y la vi con él en brazos, sentí que se me rompía algo aquí —dijo, señalándose el pecho—, que a partir de ese momento me había quedado fuera de algo que no entendía. Miré a mi hijo y pensé: «Me la ha quitado y va a seguir quitándomela durante el resto de su vida y de la mía, y no sé cómo voy a poder quererle si tengo que compartirla con él». Eso fue lo que pensé, señora Ross, y que Dios me perdone.

Clea dejó escapar un pequeño suspiro. Luego carraspeó.

—Mi mujer me miraba desde la cama sin decir nada, esperando a que me acercara —continuó él. Luego inspiró hondo y bajó la cabeza—. No pude. No pude moverme. Me quedé allí clavado mientras ella leía en mis ojos lo que yo no supe disimular hasta que, cuando entendió que no me movería, estrechó a nuestro hijo contra su pecho y dijo: «Mi pequeño». Solo eso: mi pequeño. Luego le dio un beso en la cabeza y le sonrió. La vi tan hermosa y tan feliz, tan completa con ese niño en brazos y tan completa sin mí, que no lo soporté. Tardé dos días en volver.

Clea parpadeó y se acarició el cuello con los dedos, un gesto que Otto no vio.

—Cuando reuní el valor para hacerlo, ya era tarde. El vínculo era demasiado entero. Regresamos a casa convertidos en una familia partida en dos. A un lado, ellos. Al otro, yo. Ella nunca me perdonó y yo...

—¿Y usted?

—Yo ya no pude... ya no supe...

Clea asintió.

—Me volqué en mi carrera, en mi música —siguió él—. A pesar de que era muy joven, ya en aquella época había empezado a viajar, invitado por algunas orquestas, aunque normalmente eran cosas concretas. Viajes cortos, de un par de semanas como mucho, a veces un mes. A partir de entonces, intenté alargar las ausencias. Mi mujer, que antes de tener a Da... a nuestro hijo, siempre me había acompañado, dejó de hacerlo durante un tiempo. El niño era demasiado pequeño para viajar y yo... yo tampoco insistí.

Clea negó con la cabeza.

—Ya.

—Eso fue hasta que él cumplió un año. Luego nos fuimos a vivir a Londres y después llegaron otras ciudades, otras orquestas, grabaciones, más compromisos, más viajes... en fin, mil cosas. Vivíamos una vida vertebrada entre despedidas, ausencias y regresos, los míos claro. Ellos eran los que se quedaban, los que tenían una vida en común de espaldas a mí y a lo mío, y yo prefería no ver, porque dolía. Cuando volvía de alguno de mis viajes nos veía juntos a los tres y veía a un hijo al que ni siquiera sabía abrazar y a una mujer que me miraba como si con cada uno de mis regresos esperara de mí algo que yo no entendía, que me hacía débil y pequeño, tan entera, tan perfecta en su papel de madre contra lo poco padre que le llegaba de mí... Era difícil volver, señora Ross, muy difícil, y a la vez la echaba tanto de menos, la necesitaba tanto...

Clea dejó el paquete de tabaco encima del banco y cogió el bastón. Con él dibujó distraídamente algo en la grava. A su lado, Otto guardaba silencio. Por fin, se volvió hacia él.

—¿Cómo era? —preguntó.

Otto parpadeó.

—¿Quién? ¿Mi mujer?

Clea hizo un gesto con la cabeza.

—Sí.

Otto calló durante unos instantes más. Luego alzó la mirada y paseó los ojos por el tronco de una de las palmeras que separaban el camino de la parte oeste del jardín. Cuando habló, una sonrisa le iluminaba la cara.

—Hermosa, muy hermosa. Era... una mujer única, capaz de lo mejor y de lo peor, una de esas mujeres que a los hombres nos dan miedo, porque sabemos que en ellas empieza y acaba todo y que lo que ha habido antes no contará y lo que ha de venir después será totalmente distinto a lo que imaginamos. —Hizo una pausa. En pocos segundos la sonrisa había encontrado eco en su mirada, que ahora se perdía en la doble oscuridad del cielo y de la memoria—. Nunca entendí cómo pudo fijarse en mí y menos aún por qué aceptó casarse conmigo. Bueno, a decir verdad, fue ella quien me lo pidió. Y es que así era ella: podría decirle que única, que enorme, que difícil... pero no creo que eso llegue a definirla del todo. Era una mujer entera, una de esas mujeres que uno jamás está seguro de merecer, no sé si me explico.

Clea Ross observaba a Otto Stephens envuelta en un silencio opaco. El bastón seguía dibujando pequeños círculos en la grava mientras ella respiraba despacio.

—¿Qué fue lo que le enamoró de ella? —preguntó con una voz extrañamente dulce.

Otto Stephens ladeó levemente la cabeza.

—Y no me diga que todo, haga el favor —le advirtió ella.

Más sonrisa. Más luz en la piel de Otto.

—Me enamoró... lo que no decía.

Clea arrugó la frente. El bastón se detuvo de pronto en la blancura del camino.

—Lo que había entre líneas —continuó él—. Sí, eso fue lo que me enamoró. Mi esposa amaba la vida como solo la aman quienes la han vivido desde muy pronto, con un tempo y una cadencia que lo armonizan todo. Entendía la vida, señora Ross, porque sabía oírla, reconocía su lenguaje y sus variaciones y palpitaba con ella, a la vez. Era como si la vida fuera ella y como si todo lo demás quedara fuera, al otro lado.

Clea buscó a tientas el paquete de cigarrillos y, cuando dio con él, sacó uno y lo encendió. Si Otto Stephens se hubiera vuelto a mirarla, habría visto que le temblaban las manos.

—Me habría gustado conocerla —dijo Clea. Lo dijo sin pensar, o quizá lo pensó y lo hizo en voz alta. Sin querer.

Otto se volvió a mirarla.

—Mi esposa era una mujer única que se casó conmigo creyendo que también yo lo era —dijo con una pequeña mueca de pesar—. Se equivocó.

Clea chasqueó la lengua.

—Ya —dijo—. Eso es algo que suele pasar, sobre todo a nosotras, las mujeres. —Otto no respondió. Simplemente se volvió a mirarla al tiempo que la sombra de una sonrisa asomaba a sus labios—. Demasiada mujer única y demasiado hombre pequeño, ese es el gran misterio del mundo, mi querido señor director. Y luego llegan los malabarismos, claro. Nosotras intentando empequeñecernos para que nuestro hombre no sufra la diferencia, renunciando primero a la fantasía, luego a los sueños, renunciando sin denunciar para que la vida no se rompa. —Clea hablaba con una rabia sorda y susurrada que Otto recibió a contrapié. El bastón volvió a trazar círculos en la grava, surcándola con brusquedad—. Qué fácil, señor Stephens. Qué fácil decir ahora que su esposa era una mujer maravillosa. Qué cómodo hablar a toro pasado después de toda una vida vivida así. No, señor Stephens. No me venga con esas. Su esposa no le empequeñecía, no se engañe. Lo que le hizo pequeño fue conformarse con serlo y creerse generoso por haberse hecho a un lado para que su esposa pudiera ser única a solas. Eso es ser pequeño. El resto, mitología barata.

Las palabras de Clea llegaron salpicadas de pequeñas gotas de saliva que rociaron la humedad de la noche. Hablaba desde unos dientes apretados, apretadas también las manos alrededor de la empuñadura del bastón. «Habla de ella —pensó Otto de pronto—. Está hablando de ella». Y al verla así, tan encendida y tan tensa, tuvo ganas de ponerle la mano en el hombro y decirle que lo sentía, que lo sentía por ella, por lo que no decía, por las entre líneas.

—Lo siento —se oyó decir.

Clea se volvió de golpe hacia él como si hubiera recibido una bofetada.

—¿Qué es lo que siente, señor Stephens? —siseó—. ¿Haber perdido a una mujer única? ¿Haber sido un cobarde? ¿O quizá haber tenido una vida que ahora lamenta?

Otto cerró la mano sobre el banco.

—Siento haberla hecho enfadar —dijo, bajando la voz.

Clea parpadeó, sorprendida. El bastón se detuvo de nuevo, aunque solo durante un instante.

—No lo lamente por mí —dijo. Fue una frase ronca, cargada de flemas—. Sino por ella. Y, sobre todo, laméntelo por usted. Si su esposa era como dice, y le creo, quien más ha perdido es usted, porque, a juzgar por lo que cuenta, lo único que ha aprendido es a fabricarse una imagen de usted mismo que le justifica, y eso, mi querido señor, es pobre y es feo.

Otto tragó saliva. Una gaviota chilló desde la playa y un rayo volvió a iluminar un rincón de cielo. Clea dejó el bastón apoyado contra el borde del banco y buscó el paquete de cigarrillos. Sacó uno con dedos temblorosos, pero no lo encendió.

—Mi marido era como usted —dijo por fin—. Un hombre de éxito que vivía de gustar, acostumbrado a jugar y a ganar, experto en la conquista. Aunque tarde, no me costó entender que había en la Clea de los escenarios, en la de la música, demasiada luz para la Clea que él había imaginado a su lado. Primero fue la boda, después llegó mi niño y muy pronto me vi encajada en un perfil de esposa y de madre que lo llenaba todo, que no dejaba espacio para más. Empezaron los traslados. Como usted, mi marido entendía el mundo como un bloque de oportunidades sin fronteras. Se definía como un embajador de la cultura, «un hacedor de cultura», decía, y la cultura pedía y esperaba sus servicios desde cualquier rincón, en cualquier momento. A veces, sobre todo al principio, viajaba solo. Otras, cuando las estancias eran más prolongadas, nos llevaba con él. Vivíamos en movimiento constante, él nos mantenía en movimiento constante. La embajada de la cultura gritaba su nombre y había que levantar el campamento para acudir a su llamada. Gitanos de lujo, eso éramos: un retrato de hombre encandilado por su buena estrella con esposa y niño en brazos al fondo, esperando a que llegara la calma y que lo que él nos vendía como transitorio se convirtiera en destino final. A veces, cuando nos instalábamos en alguna ciudad y parecía que habíamos llegado para quedarnos, yo intentaba retomar mi música. Volvía a los ensayos, retomaba lo que era mío, y la Clea aparcada aparecía de nuevo con fuerzas renovadas, encontrando huecos imposibles entre las cenas, los compromisos, la casa... entre la madre y la esposa. Dos veces, en Dublín y en Malmö, conseguí un puesto de solista en una orquesta, pero no duró. Tardamos poco en levantar el campamento y volar a una nueva ciudad para empezar de nuevo. Nueva casa, nuevas caras, nuevo idioma... cansancio. «Paciencia», me decía él cuando yo le pedía un poco de espacio para mí, «espera un poco más. Confía en mí». Y confianza es lo que fui dejando en la estela de nuestros viajes. Confianza en él, en lo que prometía. Sí, perdí la confianza y también la esperanza, y cuanto mayor era el fantasma de la desconfianza, más me hacía una con mi niño, más nosotros dos en un círculo cerrado. Entendí entonces que no habría cambio y que la solista se había quedado sola con su música. La madre se apropió entonces del hijo, haciéndolo suyo contra todo lo que no éramos nosotros dos. Los escenarios y los conciertos se habían acabado y una parte de mí se había quedado muda. La Clea de los perdidos se había convertido en la Clea de los perdedores, de los sin voz, y volqué todo mi silencio en mi niño, arropándolo contra su padre, defendiéndolo de todos los fantasmas que a mí me habían hecho caer en el error de las falsas promesas, de esa luz cegadora con la que mi marido nos ensombrecía a los dos. Cambié, señor Stephens. Hice de mi hijo el cómplice de mi desilusión y fui quemando los pocos puentes que desde siempre le habían unido a su padre. Se lo quité. No hay chelo, no hay hijo, ese fue el binomio que me ayudó a seguir, convertida con el tiempo en eso que usted llama una mujer «entre líneas».

Otto apoyó los codos sobre las rodillas y suspiró por la nariz. «Cuánto daño nos hacemos», pensó sin apartar los ojos del suelo. Quiso decirlo, pero no se atrevió, y Clea volvió a hablar.

—No volví a pedir más —dijo, acariciándose automáticamente el brazo—. No más espera. Dejé de luchar por mi música, agotada de hacerlo sola, y sin eso, sin la ilusión, me ennegrecí. No volví a ensayar, ni a mendigar huecos ni pequeños plazos para mí. Se acabó el chelo, se acabaron los sueños, los escenarios, los conciertos, el cuarto propio... decidí callar y esperar a que fuera él quien preguntara. «¿No tocas, Clea? ¿No ensayas? ¿No más audiciones? ¿Por qué tanto silencio en esta casa?». Preguntas que yo empecé a esperar y que nunca llegaron. Me volví cómoda, cómoda para él y para la vida que él quería tener, renunciada, falsamente entregada.

Otto estiró la espalda contra el respaldo del banco. Junto a sus pies, Rita bostezó.

—No, señor Stephens, yo dejé de tocar y mi marido nunca preguntó —masculló Clea con un hilo de voz—. Años más tarde, pocos días después de enterrar a mi hijo, me encerré en el desván y toqué durante horas. Él había vuelto a ausentarse y tenía la casa para mí. Toqué y toqué, porque si no lo hubiera hecho, me habría cortado las muñecas con el arco del chelo para no tener que enfrentarme a la vida llena de nada que me esperaba allí abajo. Hasta el alba. Ni una lágrima, señor Stephens. No logré derramar ni una sola lágrima por mi hijo ni por el futuro que me esperaba sin él, pero desde ese día toqué en ausencia de mi esposo todas las noches hasta ver amanecer y poco a poco recuperé a la Clea que jamás debí dejar morir, y di voz a los perdidos, a los míos, de espaldas a mi marido. Él nunca lo supo, nunca volvió a oírme tocar. Yo lo quise así. Desde mi desván me fabriqué una vida sin él, contra él, odiándole sin poder dejar de quererle, una Clea con él y la otra con el chelo, la de las líneas y la de las entre líneas. Y no me arrepiento, créame. Si no lo hubiera hecho, me habría vuelto loca. —Sonrió. Fue una sonrisa triste—. Más loca, quiero decir.

Otto le devolvió la sonrisa. La tristeza también.

—¿Y sabe lo peor, señor Stephens? —dijo ella con una voz extrañamente dulcificada—. ¿Lo que más me duele todavía ahora?

Él negó con la cabeza.

—Que hasta el último día de mi vida con él, hasta el último segundo, nunca dejé de esperar que mi marido me pidiera que volviera a tocar —dijo, volviéndose a mirar a Otto con los ojos brillantes—. Nunca.

El silencio que llegó a continuación fue una red de luces y oscuridad que provocó en Clea la incómoda sensación de verse demasiado expuesta. Tuvo la impresión de haber hablado demasiado, de haberse enmarañado en una red de sombras con cuya presencia no había contado y de la que salió con un cambio de tercio que Otto recibió con un parpadeo de sorpresa.

—Esta vieja tiene frío, señor director —dijo, recuperando la aspereza que hasta el momento había sido habitual en ella—. Y también otras necesidades físicas más incómodas que no pueden esperar —añadió, arrugando los labios—. Así que, si no le importa, Cenicienta debe volver con su zorrita a las profundidades de palacio.

Otto soltó una risa tímida y ella intentó levantarse, pero las piernas le fallaron y volvió a caer sobre el banco con un bufido. Él se inclinó hacia ella durante una décima de segundo, pero no la tocó. Luego se levantó y, con un gesto automático, le ofreció el brazo para que se apoyara en él.

Clea le miró de hito en hito.

—Ni lo sueñe —refunfuñó—. Puedo sola.

Él no retiró el brazo.

—Vamos, señora Ross. Cualquiera diría que no se fía de mí.

Ella soltó una carcajada llena de flemas. Luego carraspeó.

—Chochea usted más de lo que imaginaba si cree que va a conseguir que una vieja judía de noventa años se fie de algo o de alguien —soltó entre dientes, intentando ponerse en pie de nuevo, esta vez con éxito—. Además, es demasiado pronto para eso.

Otto encogió el brazo, la sonrisa no.

Caminaron en silencio por el sendero de grava blanca hasta la suite de Clea. Al llegar a la verja de la terraza, ella se detuvo y se volvió a mirarle.

—¿Sabe lo que me gustaría? —dijo de pronto.

—No.

Clea inclinó la cabeza y abrió la puerta de madera sin dejar de mirar a Otto.

—Bajar a la playa —dijo.

—¿Ahora? —preguntó Otto, sin disimular su sorpresa.

—No diga bobadas —ladró Clea con una mueca de fastidio—. Con esta oscuridad terminaríamos despeñados en el primer escalón y carcomidos por esas ratas voladoras.

Otto soltó una risotada que resonó en el silencio del jardín y que Clea saludó con una risilla.

—¿Qué le parece si bajáramos una tarde de estas? —preguntó ella, dando un pequeño puntapié a Rita para que entrara a la terraza.

A Otto se le iluminó la mirada.

—Será un placer —respondió. Se quedó pensativo durante unos segundos y luego añadió—: Y podríamos llevarnos un pequeño picnic.

Clea lo miró con suspicacia.

—Ya. ¿Y cómo piensa bajarlo? ¿En helicóptero?

Una nueva risotada.

—Alguien del centro nos lo bajará, no se preocupe por eso. Yo me encargo.

—Muy bien —asintió ella.

Otto le aguantó la puerta y esperó a que ella entrara al tiempo que decía:

—Aunque lamento decirle que tendrá que aceptar mi brazo para bajar a la playa.

Ella se volvió bruscamente y le miró con cara de fastidio. Él no se arredró.

—Insisto.

Clea le dio la espalda y, cuando llegaba a la cristalera de la habitación, murmuró:

—Ya veremos.

* * *

Ahora Clea se sienta despacio en la cama y pierde la mirada en la ventana. A su lado, Rita suelta un suspiro y se hace un ovillo. En los cristales, un pequeño batallón de nubes empieza a crecer contra el azul, ensombreciendo la luz de la tarde.

—Quizá tengamos tormenta, pequeña —dice, acariciando a Rita entre las orejas. Luego barre la habitación con los ojos hasta detenerlos en el mango de plata del bastón que descansa apoyado contra el tocador. «No. El de mango de plata, no», piensa con una sonrisa plácida, «esta noche me llevaré el de marfil. El de papá». Al instante la asalta el recuerdo de esa noche sentada en el banco con Otto Stephens y la sonrisa pierde placidez. Recuerda la conversación, la intimidad, ese arrebato de sinceridad que compartió con él y recuerda también la tarde de playa que llegó días más tarde—. Desde luego —dice sin apartar los ojos del bastón—, si algo hay que reconocerle al señor Stephens es que ha estado trabajando duro estas semanas, ¿verdad, zorrita?

Rita levanta una oreja y estira una pata.

—Sí, ya sé, ya sé. Pero lo que es de ley, es de ley. El hombre se ha esforzado, eso no me lo negarás.

Rita ladea la cabeza y abre los ojos. Suspira.

—No, no me estoy ablandando, no seas boba. Además, aunque me ablande, todavía falta esta noche —dice, volviendo los ojos hacia el espejo y estudiándose en él durante unos segundos—. Veremos si nuestro querido Señor Entre Líneas está tan dispuesto como parece a ser el gran amigo que dice querer ser. —Sonríe, y el espejo le devuelve una mueca de niña que le gusta—. No se imagina usted la pequeña sorpresa que puede estar esperándole dentro de unas horas, mi querido señor Stephens —murmura sin apenas mover los labios—. Quién sabe. Quién sabe lo que las páginas de estos noventa años de vida ocultan aún entre sus líneas.

III

UN BANCO Y CINCUENTA FOTOS

Uno

—¿Té?

Clea miró a Otto y soltó una risilla. A pocos metros de donde estaban instalados, el agua lisa reflejaba la luz menguante de un sol blanco de principios de septiembre que regalaba su calor en despedida y la brisa mecía las copas de los pinos encaramados a los salientes de las rocas. A un lado de la pequeña playa, un par de parejas tomaban el sol en sus tumbonas. Aparte del chillido ocasional de alguna gaviota, el silencio lo llenaba todo.

—Ni hablar —dijo—. Una cervecita. Bien fría.

Otto se rio y sacó una cerveza de la nevera, la destapó y se la dio a Clea, que aprovechó para colocarse bien el sombrero de paja que le cubría gran parte de la cara y suspiró de satisfacción. Luego bebió un poco de cerveza y dejó escapar un pequeño eructo.

—Perdón.

Otto sonrió.

—Ah, menos mal que me he puesto el pañal —dijo ella con un suspiro relajado—. La cerveza me suelta un poco.

Él no dijo nada. Bajó la mirada en un gesto que Clea entendió como una muestra de incomodidad.

—¿Usted no lleva?

Otto giró la cabeza. Las cejas arqueadas. Confusión.

—Pañal, señor Stephens. ¿No lleva?

—No.

—Pues no sabe usted la suerte que tiene —dijo ella, dándole un nuevo sorbo a la lata de cerveza. Luego suspiró, encantada—. Ah, qué gran acierto haber venido, ¿no le parece?

—Sí.

Clea arrugó los labios.

—Sí, no, sí, perdón... a ver, señor Stephens, no sé si es que a usted le han puesto los pañales en la boca y no le oigo o soy yo la que, además de la otra, tengo incontinencia verbal. Sea como sea, me parece que hemos empezado nuestra tarde de playa un poco descompensados. —Buscó el cenicero en el cesto y lo puso encima de la estera—. Y, si tengo que pasar un rato hablando conmigo misma, le aseguro que con Rita me basta y me sobra.

Otto no dijo nada. Clea encendió un cigarrillo y dejó la lata sobre la estera al tiempo que Rita se levantaba y se alejaba despacio hacia la orilla.

—No te alejes mucho, ¿eh, cielo? —le gritó Clea, llevándose el cigarrillo a los labios. Luego se volvió hacia Otto—. Muy bien —dijo—. Si no dice usted nada, lo haré yo.

Otto sacó un botellín de agua helada de la nevera y desenroscó el tapón de plástico.

—Tengo algunas preguntas, señor Stephens.

Él bebió y dejó el botellín sobre la estera.

—¿Preguntas?

—Sí, preguntas. Eso que utiliza la gente curiosa cuando quiere enterarse de algo que no sabe.

Sonrisa. La de Otto.

—Muy bien. Pregunte.

Clea carraspeó y dejó escapar un nuevo eructo. No se molestó en disculparse.

—Veamos —dijo—. Los dientes.

Otto la miró con expresión interrogante.

—¿Son suyos?

—Sí —admitió él con una sonrisa.

—¿Todos?

—Sí.

—Mentiroso.

—¿Por qué iba a mentirle?

—Porque es usted un viejo ligón, por eso. Y porque a nuestra edad ya hemos masticado mucho. Y la boca es como la memoria: no perdona. Así que no me venga con mandangas.

Otto ladeó la cabeza e instantes más tarde dijo:

—Bueno, algún que otro retoque sí que me han hecho.

Clea soltó un grito triunfal y levantó la lata en el aire.

—¡Lo sabía! ¡Lo sabía! ¡No son suyos!

Los gritos de Clea sorprendieron a Rita, que, desde el borde del agua, soltó un par de ladridos y echó a correr por la arena en dirección a la estera.

—Tranquila, cielo. No pasa nada —la tranquilizó Clea, dándole un par de palmaditas en la cabeza—. Vuelve al agua, anda. Mamá está bien.

Rita soltó un par de ladridos más y, después de lamerse las patas delanteras, volvió correteando al agua, atraída de nuevo por el incansable vaivén de la espuma sobre la arena mojada.

Clea se volvió entonces hacia Otto.

—¿Algo más? —preguntó.

Otto cogió el botellín y frunció el ceño.

—¿Cómo?

—Que si tiene algún añadido más —canturreó Clea—. El pelo. ¿Es suyo?

—Sí, claro.

—El color, digo.

Otto sonrió. Fue una sonrisa sin dientes.

—Todo mío.

—Enhorabuena.

—Gracias.

Llegó de nuevo el silencio. Clea tomó un sorbo de cerveza y durante un instante los dos siguieron con la mirada el correteo de Rita tras las olas.

—¿Desea saber algo más? —preguntó Otto sin apartar la mirada del azul.

Clea inspiró hondo.

—Pues mire, ya que estamos, sí —respondió.

—Muy bien.

—Su hija, por ejemplo.

—¿Mi hija?

—Sí.

—¿Qué quiere saber?

—Quiero saber por qué.

Otto arqueó una ceja.

—Por qué es su favorita.

La ceja volvió a su lugar y Otto tomó un sorbo de agua del botellín antes de responder.

—Bueno —empezó—, supongo que hay un poco de eso que dice usted. Lo de los padres con las hijas, ya sabe.

—Sí, sí, ya sé, ya sé... —refunfuñó Clea, agitando ligeramente la lata en el aire—. Pero decir eso y nada es lo mismo —añadió—. No se me escape, ande. Al grano.

Otto bajó la mirada durante un instante minúsculo, un gesto que Clea no alcanzó a ver.

—¿La verdad?

—Toda la verdad y nada más que la verdad —sentenció ella, buscando el paquete de cigarrillos con los ojos.

—Bueno... aunque quizá pueda parecerle una estupidez, creo que fue ella la que me eligió a mí.

Clea se volvió a mirarle.

—Ajá.

—Ya sabe, lo típico. Desde que era muy pequeña, mi hija solo sonreía cuando estaba conmigo. Si lloraba, no se callaba hasta que yo la cogía en brazos. Si no dormía, tenía que ser yo quien se levantara a acunarla. Su madre no le dio de mamar, así que empezamos con los biberones desde el primer día. Si no me tenía a mí con ella, no había forma de que comiera. Aprendí a bañarla, a cambiarla, a...

—Vaya —le interrumpió Clea—. ¿Y su mujer? ¿Qué decía su mujer?

Otto dejó escapar un suspiro por la nariz.

—Nada.

—¿Cómo que nada?

—No, nada. Supongo que en el fondo estaba aliviada. Por todo.

Clea arrugó la frente.

—Cuando mi hija nació, acabábamos de instalarnos en París —continuó él—. Aprovechando el traslado decidí dedicarme únicamente a las grabaciones y a mi familia durante un tiempo y, bueno... de pronto me vi haciendo algo que jamás habría imaginado. Supongo que hubo un poco, o un no tan poco, de intentar evitar tentaciones y no cometer los mismos errores en los que había caído con mi primer hijo, no lo sé. La cuestión es que me vi con aquella niña en brazos y todo llegó rodado. Así que ya ve, de la noche a la mañana, convertido en todo un padrazo. Yo, que a pesar de los años ni siquiera había aprendido a acercarme a mi hijo.

Clea arrugó los labios y chasqueó la lengua.

—Sí, ya. Pero ¿y ella? ¿Y su esposa? —insistió.

Otto entrecerró los ojos. A unos metros de ellos, una de las clientas del hotel que tomaban el sol en las tumbonas se levantó perezosamente y avanzó sin prisa hacia el agua.

—Si quiere que le sea sincero, en ese momento no lo pensé demasiado. La niña lo ocupaba todo: cada día era una aventura y un mundo nuevo, nuevo en sí mismo y también nuevo para mí, y yo estaba tan encandilado con ella que todo lo demás era eso, lo demás, y en ese demás quedó también mi mujer. —Se calló durante un momento y sonrió—.

Con el tiempo he llegado a pensar que quizá fue simplemente una cuestión de química, o de piel, como quiera usted llamarlo. Entre ellas dos no la había, algo no encajaba. Y no quiero decir que hubiera un rechazo explícito. No, no es eso. Era, no sé... algo más sutil, más animal. Mi hija fue más mía que de mi esposa desde que nació y creo que mi mujer lo entendió así. Supongo que al verme tan padre con la niña, cosa que por supuesto ella no esperaba, se relajó y de algún modo me la regaló. —Volvió a guardar un segundo de silencio y a sus ojos asomó una luz de sorpresa—. Sí —murmuró entonces—. Eso es. Fue una especie de regalo. Puede que parezca extraño, pero al menos yo lo viví así.

Clea se llevó un cigarrillo a los labios y puso los ojos en blanco.

—Cuánta bondad —refunfuñó entre dientes, negando con la cabeza. Luego encendió el cigarrillo, espiró el humo y cuando a punto estaba de volver a hablar, una sombra reptó lentamente por el blanco de la estera hasta estampar en ella la silueta de un cuerpo de mujer.

—Disculpen.

Otto y Clea se volvieron hacia la voz. A un metro escaso de la estera, una mujer les miraba desde las alturas con los brazos en jarras y los pies firmemente clavados en la arena. A juzgar por su tono de voz, la disculpa no había sido más que una simple formalidad. Clea la repasó con los ojos de arriba abajo. Lo que vio no le gustó.

—¿El perro es suyo? —preguntó la mujer con acento extranjero.

«Rusa», pensó Clea con una mueca de fastidio antes de responder sin demasiadas contemplaciones:

—Perra.

La mujer apretó los dientes.

—Es una perrita —aclaró Otto con suavidad—. Sí, es de la señora.

La mujer apenas le dedicó una mirada.

—No sé si saben que los perros no están permitidos en esta playa. Y menos sueltos.

Clea aplastó despacio el cigarrillo en el cenicero mientras la mujer añadía:

—Fumar tampoco.

Clea alzó entonces los ojos y repasó, esta vez más detenidamente, cada curva, cada pliegue, los pechos firmes y desnudos, el tanga de color violeta que apenas tapaba nada y los dos tatuajes —una luna y un sol— que coloreaban los empeines de unos pies que morían en unas uñas pintadas de negro, la del pulgar descascarillada.

—¿Le ha molestado la niña? —preguntó con un tono de voz de anciana inocente que Otto recibió con un encogimiento de hombros.

—No —respondió la mujer—. Simplemente me molesta tener que meterme en el agua con animales como... ese.

—Ajá.

—No me parece que sea muy higiénico, la verdad —añadió la mujer con una mal disimulada mueca de asco—. Los cigarrillos tampoco.

Clea abrió exageradamente los ojos y se llevó la mano a la mejilla en un gesto fingidamente teatral.

—Cuánta razón tienes, hijita. Si es que lo de compartir, ya se sabe... —dijo con una suavidad que por un instante sorprendió a la mujer—. Aunque, bien pensado, si a mi perra no le da asco compartir el agua contigo, cosa que no me atrevo a asegurar, no entiendo qué problema puede tener una mujer como tú en bañarse con ella. —Y antes de que la mujer pudiera decir nada, añadió—: Sin duda, debes de haber compartido aguas con animales peores... que tú.

La mujer dio un paso atrás y se llevó la mano al pecho en un gesto inconsciente que Clea celebró aclarándose la garganta.

—Y déjame decirte otra cosa —añadió, cogiendo carrerilla—. Si a tu edad, porque tú ya tienes una edad, no te da vergüenza meterte con los ancianos indefensos como nosotros ni ir por esas playas de Dios con esa minibraga de mercadillo ruso, no esperes que yo la tenga para decirte dos cositas que seguro que alguien debería haberte dicho hace mucho tiempo.

Otto tendió el brazo hacia ella y le puso con suavidad la mano en el hombro.

—Cálmese, Clea. Por favor. La señorita solo...

Clea se volvió hacia él como movida por un resorte. Tenía chispas en los ojos.

—Señora Ross —escupió, dándole un manotazo y fulminándola con la mirada antes de volver los ojos hacia la mujer—. Sí, hija: señora. Eso que tú no eres ni serás ya a pesar de que, por edad, deberías serlo. —Luego buscó el paquete de tabaco con la mano, sacó un cigarrillo, lo encendió y espiró el humo por la nariz como un dragón—. Eres fea, tienes unos pechos falsos y también feos y unas uñas mucho peor cuidadas que las de mi perra —siseó, cogiendo el bastón por la empuñadura—. Pero lo peor no es eso, querida —añadió, dejando el cigarrillo en el cenicero—. Lo peor es que llevas cinco minutos tapándome el sol, y a mi edad, cinco minutos es toda una vida.

La mujer miraba a Clea como si estuviera viendo a un monstruo en tres dimensiones a punto de abalanzarse sobre ella. Tenía la boca entreabierta y respiraba deprisa.

—Cinco minutos, zaruska —dijo Clea con una sonrisa afilada—. No habrá un sexto.

La mujer siguió clavada donde estaba, debatiéndose aún entre la perplejidad y el temor, cuando de pronto Clea levantó el bastón en el aire y lo dejó caer con fuerza a sus pies, salpicándola de arena.

—¡Largo! —rugió entre dientes—. ¡Fuera de aquí, sucia!

Segundos más tarde, la mujer subía atropelladamente por la escalera que llevaba al hotel, mal envuelta en su albornoz naranja y parloteando histérica por teléfono. Sus gritos siguieron resonando durante unos instantes entre las paredes del acantilado hasta perderse más arriba.

Cuando por fin se hizo el silencio, Clea suspiró y, volviéndose a mirar a Otto, dijo:

—Debería darle vergüenza.

Él la miró, sorprendido.

—¿A mí?

—A usted, sí. Menudo amigo está hecho.

Otto parpadeó.

—Una bruja rusa me ataca por la espalda y lo único que se le ocurre es quedarse mirándole los pechos como una vaca enferma.

—Pero si...

—Como todos. Es usted como todos. Viejos y jóvenes, da igual —ladró Clea—. Esa cochina de uñas sucias se presenta aquí con todas sus porquerías rusas al aire y a usted se le cae la baba y lo que no es la baba, y la señora Ross se convierte en Clea y la amistad en nada.

Otto inspiró hondo y cogió el botellín de agua antes de hablar. Cuando quiso hacerlo, ya era tarde.

—¿Sabe lo que le digo? —rugió de nuevo Clea—. Que compadezco a su esposa. —Otto frunció el ceño y cerró las manos alrededor del botellín—. No quiero ni imaginar lo que debe de haber sufrido esa pobre mujer con un marido tan... tan... —No terminó la frase. De repente, un silencio compacto cubrió la playa y todo... el aire, la arena, el cansino vaivén de las olas en la orilla... quedó suspendido en una nube de espera, como si el tiempo hubiera tropezado entre el ahora y lo inmediato y un hueco de vacío se hubiera instalado entre sus pliegues. Hubo en ese silencio cosas que sonaron, pero que no se oyeron. Hubo el chillido lejano de una gaviota, el tenso aleteo de una vela a unos metros de la orilla y el discreto chapoteo de Rita sobre la espuma. Hubo espera, suspense, y una mirada extraña que Clea depositó sobre los ojos de un Otto expectante.

La mirada llegó acompañada de voz. Esta vez la de Clea sonó suave, tanto que Otto no supo si la pregunta que la acompañaba iba dirigida a él o si era simplemente una pregunta al aire, la estela de una fórmula más extensa y compleja.

—¿Sufrió mucho? —fue la pregunta.

Otto tragó saliva. De improviso, los sonidos volvieron a la vida y el tiempo pareció recomponer su continuidad. El chillido de una gaviota sesgó la paz de la playa.

—¿La hizo usted sufrir mucho? —insistió Clea con la misma voz triste.

Otto inspiró hondo.

—¿Se refiere a... si hubo otras mujeres?

Clea hizo un gesto afirmativo con la cabeza y él quiso esbozar una sonrisa que se quedó en poco.

—¿Sonríe usted?

El amago de sonrisa se desvaneció. Otto movió la cabeza con lentitud.

—Mi esposa era una mujer celosa —dijo—. Eso no facilitaba demasiado las cosas.

Clea irguió la espalda y chasqueó la lengua.

—Qué fea respuesta, señor Stephens —dijo con la voz cortante—. Qué fea y qué poco digna.

Otto bajó la mirada. Clea no.

—Y qué aburrida es la falta de confianza a nuestra edad —añadió con una mueca de desprecio que ni siquiera se molestó en disimular. Luego, antes de que él pudiera hablar, fijó la mirada en el agua y dijo—: Ayúdeme a levantarme. Quiero acercarme a la orilla para mojarme los pies.

Otto dudó un instante antes de levantarse y ayudarla a incorporarse. En cuanto estuvo de pie, Clea cogió el bastón y echó a andar con paso decidido hacia el agua sin articular una sola palabra más.

Cuando se había alejado un par de metros de la estera, se detuvo sobre sus pasos y, sin volverse, Otto la oyó decir:

—Todos los maridos infieles dicen lo mismo de sus esposas cuando se les pregunta por ellas, señor Stephens. Dicen que ellas sufren porque son celosas, pero la verdad es muy distinta y también muy triste. —Guardó un instante de silencio antes de añadir—: Sufren porque se sienten solas. Esa es la verdad. Lo demás viene después —masculló, antes de seguir alejándose hacia el agua.

Dos

El banco es el mismo que el de todos los jueves. Está situado delante del seto que linda con la calle y que acordona el pequeño triángulo de plaza ajardinada, con sus plátanos, sus parterres de césped amarillo y la fuente octogonal en el centro. Es el único de los siete bancos de la plaza que mira al exterior. Quizá por eso siempre está vacío.

Cuando Ilona se sienta, un trueno retumba desde los cúmulos grises que flotan lentamente sobre el azul. Las tres calles que rodean la plaza son peatonales y el tráfico se limita a alguna que otra bicicleta y al magro flujo de peatones. Hoy el parque está desierto salvo por dos turistas con mochila a la espalda que, sentadas en el borde de la fuente, estudian un mapa entre susurros con los pies en el agua. El calor y la humedad invitan a poco más.

Durante dos horas a la semana, de seis a ocho de la tarde, Ilona se sienta en el banco que mira al norte, apaga el iPod, saca el libro que lleva en el bolso y lee despacio. Cada jueves es una novela distinta, siempre de algún autor húngaro y siempre en su lengua original. El jueves pasado fue *La puerta* de Magda Szabó. Hoy es *No importa* de Agota Kristof. Lee moviendo los labios en silencio, paladeando despacio las vocales y consonantes que el húngaro multiplica por dos y que llenan su cabeza de imágenes, tonos y sabores tan familiares, tan orgánicos, que, cada pocos minutos, deposita con suavidad el libro sobre sus rodillas y levanta la mirada.

Delante de sus ojos, la pequeña calva abierta en el seto deja a la vista un antiguo edificio de piedra gris como cualquiera de los que abundan en el barrio: estrecho, de tres plantas, con una pequeña puerta de hierro a un lado y un local convertido en tienda al otro. A izquierda y derecha, edificios similares salpicados, aquí y allá, por faroles de hierro negro que cuelgan a media altura de las fachadas, algunos rotos.

Desde el primer jueves, el ritual es siempre el mismo: banco, libro, página, lectura, descanso y los ojos recorriendo despacio las cristaleras abiertas del local, atentos a lo que leen e intuyen en la semioscuridad que reina dentro. Ilona conoce bien esa penumbra, los marcos de madera de las cristaleras y también la nube de olores y colores que se mezclan dentro. A un lado de la cristalera, sobre la entrada, cuelga un pequeño violín de hierro forjado. Ilona podría describir al detalle lo que contiene el taller: dónde las almas, dónde las distintas maderas, dónde los pigmentos, dónde cada herramienta, cada trapo, cada olor, cada melladura... Podría detallar la historia y la geografía de cada centímetro del suelo que pisó entre sus paredes durante los años que precedieron a su regreso a Budapest: el trabajo bien hecho y el fallido, los encargos pagados y los que nunca se cobraron, el pequeño cristal amarillo del cuarto de baño con la minúscula burbuja de aire blanco incrustada en una esquina, el goteo del grifo del patio, las viejas virutas de madera semiocultas bajo el mostrador, los clavos doblados, el almidón del delantal de Miguel, las manos callosas de Miguel, sus uñas al cero, el ceño arrugado, el hombro derecho ligeramente torcido... Podría describir los tonos de luz cambiante, el olor de la lluvia sobre el polvo de la acera, lo que nadie ha visto nunca por minúsculo, por no importante. Eso que no se ve. «Tu abuelo decía siempre que a los húngaros se nos da demasiado bien describir —comentaba Kata a menudo con una mueca de pesar—. Se nos da bien el detalle, como ocurre con todos los pueblos que han tenido que aprender sufriendo a desconfiar de sí mismos». Ilona sonríe siempre que recuerda esas palabras. Sabe que son ciertas y sabe también que seguramente no son del abuelo, que Kata se las atribuyó a él como solía hacer con todo lo que, a su entender, era herencia sabia y ayudaba a construir la figura de un hombre que Ilona jamás llegó a conocer.

Si tuviera que describir lo que han sido estas últimas semanas en el banco, Ilona sabría resumir, porque en eso es experta la mano del buen lutier: en resumir, buscando siempre la precisión del gesto, la certeza y también la certidumbre. Buscando en la madera la verdad y en la verdad, el sonido perfecto.

El resumen de Ilona diría que no fue fácil al principio, que costó ocupar el banco y observar desde el otro lado del seto lo que ya no era suyo. Costó entender que si veía lo que veía del taller de lutier de Miguel era porque ella estaba fuera, viendo sin que la vieran, esperando sin ser esperada. Desde esa primera tarde oculta tras el seto, separada por una calle vacía de lo que ya no tiene, Ilona se ha pasado las horas observando los movimientos de las dos figuras que trabajan en el local: la de Miguel y la de una chica menuda y morena que trabaja con él y que Ilona estudia con especial atención, porque desde un principio ha ido viendo en ella lo que durante el tiempo que pasó dentro no supo ni pudo ver de sí misma, descubriendo cosas que la han ido atrapando en una contemplación casi hipnótica, como si en los gestos de la chica, en su forma de recogerse el pelo o de pasar el cepillo por la madera hubiera ido abriendo cajas cerradas llenas de fotos y de diarios que de otro modo jamás habría sabido encontrar. «Eso era yo —piensa todavía a menudo mientras la ve trabajar—. Esa era la Ilona que era yo». Y si el primer día la visión provocó en ella una sorpresa fría y salpicada de celos que la sobrecogió contra el respaldo del banco, con el paso de las semanas una mancha de luz ha ido abriéndose entre las sombras del recuerdo, alimentando los rescoldos de la poca esperanza que empezó acompañándola en silencio desde su regreso a Barcelona. Cuanto más ha ido observando a la chica, más ha crecido en ella la luz, y últimamente se sienta sobre la madera pegajosa del banco segura de que si Miguel ha puesto en su lugar a alguien así, tan parecido a ella, es sin duda porque en el fondo, y seguramente sin saberlo, es a Ilona a quien quiere a su lado. Desde ese primer jueves, el silogismo —latente primero, dibujado después— ha tenido tiempo y espacio para echar raíz en tierra sobradamente abonada y durante este último mes Ilona ha aprendido a contemplar lo que ocurre en el taller desde otros ojos y desde una luz distinta porque hay en ella otra intención.

Sí. Hoy hay otra intención en la mujer que ocupa el banco del parque. La Ilona de hoy está llena de coordenadas que ha ido articulando en la soledad de los últimos días con esa paciencia tensa y trabajada de quien actúa no solo desde la ilusión renovada, sino también desde la urgencia por decir. Llena. Ilona está llena de frases, imágenes, diálogos y miradas que ha ensayado hasta la saciedad durante las horas muertas de estas semanas en Buenavista, un guion hecho a medida de lo que quiere que ocurra, perfectamente resumido: «Miguel me mirará, yo diré, él pensará, yo responderé, explicaré, preguntará, entonces pasará. "¿Quieres que vayamos a tomar un café? ¿Cómo estás, Ilona? ¿Y tú? Ven, vamos"».

Hoy, al otro lado de la calle, como todas las tardes, la chica se quitará el delantal y, poco antes de las siete y media, cogerá el bolso y saldrá del taller. Luego se colocará los auriculares en las orejas y se alejará calle abajo montada en su bicicleta plegable. Él no. Miguel seguirá trabajando un rato más hasta que, tocadas las ocho, aparecerá en la puerta con el periódico en la mano, mirará a un lado y a otro de la calle y bajará la persiana de un tirón casi hasta el suelo. Luego la empujará con el pie y se agachará para poner el candado.

Cuando se levante, Ilona estará a su lado, esperando. Esa es la intención y también la secuencia. Ilona habrá roto la espera de las últimas semanas y habrá dejado el banco para pasar al otro lado del seto. Estará esperando a Miguel cuando él se levante, porque es una mujer que viene a ofrecer y porque, en el juego de la vida en común que los dos han compartido, ella tiene una carta nueva que nadie más conoce y que ha decidido enseñar. Cuando Miguel la vea a su lado, habrá timidez y también un instante de sorpresa que él intentará disimular aclarándose la garganta y dejando escapar una tos innecesaria. Habrá todo lo que ella ha imaginado cientos de veces desde que sabe que el tiempo se acaba y que Miguel es la única puerta a la que puede llamar. Ella sonreirá y él sabrá leerla, como lo ha hecho tantas otras veces antes de que la enfermedad de Kata y el regreso torcido a Budapest rompieran lo que había, abriendo entre los dos un paréntesis que no puede haberse cerrado así, dejándolos tan fuera, tan aparte. Y caminarán sin tocarse hasta el café de la esquina, se sentarán a una de las dos mesas de la terraza y él perderá la mirada en la oscuridad del interior del bar antes de preguntar: «¿Cómo estás?». Cuando ella quiera responder, pasará una moto por el callejón, rugiendo contra el silencio. Ilona buscará entonces su mano con los ojos y no esperará más.

—Tengo que decirte algo, Miguel.

Nada más que eso. Cinco palabras. Directa, breve, suave, musical. Como antes. Lo demás llegará fácil porque

Ilona llega ensayada y porque Miguel siempre ha sabido escuchar como solo saben hacerlo quienes ponen el alma en los instrumentos para que suenen bien. Y, a medida que Ilona cuente, la tarde se teñirá de una luz distinta, más viva, porque él verá entonces que el paréntesis sigue ahí, en suspenso, que la vida puede aún dar sorpresas y que todavía hay aventura más allá de la espesura cotidiana del taller, de los cigarrillos liados entre horas y de ese presente suyo falsamente plácido entre violas, chelos, cuerdas y acostumbrada soledad.

Cuando ella termine de hablar, él se pasará la mano por la frente y dirá, bajando la mirada:

—Es una decisión importante, Ilona.

Cinco palabras más. Ilona esperará. Sabe que Miguel habla y piensa así, como trabaja y como siente, con un tempo tan pausado que a veces parece silencio.

—Habrá que ver —añadirá él finalmente.

Habrá que ver. O, lo que es lo mismo, «veremos». Nosotros. Juntos. Los dos. En común. Sí, esa es la puerta a la que Ilona ha venido a llamar. Ella tiene la llave y él aún no lo sabe. Está escrito.

«Sí, Miguel verá», piensa ahora Ilona con la mirada perdida entre las líneas del libro abierto. «Cuando lo sepa, cuando me oiga, sabrá ver», decide cerrando los ojos al tiempo que a su espalda las voces hasta ahora susurradas de las dos turistas se transforman en una bandada de risas y chapoteos que la hacen sonreír durante un instante. De pronto, encajada en la madera caliente del banco, Ilona siente que todo está bien, bien pensado y bien esperado, y mientras sigue así sentada, con los ojos cerrados y las manos abiertas sobre el libro, un fino hilo de música empieza a emerger con timidez desde la puerta abierta del taller, deslizándose delicadamente entre los huecos del seto, desgranando unos acordes que Ilona reconoce en el acto y que renuevan la placidez de su sonrisa.

Los ojos cerrados. Las risas y los chapoteos se desvanecen. La sonrisa no. Hay reconocimiento en esa sonrisa y hay también la repentina certeza de que esa música —esa en particular— no es casualidad, sino una señal. Un buen augurio.

«Mahler. La número 5», se oye pensar Ilona. Los acordes del *adagietto* envuelven despacio el silencio húmedo de la tarde, acompañando toda la información que ella recibe sobre sus ojos cerrados con un escalofrío de emoción. «Barniz. Última capa. Un chelo», piensa al instante, casi automáticamente.

Cierto. En el taller de Miguel la música acompaña siempre el trabajo con cada uno de los instrumentos que en él se construyen. Las violas, los violines, los chelos, cada uno tiene a sus compositores y cada fase del trabajo con ellos tiene también su propia sinfonía o su propia pieza. Ilona las conoce todas y sabe también que Mahler es siempre viola como Satie es siempre chelo, o que los *allegros* solo se escuchan durante las primeras capas del barnizado, los *andantes* en las posteriores y el *adagietto*, el de la quinta de Mahler, en la capa final. El alma y su minuciosa introducción en las entrañas del instrumento es un mundo aparte. El alma, lo sabe bien Ilona, pide, a diferencia de todo lo demás, silencio.

«La última capa, Miguel», piensa mientras suenan ya los últimos acordes y las campanas de una iglesia dan las siete y media. Al otro lado de la calle, tras las cristaleras, la chica se quita el delantal, lo deja ordenadamente sobre el respaldo de una silla, coge la bicicleta, la despliega y sale a la puerta. Ilona cierra el libro, lo mete en el bolso y estira la espalda antes de apoyar las manos en el banco, a punto de levantarse.

Entonces todo ocurre como lo hacen las cosas que llegan improvisadas, esas que son las que escriben las entrelíneas del guion, dando la toma definitiva. Despacio, a cámara lenta, en dos planos paralelos que la cámara va captando como un ojo de halcón, la chica se detiene en la puerta y se vuelve hacia el interior del taller. Sonríe. Un instante después, Miguel aparece en la puerta. Lleva el periódico y una bolsa de plástico en una mano y el candado en la otra. La chica dice algo y él se ríe antes de responderle y de levantar el brazo, coger el tirador de la persiana y bajarla con un crujido metálico hasta medio metro del suelo. Ajenos, ajenos los dos a la figura que se levanta lentamente tras el seto: las rodillas flexionadas, tensa la espalda y las manos cerradas como garfios sobre el cuero del bolso. Ilona se oye respirar con el corazón trabado y escucha el latido de su propia tensión en su cabeza como el eco de las campanas que no suenan ya. A su espalda, un nuevo chapoteo y risas que no importan. Al frente, Miguel se agacha, cierra el candado y vuelve a levantarse con una agilidad de hombre joven que no le corresponde y que la chica recibe inclinando la cabeza, con un comentario susurrado que Ilona no llega a oír y que él saluda encantado con un encogimiento de hombros casi infantil. Luego la chica echa a andar despacio por la acera con la bicicleta a su lado. En la acera de enfrente, Ilona sigue incorporándose en un gesto automático, casi como si quisiera elevarse por encima del seto, buscando un primer plano que se le escapa porque está mal enfocada, torcida sobre su eje, y tiende la mano hacia delante para pedir tiempo, para que algo o alguien corte la escena y la toma sea falsa.

—No —susurra sin querer, cerrando la mano sobre el hombro imaginado de Miguel—. Así no.

En ese momento la chica se detiene y Miguel echa a andar tras ella hasta alcanzarla. Cuando llega a su lado, se cambia el periódico y la bolsa de mano y, con la que ahora tiene libre, rodea el hombro de la chica y la atrae hacia él, besándola en la frente. Ella se deja abrazar, cierra los ojos. Sonríe.

Ilona encoge los dedos de los pies y aprieta los dientes antes de que al otro lado de la calle las dos figuras empiecen a alejarse abrazadas hacia la esquina convertidas en una sola sombra, dejando tras de sí una estela de silencio opaco y húmedo que solo rompe un crujido feo y sordo que ellos no han de oír, porque el trueno que ahora vuelve a retumbar está lleno de ecos y porque para el hombre y la mujer que caminan alegremente sobre la acera la secuencia ha terminado.

Sí, la toma es buena, y en el silencio que la sigue el tiempo se atasca tras el seto y el crujido que nadie ha oído es Ilona y sus rodillas rotas cediendo, cediendo, cediendo... hasta que la madera del banco le clava sus láminas en la piel y el seto se cierra sobre ella. Desde arriba, la humedad del aire irrita lo que toca y el calor se tiñe de oscuro en el cielo, acercando la tormenta.

Pero Ilona no lo siente. Ajena a las nubes, a las primeras gotas y los gritos renovados de las dos turistas en la fuente, solo traga saliva y cierra los ojos. Y, antes de llorar, busca en su caída una mano que la salve del vacío que la espera más abajo para que tire de ella hacia algún lugar que no sea el dolor.

«Caer sobre blando», pide en silencio, cubriéndose las rodillas con las manos en un gesto aprendido mientras encoge la espalda y aprieta los ojos.

Ahí está.

Llega la mano. El dolor también.

—Mamá —susurra, antes de doblarse sobre sí misma y vomitar sobre la hierba.

TRES

Tras el episodio de la tarde en la playa, Clea desapareció durante dos días. No hubo paseos ni té de tarde en el cenador, y quedó suspendida la cena del jueves de esa semana. Cuando Otto se despertó a la mañana siguiente a la excursión y empezó a vestirse para salir a pasear con Clea y Rita, sus ojos tropezaron con un pequeño sobre blanco que alguien debía de haber deslizado por debajo de la puerta a primera hora, cuando él todavía dormía. En cuanto leyó su nombre escrito con una letra menuda y apretada, supo que era de ella. Se sentó en la cama deshecha y lo abrió. En su interior encontró una cuartilla de papel reciclado de color violeta. El mensaje era breve. Apenas un par de líneas.

> Señor Stephens:
>
> Quedan interrumpidas las salidas hasta nueva orden. Stop. Clea Ross tiene que investigar. Stop. Volveré. Stop.

Otto leyó el mensaje un par de veces y sonrió. Luego negó con la cabeza, metió la cuartilla en el sobre y lo guardó en el cajón de la mesilla. Sabía por experiencia que cualquier intento de acercamiento a Clea sería en vano y optó por tomarse su ausencia como lo que era: un paréntesis —¿una tregua?— que sin duda obtendría antes o después su respuesta, y sabía también que la respuesta llegaría como llegaba todo con Clea, sin avisar, jugando a romper. Decidió esperar sin esperar y durante las cuarenta y ocho horas siguientes se concentró en poca cosa, dedicando las mañanas a holgazanear y a leer los periódicos en la terraza de la suite y pasando las tardes con Ilona, ayudándola en la construcción del chelo.

La tercera mañana, cuando abrió la puerta de su habitación para recoger los periódicos y la correspondencia, Otto tuvo por fin la respuesta a su espera. Encontró un sobre grande con su nombre.

—Buenos días, señora Ross —murmuró al pasillo con una media sonrisa, volviendo a entrar a la habitación y sentándose en la butaca. Minutos más tarde, después de tomarse el vaso de zumo y de lavarse la cara y las manos, dejó los periódicos a un lado, se puso el batín, abrió el sobre con el abrecartas de plata que guardaba en el velador y vació su contenido sobre la cama.

Lo que vio sobre el edredón blanco fue un montón de fotocopias de artículos de periódicos, revistas del corazón y publicaciones especializadas en las que aparecía él. Había más de cincuenta, ordenadas por fechas. Los artículos dibujaban un recorrido amplio y extenso por las últimas décadas de su vida y en todos ellos alguien —Clea, ¿quién si no?— había rodeado con un círculo rojo el rostro de la mujer que aparecía a su lado y el nombre de la misma que figuraba —si lo había— en el pie de foto. Otto examinó detenidamente las páginas una a una, recordando al hacerlo cada ocasión, cada lugar, alerta la memoria, activo de pronto el archivo de recuerdos: aquí la entrega de un premio, aquí la cena de gala del festival de... del concierto de Año Nuevo en... del cóctel de la embajada de... fue repasando despacio las instantáneas de toda una vida resumida en decenas de Ottos sonrientes, elegantes, celebrando siempre, festivos la mayoría, más jóvenes los primeros, menos achispados los últimos. Se detenía a examinar una fotografía que no lograba ubicar del todo hasta que repentinamente la luz de la memoria se encendía y ahí estaba la imagen, el recuerdo, el dónde, el cuándo, también el porqué, y chasqueaba la lengua, entre añorado y complacido, al ver los rostros de las mujeres que compartían la instantánea con él, alguna mano sobre mano, sonrisas muchas, miradas cómplices, aplausos.

La última fotocopia incluía una fotografía en la que aparecía sentado a una mesa rodeado de gente junto a una mujer joven de tez morena y ojos claros, que, de pie a su lado, le rodeaba los hombros con el brazo y sonreía a cámara. La fecha era reciente. Otto parpadeó al ver la imagen y acarició con la yema del índice el rostro de la mujer.

—Mi pequeña —susurró con la voz quebrada por la emoción. Luego, después de cerrar los ojos durante un instante, puso la última hoja sobre el resto del montón y suspiró, pero el suspiro quedó suspendido en el aire de la habitación, sesgado a medias. Al dorso de la hoja reconoció de nuevo la letra menuda, inclinada y ordenada de Clea.

> Cincuenta años. Cincuenta fotos. Cincuenta mujeres. Ninguna es su esposa. ¿Celosa, dice usted?

Otto leyó el breve mensaje de nuevo, acariciándose distraídamente el cuello. Luego bajó la cabeza y cerró los ojos, pero al instante volvió a abrirlos. Demasiados recuerdos.

—No —murmuró, clavando la mirada en el montón de fotocopias—. Ahora no —añadió, antes de volver a meter las hojas en el sobre, que dejó en el suelo. Acto seguido se abrochó el batín, se levantó con un pequeño gruñido y fue hacia el ventanal para descorrer las cortinas y dejar que entrara la luz de la mañana. Cuando el sol inundó la habitación desde el ventanal, dio un paso atrás, sobresaltado. Un instante después, abrió la cristalera y salió a la terraza.

Sentada a la mesa de teca con la espalda tiesa y una taza de té en la mano, Clea tenía la mirada perdida en el jardín. No se volvió al hablar.

—Rita le envía saludos —dijo—. No ha podido venir. Le ha sentado mal el desayuno y ha preferido quedarse descansando.

Otto se quedó delante del ventanal sin saber qué decir. El perfil de Clea se recortaba contra un cielo azul turquesa y el sol asomaba sobre su cabeza como una aureola anaranjada. Clea se volvió a mirarle y arqueó una ceja.

—Vaya, vaya, señor Stephens. Tiene usted mala cara —canturreó, dejando la taza de té encima de la mesa—. Parece que hoy el cartero ha madrugado.

Otto siguió sin decir nada. Se acercó despacio a la mesa y se quedó de pie detrás de una silla con las manos apoyadas en el respaldo mientras ella encendía un cigarrillo y sacaba un hilo de humo por la nariz antes de volverse a mirar al jardín.

—Mi marido me era infiel —dijo sin más—. Él nunca lo reconoció y yo tampoco se lo pregunté. No hacía falta. Era tan poco cuidadoso con sus conquistas, tantos los pasos en falso, que si yo hubiera querido, habría llenado una habitación entera con todas las pruebas de sus infidelidades. Supongo que a él le traía sin cuidado. Y supongo que creía que a mí también.

Otto se encogió ligeramente de hombros. Clea hablaba como si lo hiciera de una vida que no era la suya, con una voz fría y seca que le llegó demasiado dura. Hostil.

—Pero me importaba, señor Stephens —continuó ella—. Mucho. Y dolía —añadió, llevándose el cigarrillo a los labios—. Llegaba de sus viajes como un niño cansado y alegre de unas vacaciones con el colegio, lleno de anécdotas, triunfos y ruido, y a mí me dolía porque le veía volver desde todo lo que hacía sin mí, sin nosotros, desde su otra vida, esa que compartía con las otras, con las que no le esperaban. Ni siquiera mentía. Simplemente omitía, dejándome al margen. Imagino que, como muchos de ustedes, y cuando digo «ustedes» me refiero a los maridos infieles, estaba convencido de que callaba para no hacer daño. Lo que, como los demás, no imaginaba es que lo que dolía era su silencio. Luego, cuando estaba en casa, dejaba a ese otro fuera y se convertía en el hombre que, mucho o poco, se acercaba al que yo deseaba ver y retomábamos lo nuestro, yo esforzándome por apartar a un lado la evidencia y él ignorando mis sospechas, contento porque, a pesar de lo que jamás habría podido negar si yo me hubiera empeñado en acusar, me veía pasar página y renunciar a saber, acomodándome a lo que teníamos.

Otto retiró despacio la silla y se sentó. Ella no le miró.

—Pero yo no pasé nunca página. Ninguna lo hacemos —dijo Clea, apagando el cigarrillo en el cenicero—. Con el tiempo, construí sobre todas esas páginas a otra Clea. La tercera.

Otto frunció el ceño. Al ver la sombra de confusión que le nublaba la mirada, ella intentó esbozar una sonrisa.

—Estaba la Clea que tocaba en secreto en el desván, la Clea que amaba aún al hombre que quería tener en él y luego estaba la tercera —dijo con una mueca de tristeza seca—. La del rencor. La que le odiaba cuando se marchaba, dejándome atrás con mi madeja de celos en las manos. La más fea de todas.

En ese momento, los aspersores del jardín entraron en funcionamiento con un siseo y un baile de arcos de agua roció el aire húmedo de la mañana. Clea inspiró hondo.

—Pero no es de eso de lo que quería hablarle.

Otto acercó la silla a la mesa.

—¿No?

—No.

—Ah.

Clea tomó un poco de té antes de continuar.

—Me dijo en la playa que su esposa le regaló a su hija.

Él asintió con un gesto.

—Bobadas —gruñó Clea—. Ninguna mujer, por generosa que sea, regala a su hija a su marido, no sea usted inocente. Las mujeres no hacemos esos regalos. Se lo digo por experiencia.

Otto tendió la mano hacia la tetera, pero pareció pensarlo mejor y volvió a retirarla.

—¿Por qué cree entonces que...?

—Como la suya, nuestra hija llegó muy tarde —le interrumpió Clea—. No la esperábamos. Hacía poco que habíamos enterrado a mi hijo y, bueno... nunca se me habría pasado por la mente que podía quedarme embarazada otra vez, y menos a esa edad —añadió—. Pero la vida es así. Qué cierto es eso de que una muerte llega muchas veces acompañada de una vida.

Otto asintió despacio.

—Supe que estaba embarazada durante una de las muchas ausencias de mi marido —continuó ella—. No fue fácil. Estaba tan triste y tan destrozada por la muerte de mi hijo que la noticia me dejó fría, tanto que durante un par de semanas dudé. Dudé porque no me sentía con fuerzas para repetir todo lo que acababa de dejar atrás y porque no me parecía justo. Porque en el fondo supongo que una parte de mí había empezado a creer que quizá todavía había alguna posibilidad de recuperar a la Clea que había perdido por el camino, a ella y también la música. «No puedo», pensaba una y otra vez, «no quiero».

Otto tendió de nuevo la mano hacia la tetera y esta vez sí se sirvió un poco de té templado en una de las tazas de la bandeja. Luego cogió la taza y se la llevó a los labios.

—Pero la tuve —añadió Clea, cerrando la mano sobre el paquete de cigarrillos—. La tuve, y mi marido la hizo suya como le ocurrió a usted con su niña, encantado con ella desde que la vio como jamás lo estuvo con nuestro hijo. Sí, señor Stephens: a su modo, también él creyó que era un regalo, y supongo que me quiso más por ello, como si las mujeres fuéramos más mujeres por haber hecho padre a un hombre; ya ve usted qué estupidez. —Arrugó los labios y chasqueó la lengua—. Pero se equivocaba —continuó con un susurro antes de volver a recuperar la voz—. Un regalo, no, señor Stephens. Claro que no. —Guardó unos segundos de silencio y, cuando Otto creía que ya no volvería a hablar, prosiguió—: Decidí tener a mi hija para castigar a mi esposo, para que quisiera compensarnos, a ella y a mí, por lo mal que lo había hecho con mi niño y el amor por ella le cortara las alas, obligándole a quedarse. Menos viajes, menos ausencias, menos otras dejando rastros que cada vez costaba más disimular. Parí para tenerle cerca y para que supiera lo que es la renuncia y el sacrificio por los tuyos. —Se volvió entonces a mirar a Otto, que tenía los ojos clavados en la taza—. Regalo no, señor Stephens. Ninguna mujer se regala así.

De pronto, los aspersores callaron y el agua dejó de rociarlo todo. El ladrido distante de un perro rompió la paz blanquecina de la mañana, alertando a Clea. La voz de Rocío llegó desde algún punto del jardín. Parecía enfadada.

—No sé qué decir —dijo Otto, alzando la mirada.

—No hace falta que diga nada.

Otto rodeó la taza con las manos y bajó la cabeza.

—En fin... —volvió a hablar Clea—, que esta vieja tiene sus luces y también sus sombras.

Él soltó una risa tímida que sonó como una pequeña tos.

—Todos las tenemos.

—No.

—¿No?

—No. Hay mucha gente que no tiene luces ni tampoco sombras. De hecho, la mayoría.

Otto sacudió ligeramente la cabeza, intentando disimular una sonrisa. Un nuevo ladrido en la distancia. Clea tensó la espalda y se volvió a mirar durante un segundo en dirección a su suite.

—Por cierto —dijo con una voz distinta. Había vuelto la voz de la Clea menos íntima, la de la más habitual.

—¿Sí?

—Hay otra cosa de la que quería hablarle —anunció—. Y tiene que ser rapidito, porque estoy oyendo ladrar a Rita y quiero ir a ver cómo está.

Otto ladeó la cabeza.

—Dígame.

—Se trata de Ilona.

Una chispa de alarma asomó durante un segundo a los ojos de Otto, que parpadeó, entre expectante y nervioso.

—¿Qué ocurre con Ilona?

—«Con Ilona» no, señor Stephens. «A Ilona». Qué le ocurre a Ilona —apuntó Clea con una mueca de impaciencia.

—Eso quería decir.

Clea desestimó la disculpa con un gesto de la mano.

—Esa niña sufre —fue su seca respuesta.

—¿Ah, sí?

—Sí.

—¿Por qué lo dice?

Una mueca de fastidio. Un gesto torcido. Un bufido.

—Lo digo porque sufre. —Y, al ver que él no decía nada, chasqueó la lengua—. ¿Pero es que no se ha parado a mirarla? ¿Es que no la ve?

—Yo...

—Ya. Ahora me dirá que con usted no vomita nunca, que no se marea, que está alegre como unas castañuelas y que ha decidido pudrirse en este matadero porque es tan feliz que quiere compartir la felicidad que le sobra con una panda de vejestorios ricos a los que nadie quiere —rugió—. Claro, cómo no.

Otto puso cara de haber sido pillado en falso y Clea torció la boca y agitó una mano en el aire.

—En fin, da igual. La niña sufre y ya está. Y lo que quiero decirle es que tengo un plan.

Otto inclinó ligeramente la cabeza.

—¿Un plan para...?

—Para retorcerle el pescuezo como no se despierte de una vez, hombre. ¿Para qué va a ser? —Él no tuvo tiempo de dar una respuesta—. Para que deje de sufrir —sentenció Clea—. Lo tengo todo pensado.

—Ajá. ¿Y puede saberse qué es lo que...?

—Pero no voy a contárselo todavía —le cortó ella, apoyando el bastón en el suelo y poniéndose de pie no sin esfuerzo—. Por dos razones. Primero, porque Rita me llama y quiero ir a ver si está mejor, y segundo, porque para eso hace falta que usted y yo logremos finalmente ser amigos, amigos de verdad, quiero decir. Entonces, y solo entonces, se lo contaré. Si no, tendré que hacerlo sola —dijo, encogiendo ligeramente los hombros—. Sea como sea, con o sin usted, Ilona necesita ayuda y puede que yo esté vieja y cansada, pero le aseguro que, cueste lo que cueste, voy a conseguir que esa niña vuelva a la vida, aunque me vaya en ello la mía. —Dicho esto, dio media vuelta y empezó a alejarse hacia la verja que separaba la terraza del jardín. Al llegar a la pequeña puerta de madera, la abrió y antes de salir, Otto la oyó mascullar—: Palabra de Clea Ross.

* * *

Otto Stephens se pone la chaqueta de lino blanco y se retoca el nudo del pañuelo en el espejo mientras al otro lado del ventanal un trueno se deja oír en la distancia. La que el espejo le devuelve es una imagen doble que encierra a dos Ottos superpuestos: por un lado, está la del hombre mayor, elegante y de ojos cansados, y por otro, la de un Otto más interior, ese niño mayor de sonrisa perenne y porte extrañamente juvenil que se perfila en un plano más sombrío, envuelto en los pliegues del primero. Durante los instantes que sigue de pie delante del armario, los truenos se intercalan en el silencio de la noche incipiente, cada vez más próximos.

—Llega la tormenta, Otto Stephens —murmura a su imagen en el espejo—. Habrá que estar preparado —añade antes de alisarse despacio las mangas de la chaqueta y mirar su reloj. Son las nueve menos cinco y la luz violeta que hasta ahora entraba a raudales por el ventanal se torna gradualmente azulada entre unas nubes grises que avanzan sobre la playa desde mar abierto. Otto suspira y, tras dedicarse una última mirada en el espejo, cruza la habitación y abre la cristalera. Un golpe de aire templado barre el jardín y la hiedra susurra contra las paredes. «La noche de los secretos inconfesos —piensa, palpándose con la mano las hojas gastadas del contrato de amistad que guarda en el bolsillo interior de la chaqueta—. ¿Cuál es el suyo, señora Ross? ¿Qué puede ser eso que no ha dicho todavía?».

Ahora una sonrisa tímida asoma a sus labios al ver la figura menuda y erguida de Clea avanzar envuelta en su pañuelo verde junto al muro que bordea el acantilado en dirección al comedor de verano. Se le ocurre entonces que quizá sea la última vez que la ve así, caminando contra la brisa hacia su cita con él, y una pequeña mano de angustia le cierra el pecho. «Que salga bien, Dios mío. Haz que esto salga bien», se oye pedir en silencio. Y de pronto, durante el escaso segundo que dura el trueno que ahora recorre el gris del cielo, teme lo peor, y lo peor es que la verdad que se oirá confesar dentro de muy poco sea mal recibida y que Clea vea en ella una dimensión de él no perdonable, no justificable. Lo peor es que, cuando ella lo sepa, ya no habrá marcha atrás ni tiempo ni oportunidad de corregir, de rectificar.

Otto sabe que será una noche larga, quizá difícil, y también que llega a la última cena con un as en la manga cuya existencia Clea no imagina y que —así lo desea— ha de cambiar su suerte en una partida que desde hace semanas espera y teme a la vez.

Sabe también que llega perdedor a esa partida y que, si no es haciendo trampa, jamás ganaría a Clea Ross.

Y que si no gana, perderá mucho, porque es mucho lo que hay en juego.

Perderá a Clea y también a sí mismo.

Lo perderá todo.

—Entonces nada habrá valido la pena —susurra, sacudiendo levemente la cabeza mientras sale despacio al jardín y, tras cerrar la puerta de madera de la terraza, inspira hondo, logra encontrar la mejor de sus sonrisas y empieza a caminar sobre la hierba húmeda hacia los ventanales iluminados del comedor de verano.

Libro tercero

I

TANTO TIEMPO

Uno

—Para mí un sorbete de mango, gracias, Antonio.

El camarero retira la carta de las manos de Otto con una leve inclinación de cabeza y se vuelve a mirar a Clea, que, después de estudiar una vez más la selección de postres, entrega también su carta y declara con una sonrisa escueta:

—Yo tomaré la macedonia de cítricos y un té blanco. Sin azúcar.

En el preciso instante en que el camarero se vuelve de espaldas, un trueno reverbera en algún punto de la noche sobre el mar. En la oscuridad que envuelve el jardín, la tormenta que desde media tarde ha ido avanzando hacia la playa se ha desdibujado hace apenas una hora, cuando las primeras gotas y un cielo cargado parecían hacer presagiar lo peor. En el cenador de verano las ventanas están abiertas y la humedad salada del aire que sube desde la playa lo impregna todo.

—¿Un poco más de vino? —pregunta Otto, cogiendo la botella y acercándola a la copa de Clea, que hace un gesto negativo.

—No, gracias. Con el vino pasa como con la sonrisa: el abuso abarata el encanto.

Otto suelta una carcajada y se sirve un par de dedos en su copa.

—¿Sabe? He estado pensando en lo que me dijo sobre Ilona.

Clea inclina la cabeza hacia un lado y se lleva la mano a la oreja. Sus dedos tropiezan con la ausencia de un pendiente a la que no termina de acostumbrarse y se acaricia distraídamente el lóbulo.

—¿En lo que le dije?

—Sí. Dijo que tenía un plan.

—Sí.

—Y que le preocupa —insistió Otto—. Que no la ve bien.

—Cierto.

—También en eso tiene usted razón.

—Ajá.

—De todos modos, supongo que hasta cierto punto es normal que esté así.

Clea arquea una ceja.

—¿Normal?

—Sí.

—Defina «normal», señor Stephens.

Otto carraspea, disimulando una risa que finalmente convierte en tos.

—Normal quiere decir «comprensible», señora Ross.

Clea toma un poco de agua. Después se limpia la boca con la servilleta antes de volver a hablar.

—¿Comprensible quiere acaso decir que sabe ahora algo que antes no sabía? ¿Algo que quizá le haya ayudado a entender por qué esa criatura está como está?

—No. Comprensible quiere decir que he estado dándole vueltas a lo que usted me dijo y que desde entonces he observado a Ilona más de cerca. Y que es lógico que esté como está sabiendo de dónde viene y de lo que viene.

Clea no dice nada. Simplemente se limita a mirar a Otto, esperando algo que tarda en llegar.

—Ya sabe —añade él—. La muerte de su madre.

Clea sigue en silencio. Su mirada no se aparta de Otto, que habla de nuevo, esta vez menos decidido.

—Lleva tiempo superar una pérdida así.

Clea chasquea la lengua y pone los ojos en blanco.

—La madre de Ilona murió hace más de tres meses, señor Stephens —empieza con una voz seca—. ¿No le parece tiempo más que suficiente para que haya podido recuperarse un poco? —pregunta, arrugando la boca—. Puede que me equivoque, pero no me parece que esa chiquilla esté así porque eche de menos a su madre, francamente. La añoranza tiene otra cara, señor mío. La tristeza también.

—No estoy hablando de tristeza ni de añoranza, señora Ross —replica Otto, sin disimular su confusión. A la defensiva. Habla a la defensiva.

—¿Ah, no?

—No.

—¿Entonces?

—Soledad —responde él, mirándola a los ojos—. Estoy hablando de soledad.

Clea estira la espalda. Ahora es ella la que carraspea.

—¿Soledad? —pregunta, ligeramente irritada—. ¿Cómo que soledad?

—Ya se lo he dicho —dice con suavidad Otto—. Por lo de su madre.

Clea saca un cigarrillo del paquete, se lo lleva a la boca y lo enciende. Ni siquiera espera a exhalar el humo para volver a hablar.

—¿Pero qué soledad ni qué soledad, señor Stephens? —refunfuña con los dientes apretados—. ¿Se puede saber de qué demonios me habla?

Otto se echa un poco hacia atrás en la silla y traga saliva. Luego tuerce un poco el cuello y se retoca el nudo del pañuelo.

—Ilona está sola —dice por fin, bajando los ojos y clavándolos en el poco vino que le queda en la copa. Luego alza la vista y, al ver la mirada furibunda de Clea paseándose por la mesa, murmura—: Y no es únicamente que esté sola. Es que ni siquiera sabe qué hacer para dejar de estarlo.

La mano de Clea vuelve al lóbulo arrugado de su oreja. Lo pellizca con las uñas mientras con la otra mano echa la ceniza en el cenicero en un gesto poco amistoso.

—Aquí estamos todos igual de solos, señor mío —masculla—. Aquí y ahí fuera, para ser más exactos.

—Puede ser. Pero a ella le queda todavía mucha vida por delante —interviene Otto con una vehemencia que pilla a Clea un poco desprevenida—. Además, la soledad no se vive igual con su edad que con la nuestra.

—Nada se vive igual con su edad que con la nuestra, señor director.

—Cierto.

—De hecho, nada se vive igual con ninguna edad —dice Clea con una sonrisa triste—. Aunque a veces tengo la sensación de que en el fondo siempre vivimos las mismas cosas. De que lo que cambia no son las cosas, sino nuestra forma de pasar por ellas —remata, apagando despacio el cigarrillo en el cenicero.

—Lo que cambia es la emoción, sí —concede Otto, bajando de nuevo los ojos.

—Sí, la emoción —murmura Clea con suavidad. Y, antes de que Otto pueda añadir algo más, arquea una ceja y suelta con la voz recortada de la Clea de siempre—: Y lo que desde luego no cambia, por muchas generaciones que pasen, es la poca capacidad que tienen ustedes, los hombres, para explicar el sufrimiento femenino —ladra, recolocándose el pañuelo sobre el hombro—. Si una mujer sufre, es porque está sola. Claro, cómo no.

Otto parpadea, confuso de nuevo.

—Si Ilona sufre porque ha perdido a su madre es porque se siente sola, ¿verdad?

Otto la mira sin saber qué responder.

—Pues no, señor mío. Quizá no se sienta sola. Quizá lo que le pasa a nuestra Ilona es que sufre porque se da cuenta de que la soledad no depende de que tu madre esté viva o muerta, ni de que estés bien o mal acompañada, ni de ninguna de esas porquerías de libro barato. Quizá esa muchacha sufre porque entiende que ha empezado a vivir ahora que su madre ya no está y de repente tiene miedo de que sea demasiado tarde, o demasiado intenso, o demasiado difícil, qué sé yo. O quizá sufre porque le habría gustado querer a su madre de otra manera y no ha sabido hacerlo, o peor aún, porque le habría gustado que su madre la hubiera querido de otro modo, desde otro lugar, con otro lenguaje...

Un trueno salpica en ese instante el silencio que puebla la oscuridad del jardín y el fogonazo de un relámpago se adivina en el exterior. El camarero se desliza sigilosamente entre las mesas vacías del cenador en dirección a la que ocupan Clea Ross y Otto Stephens. Clea se interrumpe al verle y tuerce la boca.

—Soledad, soledad —refunfuña, pasándose la lengua por los dientes—. Hay que ver lo grande que les queda a ustedes, los hombres, la soledad de las mujeres.

Desde su asiento, Otto ve de soslayo cómo el camarero sortea las mesas con la bandeja en alto hasta que llega junto a ellos, deposita con mano experta los postres y el té blanco de Clea sobre el mantel y se retira con una nueva inclinación de cabeza. Otto espera a que Clea pruebe su macedonia para hundir la cucharilla en el pequeño mar amarillo del sorbete. Segundos después, la voz de Clea llega desde el otro lado de la mesa, cítrica y renovada. Peligrosamente satisfecha.

—Ha sido una cena muy agradable, señor Stephens —dice, sin levantar los ojos de la macedonia.

Otto sonríe.

—Muy agradable, sí.

—Pero estamos a punto de terminar de tomar el postre y esta vieja tiene la impresión de que se va a morir esperando a que el viejo que tiene delante deje de una vez de hacerse el sueco y podamos ir al grano.

Otto siente el hielo del sorbete en la lengua y recibe una descarga de dolor en una muela.

—¿El... sueco?

Clea responde con un gruñido lleno de pedazos de pomelo y de mandarina seguido de un:

—Los secretos, señor Stephens. Esta es la cena de los secretos. No me fastidie, que ya no tengo edad.

Otto toma la última cucharada de sorbete, se masajea la mandíbula con los dedos y deja el cuenco de porcelana a un lado. Luego se pasa la servilleta por los labios y entrelaza los dedos sobre el mantel con un suspiro incómodo.

—Lo sé —dice.

Clea le clava una mirada impaciente.

—Y si lo sabe, ¿por qué lleva toda la cena mareando la perdiz?

—Yo... —empieza él, visiblemente azorado—. No sabía si lo de los secretos y las confesiones seguía aún vigente o si...

—Mentiroso —le suelta Clea, apartando el plato con los restos de macedonia de un manotazo—. El contrato lo decía muy clarito: primero la cena con los secretos inconfesos, y después sabremos si realmente es usted capaz de ser tan buen amigo como dice.

—Sí, lo sé, pero...

—¡Pero nada! —sisea Clea, soltando un pequeño reguero de babas—. ¡Está en el contrato!

—Ya lo sé —insiste él con tono conciliador—. Lo que quiero decirle es que... que no sé todavía cómo quiere que lo hagamos. No sé si se supone que soy yo el que debe empezar o si debo esperar a que hable usted.

Clea parpadea y tensa la espalda. Luego deja escapar un suspiro hondo antes de volver a relajarse.

—Empezaré yo, señor Stephens —anuncia con tono de falsa resignación. Acto seguido, intenta una sonrisa que no termina de dibujarse del todo—. Si es eso lo que le preocupa, tranquilícese. Yo confesaré primero.

—Muy bien.

—Pero antes le diré por qué.

Otto inclina la cabeza a un lado. Un nuevo trueno murmura electricidad en el jardín.

—¿Por qué?

—Sí —responde Clea—. El porqué de esto. De los secretos.

—Ah, de acuerdo —dice Otto, empezando a doblar la servilleta encima de la mesa.

—Es muy sencillo —empieza ella, cerrando la mano sobre el paquete de tabaco—. Casi un juego de niños. Simplemente quiero saber si es usted capaz de escuchar sin juzgar, como debe hacerlo un amigo de verdad. Quiero ver si puede ponerse en mi lugar, salir de usted y empatizar conmigo desde la emoción. ¿Me sigue?

—Perfectamente —asiente Otto.

—Me alegro, porque esa es solo una parte —anuncia ella, acompañándose con un gesto de la mano—. La otra es la confianza.

La cabeza de Otto vuelve a recuperar la verticalidad. Dos arrugas le cruzan la frente.

—Confianza...

—Eso he dicho.

—¿En qué sentido exactamente?

—No creo que haya muchos sentidos posibles, señor mío.

Otto frunce más el ceño. Su mano se cierra ligeramente sobre la servilleta. No dice nada.

—En fin —vuelve a hablar Clea—. Quiero ver si es usted capaz de confiar en mí lo suficiente como para contarme algo que jamás haya contado a nadie. Algo que le muestre como jamás se ha atrevido a mostrarse. Si usted confía, yo también podré hacerlo. A fin de cuentas, ¿qué es si no la amistad?

Unos segundos de silencio. La pregunta de Clea no espera respuesta. Por fin, Otto habla.

—¿De verdad no prefiere que empiece yo?

—No —niega Clea al instante—. Yo empiezo.

—Como quiera.

Clea saca un cigarrillo del paquete, le da unos pequeños golpecitos contra la mesa y se lo lleva a los labios.

—¿Preparado, señor Stephens?

—La verdad —dice, sonriendo—, y disculpe la prepotencia, no creo que a estas alturas nada de lo que pueda decirme vaya a sorprenderme demasiado.

Clea enciende el cigarrillo y deja despacio el mechero sobre la mesa.

—Ajá —murmura, tomando la taza de té blanco con el índice y el pulgar y sosteniéndola en el aire a un centímetro escaso del plato—. Eso está bien. —Y, antes de que él pueda responder, añade—: Mi secreto es muy sencillo, señor Stephens. Se lo confesaré tal y como lo pienso. Sin adornos. ¿De acuerdo?

—De acuerdo.

—Y le ruego que no me interrumpa hasta que termine de contar —aclara con un nuevo gesto de la mano—. Después de todo, la facultad de escuchar incluye también la voluntad de no interrumpir.

Otto amaga una nueva sonrisa.

—Descuide. No la interrumpiré.

—Se lo agradecería.

Dos

—Hace muchos años, le fui infiel a mi esposo.

En el paréntesis de silencio que sigue a las palabras de Clea, las puertas abatibles del cenador se abren y se cierran bruscamente, engullendo entre sus fauces al camarero, que se pierde en las entrañas de la cocina.

—Ese es el titular, señor Stephens.

Otto ni siquiera parpadea. El silencio se espesa súbitamente alrededor de la mesa, pegajoso como el aire de la noche.

—Aunque esa es solo una parte del secreto.

La mirada de Clea y la de Otto se cruzan entre una bocanada de humo que circula sobre la mesa como una sombra blanca. La expresión de él no muestra la menor emoción. Ha entrecerrado ligeramente los ojos. Desde la cocina llega el repiqueteo sincopado de platos amortiguado por la distancia y una risa apagada. Luego la noche vuelve a abrazarlo todo.

—Se llamaba Pál —prosigue Clea, perdiendo durante un instante los ojos en el blanco del mantel—. Restauraba vidrieras. Era un hombre joven, mucho más joven que yo. Bajo, fuerte, rubio, con unos ojos azules casi transparentes. Húngaro, como nuestra Ilona —continúa sin apartar la mirada de Otto, en cuyo rostro sigue sin moverse un solo músculo—. Vivíamos en Utrecht en aquel entonces. Hacía pocos meses que había muerto mi hijo y mi marido se había encaprichado de una casa barco de principios de siglo que, según decía, quería restaurar y convertir en una segunda residencia para invitados.

Otto asiente con la cabeza. Despacio, muy despacio.

—Como siempre que se encaprichaba de algo, mi esposo terminó saliéndose con la suya y la compró —sigue hablando Clea—. Y, como ocurría con todos sus caprichos, se cansó del barco poco después de haberlo comprado, así que fui yo quien, durante sus ausencias, me ocupé de su restauración.

Un nuevo trueno más allá del jardín. Aleteos nerviosos en alguna cornisa.

—Pál estuvo trabajando en la restauración de las ventanas y en los ojos de buey del barco durante casi un mes. Era primavera, una primavera extraña en Holanda, calurosa y llena de bonanza. Yo pasaba las tardes en el barco, a veces tocando el chelo, otras, leyendo al sol y viéndole trabajar. Él no hablaba. Me saludaba con la cabeza cuando me veía llegar y volvía a hacerlo cuando me marchaba, poco más. Por lo demás, trabajaba sin descanso, concentrado en lo suyo, cortando cristales, midiendo y emplomando, siempre en silencio, absorto en lo que tenía entre manos y ajeno a mí y a lo que no fuera el cristal, sus manos y el color.

Una sombra se desliza de izquierda a derecha en la oscuridad del jardín. La silueta, aunque muy lejana, es la de una mujer.

—Una tarde, un par de días antes de terminar su trabajo en el barco, mientras restauraba los cristales de la puerta de cubierta, Pál me pidió un cigarrillo. —Clea toma un sorbo de té y deja la taza en el plato. Otto sigue la trayectoria de la taza sobre la mesa con los ojos con un gesto casi automático—. No fue más que eso. «¿Podría darme un cigarrillo?», dijo, «los míos se me han acabado». Se lo di, claro. Él se sentó a fumar en un taburete que estaba junto a la puerta y yo volví a tocar. No dejó de mirarme ni un segundo mientras fumaba. Cuando terminé la pieza, Pál siguió allí sentado, mirándome. Nos quedamos callados durante unos segundos hasta que por fin sonrió, tiró la colilla al canal y dijo: «Es hermosa». Luego se levantó, cogió el taburete, lo acercó más a mí, volvió a sentarse y se cruzó de brazos. «Es hermosa», repitió, «la música y usted son hermosas juntas». No supe qué decir y él lo entendió. Siguió mirándome hasta que le vi sonreír de nuevo. «¿Podría volver a tocar?», me pidió. Y, al ver que yo no me movía, se inclinó hacia delante, apoyó los codos sobre las rodillas y dejó descansar la cabeza sobre las manos. «¿Para mí?».

Clea enciende un cigarrillo. Aspira el humo por la nariz y lo espira lentamente, por un instante perdida en lo que recuerda. Al otro lado de la mesa, Otto la ve fumar, inmóvil, al tiempo que la luz amarilla de los dos velones que arden sobre la mesa dibujan en su rostro sombras apagadas. Grises.

—No sé por qué lo hice —vuelve a hablar Clea, apoyando el codo en el mantel y dejando el cigarrillo en alto—. Aunque podría encontrar miles de motivos y todos valdrían, créame. O quizá no, qué más da eso ahora. Usted probablemente lo resumiría como lo ha hecho hace un momento con Ilona. —Otto la mira y frunce el ceño, confundido—. Por soledad, señor Stephens. Usted diría que por soledad —aclara Clea, agitando ligeramente el cigarrillo en el aire—. Y quizá sí hubo un poco de eso. De eso y también de ganas de revancha. O puede que fuera más fácil aún. Más simple. Quizá fue sencillamente el deseo, el que me llegó de él. No sé, de pronto me sentí mirada. Me vi tocando para un hombre que me hacía hermosa con su atención, que me regalaba toda su dedicación, a mí sola, señor Stephens. A mí, a mi música y también a mi soledad

—dice, arrugando un poco los labios—. En los ojos de Pál me sentí recuperada, validada —añade, bajando ligeramente la voz—. No sé si me entiende.

Otto no dice nada. Se limita a asentir despacio con la cabeza. Clea se lleva el cigarrillo a los labios y le da una larga calada.

—Mi marido volvió de viaje dos días más tarde —continúa con una sonrisa torcida—. Pál ya había terminado en el barco. No llegaron a coincidir.

Otto tensa la espalda y se lleva la mano al cuello para retocarse el pañuelo, un gesto cuya futilidad queda tan patente que enseguida retira la mano como si hubiera cometido una torpeza. Clea pasea la mirada por el cenador y sigue fumando en silencio, un silencio que se alarga demasiado. Demasiada incomodidad. Demasiada tensión.

Segundos más tarde, el cigarrillo se desgrana contra el fondo manchado del cenicero, aplastado por el dedo huesudo de Clea. Una gaviota chilla en algún rincón del acantilado. La silueta de la mujer no vuelve a aparecer.

—Nueve meses y cinco días más tarde nació mi hija.

Otto se llena de aire los pulmones y cierra los ojos durante un instante.

—La que, como usted, mi marido creyó que yo le había regalado.

Más aire en los pulmones de Otto. Más aire y más silencio.

—Esa es la segunda parte del secreto, señor Stephens —añade Clea con una sonrisa triste—. La primera es la decisión. La segunda, sus consecuencias —concluye, buscándose una vez más el pendiente con los dedos.

Otto Stephens no se mueve. El parpadeo de las velas chispea en sus ojos, que ahora parecen presas de un cansancio insondable, y sus manos descansan, quietas, sobre la servilleta.

—¿Se encuentra bien? —pregunta Clea, ladeando levemente la cabeza.

Otto no contesta y tampoco se mueve.

—Señor Stephens...

Él mueve imperceptiblemente las yemas de los dedos sobre la servilleta como si acariciara un recuerdo al tiempo que balancea el cuerpo a izquierda y derecha. Es un balanceo ido, mecánico, sordo. Clea le observa en silencio, intentando disimular la alarma que de repente le encoge el pecho al ver la mirada vacía, la tensión de esas manos, las arrugas clavadas en la frente.

—Tal vez esto no haya sido una buena idea, señor Ste...

—¿Él nunca lo sospechó? —pregunta Otto repentinamente, sin dejar de balancearse contra el fondo oscuro de uno de los ventanales del cenador.

Clea coge otro cigarrillo y lo deposita sobre el mantel.

—No.

—¿Está segura?

—Del todo.

El balanceo se detiene y las manos descansan sobre la servilleta. Otto ha vuelto a la mesa. Sus ojos siguen llenos de sombras, pero ahora también hay en ellos un pequeño atisbo de luz.

—¿Puedo hacerle una pregunta? —dice.

—Si no es un juicio, puede usted preguntar lo que quiera, señor Stephens.

Él intenta sonreír. En vano.

—¿Cree usted que, de habérselo confesado, su marido la habría perdonado?

Clea enciende el cigarrillo y busca la taza de té con la mirada.

—Eso es algo que no he dejado de preguntarme desde entonces, señor Stephens. Créame.

—La creo —afirma Otto.

—Gracias.

—Pero eso no responde a mi pregunta.

Clea suspira por la nariz antes de volver a hablar.

—Ya le he dicho que mi marido fue muchas cosas durante nuestra vida juntos. Muchas, excepto un buen amigo —responde con voz neutra—. Yo habría preferido que me entendiera a que me perdonara, la verdad. Al fin y al cabo, perdonar la infidelidad de una mujer no tendría por qué haber sido difícil para un hombre como él, tan acostumbrado a las propias infidelidades, ¿no le parece?

Otto encoge un poco los hombros.

—Quizá si lo hubiera intentado...

—Haberle confesado mi infidelidad con Pál habría significado confesarle también sus consecuencias —le corta Clea—. Y hasta hoy no puedo afirmar con seguridad que mi hija no lo sea también de mi esposo.

—Creía que me había dicho que su hija era muy parecida a su marido.

—Y así es —replica Clea—. Tiene sus ojos, y el color de pelo, y la forma de caminar...

—¿Entonces?

—Pero sus manos y la mirada son las de Pál —masculla ella con desgana—. Sí, son las de él. Sin duda.

Otto traga saliva y guarda silencio. Un aleteo agita la calma de la noche. Son alas grandes, de gaviota. Desde la cocina, retazos de una conversación a medio gas.

—¿Sabe una cosa? —pregunta Clea, apagando con la suya las voces que llegan de la cocina—. Sé que puede parecerle extraño, pero le confieso que no me arrepiento de lo que ocurrió esa tarde en el barco —declara con voz cansada—. No, ni de esa tarde, ni de haber tenido a mi hija, ni tampoco de haber guardado silencio.

—¿No?

—No.

—De lo que sí me arrepiento es de haber vivido juzgándome durante todos estos años. De haber sido mi peor enemiga. Y de haberme vivido mal, porque en muchos sentidos he tenido que vivirme sola. De eso sí me arrepiento, señor Stephens.

Otto arruga la boca en una mueca de pesar y encoge aún más los hombros.

—Siento oír eso, señora Ross —dice, bajando los ojos—. Créame.

Clea estira la espalda contra el respaldo de la silla y carraspea.

—Le creo.

—Me alegro.

—Y le agradezco que no me juzgue por lo que le he contado —dice. Enseguida esboza una sonrisa artificial—. O al menos que haya tenido la delicadeza de acallar a tiempo cualquier juicio que pueda habérsele ocurrido.

Otto le devuelve la sonrisa. La suya es más relajada. Clea la recibe con una ceja arqueada y una nueva carraspera.

—De todos modos, eso es solo la mitad de lo que nos ha reunido aquí esta noche —dice, volviendo a recuperar la voz de siempre. Y, al ver la expresión confusa de Otto, añade con un pequeño suspiro de fastidio—: Su confesión, señor Stephens. Me refiero a su confesión. Ahora le toca a usted.

Otto cierra las manos sobre la servilleta antes de apurar el último dedo de vino que le queda en la copa. Luego se aclara la garganta y fija la mirada en el cenicero.

—¿Está segura?

Clea ladea la cabeza y sonríe.

—Del todo.

—Quizá no le guste lo que va a oír.

—¡Ja! De eso se trata, mi querido director. Si no, ya me dirá usted dónde está la gracia.

—Ya lo sé. Lo que me temo es que pueda tomárselo como algo personal.

—¿Algo... personal?

—Bueno... no sé... al fin y al cabo, a nuestra edad hay tantas vivencias tan parecidas que uno nunca sabe...

—No diga bobadas, hágame el favor.

Otto acerca la mano a su copa y pasea despacio la yema del índice por el delicado borde de cristal una, dos veces, hasta que por fin lo retira y deposita la palma sobre la servilleta.

—Mi confesión tiene también que ver con la fidelidad, señora mía —dice, cerrando los ojos durante un instante.

Al otro lado de la mesa, Clea apoya la barbilla sobre el dorso de sus manos entrelazadas y deja escapar un pequeño suspiro.

—Hasta ahí ninguna sorpresa —suelta entre dientes.

—No juzgue usted tan deprisa —responde Otto con una extraña luz en la mirada—. Quizá se equivoque.

—Quizá —replica ella con voz aburrida—. Aunque la experiencia me dice que con los hombres lo realmente difícil es equivocarse y no lo contrario.

—Quizá nunca sea tarde para las sorpresas —interviene él con un leve sonsonete jocoso que ella no acierta a explicarse del todo y que por un segundo la incomoda.

—Y quizá le agradecería que se dejará de tanto «quizá» y soltara su confesión de una vez antes de que esta vieja se quede dormida encima del cenicero, ¿no le parece?

Otto suelta una carcajada que resuena en el silencio del cenador como un pequeño trueno y asiente. Clea no logra reprimir una pequeña sonrisa. «Qué envidia saber reírse así», se oye pensar.

—Me parece, señora Ross. Me parece.

—Me alegro.

Otto inspira hondo, se rasca la coronilla con la uña del anular para no despeinarse y deja pasar unos segundos. Cuando finalmente habla, lo hace con la inquietante certeza de que, en cuanto diga lo que está a punto de decir, el Otto que hasta ahora ha sido perderá vigencia a ojos de

Clea y un nuevo Otto ocupará su lugar por mucho que él siga siendo el mismo y las coordenadas no hayan cambiado. Sabe que con ella cualquier reacción es posible, y, aunque en secreto atesora la ilusión de que la reacción sea positiva, hay miedo y también vulnerabilidad.

Más de la que desearía sentir.

Mucha más.

Tres

—¿Molesto?

Sentada en una de las cavidades de piedra del murete que separa el jardín del acantilado, Ilona lleva un buen rato dejándose mecer por la quietud de la noche, concentrada en nada. Desde que hace apenas un par de horas ha vuelto de la ciudad, el tiempo pasaba tan despacio en su habitación, tan desesperantemente despacio, que ha decidido salir en busca de un poco de aire, a la espera de que den las doce para cumplir con el recado de Otto y acostarse e intentar dormir un poco.

Aunque en circunstancias normales no habría sido así, la pregunta que acaba de romper el silencio no la sorprende ni la asusta. Ni la pregunta ni la voz. No se vuelve para responder.

—No, claro que no —dice por decir, automáticamente. No, Rocío no molesta, aunque Ilona entiende que su presencia en el jardín a esas horas de la noche no es normal, que quizá ocurre algo. La alarma la saca de sus cavilaciones y gira ligeramente la cabeza antes de preguntar—: ¿Pasa algo?

Rocío niega con la cabeza.

—Todo bajo control —responde con un tono que quiere ser festivo, casi como un fallido intento de reírse de sí misma y de su infatigable capacidad de trabajo.

—Ah.

—¿Te importa si me siento?

—No.

Ilona se hace a un lado y Rocío se sienta junto a ella con un jadeo, intentando encontrar una postura cómoda sobre las piedras del murete. Cuando lo consigue, las dos vuelven a quedarse calladas y un rayo cae lejos, muy lejos, sobre el agua.

—He salido a tomar un poco el aire —dice Rocío.

Ilona guarda silencio.

—Al final parece que no vamos a tener tormenta —vuelve a hablar Rocío, paseando la mirada por el cielo que se extiende ante las dos.

Ilona sigue sin contestar. Se limita a asentir un par de veces antes de que vuelva el silencio y ambas continúan sin decir nada durante unos minutos mientras desde la casa principal llega el tintineo de platos y de cubiertos. Metal contra porcelana. Cristal contra cristal. Otto y Clea.

—Siento lo de esta tarde en tu despacho —dice repentinamente Ilona, volviéndose hacia Rocío—. Perdona.

Si pudiera ver la expresión de Rocío, Ilona se daría cuenta de que sus disculpas no han sido bien recibidas porque no han sido entendidas. No, Rocío no sabe a qué se refiere, y eso, ese instante de confusión, la descubre vulnerable y mal defendida. Se pone alerta, pero antes de que pueda decir nada, Ilona vuelve a hablar.

—Debería haber esperado a que terminaras con el teléfono para irme —dice—. Pero es que no sabía si te apetecía seguir hablando de... bueno, de tus cosas —añade con una mueca de incomodidad que la oscuridad no deja ver.

Rocío inspira hondo y relaja los hombros. «Ah, es eso», piensa, ladeando ligeramente la cabeza. El chasquido de indefensión se funde ahora con lo oscuro. Detectada la fuente, desactivada la alerta. Aunque, por lo poco que la conoce, tiene la certeza de que Ilona no es conflictiva ni tampoco dañina, no sabe qué decir, de modo que opta por el silencio, a la espera de que el comentario quede en eso, en un apunte suelto, que su estela muera con él.

El silencio se alarga ahora, enredándose entre las dos.

—A mí también me gustaría —dice Ilona con suavidad. Rocío se vuelve a mirarla, nuevamente confusa, y los hombros de las dos se rozan suavemente. Transcurren luego un par de segundos—. Tener a alguien, quiero decir —añade Ilona con una esforzada sonrisa.

Ahora es Rocío la que amaga una mueca incómoda que Ilona no ve. Sin embargo, el comentario, que en otras circunstancias la habría puesto sobre aviso, provoca en ella el efecto contrario: hay en las palabras y en el tono de voz de Ilona una puerta abierta a algo que vibra bien y que Rocío hace mucho, mucho tiempo, que no tiene. Es un pequeño atisbo de calor que la atrae hacia la puerta, un calor que la relaja y la envalentona a la vez, conectándola con una Rocío distinta, con la que era antes de ser la que es ahora, con la que le gustaba ser.

—Si quieres que te sea sincera —dice—, y puestas a pedir, yo preferiría tener a alguien y que además no desapareciera.

Los ojos de las dos mujeres sonríen, cómplices, en la penumbra. De repente se notan cercanas, y cada una, a su manera, siente que la compañía mutua hace bien, que se hacen bien.

—Sí, eso —dice Ilona—. Que dejen de desaparecer. Que alguien se quede.

—Sobre todo los amigos —apunta Rocío, bajando un poco la voz—. Que se queden. —Luego yergue la espalda y, cuando estira el cuello a derecha e izquierda, intentando destensarlo, suena el crujido de una cervical. Ilona cierra los ojos y se encoge un poco sobre el murete antes de que una delicada nube de silencio vuelva a instalarse alrededor de las dos.

—Yo... tenía una amiga —dice de pronto, antes de abrir de nuevo los ojos. Al instante nota la mirada extrañada de Rocío y el calor le enciende las mejillas, consciente no solo de lo chocante que resulta la frase, sino también de que no ha sido una frase pensada, sino formulada en voz alta. Tímida, Ilona se descubre tímida ante la mirada neutra de Rocío y es esa misma timidez nerviosa la que la empuja a añadir—: Hace muchos años. En Budapest —murmura, como si eso ayudara a aclarar algo. Rocío sigue mirándola, atenta y callada, mientras los segundos se instalan entre las dos—. Se llamaba Agnes —vuelve a hablar Ilona con la voz ligeramente temblorosa—. También había sido gimnasta, pero ella venía de la rítmica. Como a mí, la habían echado del equipo nacional, aunque a Agnes por un problema de disciplina.

—¿De... disciplina? —pregunta Rocío.

Ilona asiente con la cabeza.

—En Hungría, como en los demás países del bloque, tener problemas de disciplina en el equipo nacional de gimnasia era lo mismo que decir que tenías problemas de peso —aclara con una sonrisa torcida. Rocío suspira por la nariz, pero no hace ningún comentario—. Si tenías problemas de sobrepeso, se daba por hecho que comías a escondidas y que, por tanto, estabas faltando a la disciplina del equipo, aunque a ninguna de nosotras se nos habría ocurrido hacer algo a espaldas de las entrenadoras, básicamente porque era imposible —explica—. Lo que en realidad le ocurría a Agnes, o al menos eso decía ella, era que su cuerpo no toleraba bien la rutina de hormonas que nos daban para ralentizar, «modular», era la expresión oficial, el crecimiento, y parecía rebelarse contra aquel cóctel preparado para... frenar... la pubertad.

Una gaviota chilla en algún punto del cielo sobre la playa e Ilona espera a que vuelva a hacerse el silencio. El chillido reverbera en el aire húmedo y muere despacio, sin dejar estela.

—Hasta que conocí a Agnes yo nunca había tenido una amiga —declara con una timidez casi infantil. Rocío baja la mirada, un gesto que Ilona no ve—. En el equipo no había amigas —sigue con un tono casi de disculpa—. Éramos compañeras, aunque por encima de todo éramos competidoras. Competíamos con y por el equipo, pero sobre todo competíamos las unas contra las otras, esperando siempre el fallo de las demás, educadas para no crecer. «Niñas», nos llamaban. «Niñas, a entrenar. Niñas, a comer. Niñas, a calentar». Las mayores cuidaban de las pequeñas como las pequeñas cuidábamos de nuestras muñecas, preservándonos de todo lo que amenazara nuestra condición de niñas y desviara nuestra atención de aquel mundo hecho a la medida del esfuerzo y de las prohibiciones: prohibido crecer, prohibido desarrollarse, prohibido desear, prohibidas las pulsiones, prohibida la regla, los chicos, las curvas, los pechos, las caderas, las golosinas, el coqueteo... —Ilona guarda silencio durante un instante y se rasca distraídamente el cuello antes de perder la mirada en el vacío que se extiende más allá del acantilado—. Yo no tuve mi primera regla hasta que no cumplí los diecisiete —dice con una voz arenosa—. Por culpa de las hormonas —aclara—. Tuve suerte de lesionarme a los catorce. A algunas de las que siguieron en la gimnasia hasta mayores nunca les llegó.

Rocío carraspea y quiere decir algo, pero no se le ocurre nada. O quizá son demasiadas cosas las que le gustaría decir y no sabe cómo ordenarlas. Prefiere callar.

—Ser amiga de Agnes fue tan fácil, todo fue tan natural desde el principio... ella lo hacía todo tan... normal... que lo extraño habría sido no buscarla en un momento en que mi vida eran dos rodillas rotas y ganas de nada. Coincidimos en una de esas grietas que la vida abre a veces para mostrarnos cosas que de otra forma tal vez nunca llegaríamos a ver, y con ella empecé a recuperar las ganas de remontar. Sí, con Agnes llegaron los secretos a dos, los primeros tonteos con los chicos del instituto... esas cosas que hay que vivir, porque son lo que toca y porque ayudan a crecer sin miedo. Fueron años felices los que pasamos juntas, felices por lo que traían consigo y felices también por poder vivirlos juntas, aunque eso es algo que solo he podido valorar más tarde, con los años —prosigue—. Yo... no he vuelto a conocer a nadie así. Tan... liviana, tan a gusto con la vida. Aunque no sé si esa es la palabra. Lo que sí sé es que Agnes era todo lo que hasta entonces yo ni siquiera había imaginado que podía ser una niña de mi edad: respondona, alegre, divertida, exagerada, ruidosa... libre. Eso es, sí: libre en un mundo y en un tiempo en que las libertades eran lenguaje político, no social. Nosotros, los del otro lado del telón, entendíamos la libertad como un vacío de normas, no como un concepto con entidad propia. Libertad era ausencia de, falta de, ganas de. Y esa era la energía que Agnes removía a su alrededor. La que movía también en mí. —Se vuelve a mirar a Rocío—. Sin esa energía, aquellos años habrían sido muy difíciles.

La voz de Ilona se apaga, engullida por la oscuridad, y Rocío espera a que siga hablando, aunque en vano. Ilona parece haberse sumergido en el pozo de su propia memoria y Rocío la siente de pronto lejos, muy lejos.

—¿Qué ha sido de ella? —pregunta en un intento por rescatarla de lo oscuro—. ¿Habéis seguido en contacto?

Ilona entrecierra los ojos. Luego se mira las manos y suspira por la nariz. No responde enseguida. Pasan todavía unos minutos antes de que su voz logre hacerse un hueco entre el mar de recuerdos que ahora la cubren.

—Desapareció —murmura sin levantar la vista. Rocío no dice nada. Intuye que si habla quebrará algo precioso, precioso por frágil, por volátil. Ahora Ilona flota y vadea entre corrientes y rápidos que pueden llevársela en cualquier momento hacia el fondo—. Un día no vino a buscarme para ir al instituto —explica Ilona en una especie de susurro ronco que arranca en ella el recuerdo de ese día: la luz azulada de esa mañana en la calle y también el olor a lluvia caída que impregnaba el aire desde el Danubio. Recuerda que era lunes, el segundo lunes de mayo, y que la tarde anterior habían estado con los padres de Agnes y con Kata celebrando su cumpleaños en la Isla Margarita. Cumplía quince años. Como todas las mañanas, ese lunes esperó a Agnes en la esquina hasta que se hizo tarde y se marchó sola a clase. Supuso que Agnes debía de estar enferma y pasó a verla al salir del instituto. Nadie salió a abrir. Cuando volvió a casa, Kata no había llegado. Lo hizo tarde esa noche. En cuanto apareció, se sentaron a cenar y, mientras tomaban la sopa, Ilona le contó que Agnes no había ido a clase esa mañana y que por la tarde no había encontrado a nadie en su casa. Kata asintió varias veces con la cabeza, pero no dijo nada. Siguió tomando la sopa sin levantar los ojos. Ilona no tocó la suya. Cuando terminó de comer, Kata dejó la cuchara en el plato, se secó despacio la boca con la servilleta y dijo, bajando la mirada:

—Han desaparecido. Ayer.

Ilona recuerda el silencio que siguió a las tres palabras de su madre. Fue un silencio opaco, una especie de niebla que pareció colarse en el comedor desde fuera, desde la calle, ocupándolo todo. Recuerda también que Kata inspiró hondo un par de veces antes de volver a coger el plato y levantarse de la mesa.

No volvieron a hablar durante el resto de la cena. No había nada más que decir.

Rocío se lleva la mano a la mejilla. Espera paciente a que Ilona retome el hilo de su relato mientras esta encoge los hombros y suelta el aire por la nariz.

—Los desaparecieron —repite Ilona, ahora en un susurro colmado de cosas que no estaban ahí antes y cuyo peso Rocío percibe en la inclinación de su cabeza, que poco a poco va cayendo a un lado, cada vez más cerca de su hombro. Ilona bucea en el recuerdo para poder hablar sin que duela y contar como lo hacen quienes han vivido el horror y han sabido moldearlo y quitarle fuerza. Y, en ese ejercicio, le gustaría encontrar una voz con la que poder contarle a Rocío que hasta muy poco tiempo antes de la caída del comunismo, en Hungría fueron muchos los que siguieron intentando huir, y que cuando alguien lo intentaba y la explicación que llegaba sobre él o sobre ella era «se ha marchado», eso quería decir que había logrado pasar al otro lado, a Austria. Si, por el contrario, el comentario era «ha desaparecido», la huida había tenido un mal final. Muchos de los que emprendían aquel viaje sin retorno reunían dinero durante años para pagar al guía que había de llevarles en camión hasta las zonas fronterizas más despejadas del momento. El guía llenaba el camión de gente que abandonaba después a su suerte en pleno campo durante la noche. Los que habían decidido buscar la libertad echaban a correr a ciegas por campos y bosques, a menudo desorientados, avanzando a veces durante horas en círculo, rezando para que el amanecer no les encontrara cerca de lo que desde hacía tanto tiempo querían ver lejos. Con frecuencia echaban a andar sobre las minas que sembraban la franja fronteriza y que estallaban bajo los pies del que iba en cabeza, avisando de que el terreno escogido había sido una elección equivocada. Avisando también a la guardia de frontera. Aunque la mayor parte de las veces ni siquiera llegaban a los primeros bosques. El guía era chivato además de chófer y la AVO esperaba a los traidores de la patria cuando bajaban del camión. Nadie volvía a verlos. Hombres, mujeres, niños... desaparecían sin dejar rastro. Lo poco que pudieran tener pasaba a ser propiedad del estado. Prohibido mencionarlos. Prohibido recordarlos. Prohibido llorarlos. Traidores. Cobardes. Desaparecidos. Los abuelos quedaban huérfanos de hijos y de nietos, manchados por la vergüenza que ellos no sentían, y el dolor de las familias se vivía en secreto. En cuanto a los amigos... los amigos, como la libertad o la emoción expresada en abierto, formaban parte de los bienes que el sistema arrebataba y silenciaba a diario, como ocurría con las casas de los que se iban, con las ganas de cambio o con las incipientes curvas de los cuerpos adolescentes que se infantilizaban durante años para engrandecer los horizontes deportivos de la patria. Los amigos no contaban porque eran parte de lo circunstancial, del territorio vetado de las casualidades y del caprichoso vaivén de las emociones. No eran nada.

—Entonces —dice suavemente Rocío, bregando por recuperar a Ilona y sacarla de ese pozo de silencio que está empezando a angustiarla—, Agnes...

Mientras Rocío nota el cosquilleo de los cabellos de Ilona sobre la piel de su hombro, a su lado Ilona recuerda que, una semana después de la desaparición de Agnes, otra familia ocupó la casa de los Németh. Eran ucranianos. Una pareja joven. Gente agradable que había llegado becada por uno de los tantos intercambios de personal cualificado entre los países del bloque. Médicos. Nunca imaginaron que vivían en el apartamento de una familia de desaparecidos, aunque Ilona siempre pensó que, aunque lo hubieran sabido, no les habría importado. Y es que el pasado de las cosas era también un lujo que nadie podía permitirse. Las cosas eran en presente o no eran, existían mientras eran útiles, mientras servían.

—Yo... ni siquiera me despedí de ella —dice por fin Ilona, apoyando del todo la cabeza en la piel húmeda del hombro de Rocío, que, en un gesto mecánico, a punto está de apartarse a un lado, porque el contacto la coloca en un plano de igualdad con Ilona que la incomoda, un plano en el que no hay directora ni subordinada, sino únicamente dos mujeres solas sentadas de noche sobre el vacío, compartiendo un instante de intimidad y de confianza que no está segura de saber manejar. Sin embargo, el impulso queda solo en eso y el hombro no se mueve.

—Era mi amiga —oye decir a Ilona—. Agnes era mi amiga.

Rocío relaja la cabeza y, despacio, muy despacio, la apoya sobre la de Ilona, sintiendo por primera vez en mucho tiempo sobre la piel un calor que no es el propio. Entonces cierra los ojos y se nota exhausta, dolorida. Cuando percibe en la nariz el olor del pelo de Ilona, siente una punzada en el pecho y se le cierra la garganta. Es un olor fresco, limpio, tan humano y tan vivo que cierra los puños y aprieta con fuerza los ojos para no dejarse emocionar. La voz pequeña de Ilona dice desde abajo:

—¿Por qué desaparece siempre la gente que quiero? —Rocío vuelve a tragar saliva e inspira hondo al tiempo que una gaviota chilla en algún rincón del acantilado antes de que Ilona susurre de nuevo—: ¿Por qué nunca puedo despedirme?

Una segunda gaviota responde a la primera desde el aire y en la humedad de la noche una carcajada procedente del cenador reverbera contra el manto de quietud que cubre el jardín. La carcajada se funde poco a poco en su propio eco. Sobre el murete, Rocío inspira hondo y, sin apenas pensarlo, hace algo que no ha vuelto a hacer desde hace mucho, mucho tiempo: levanta la cabeza y deposita en la frente de Ilona un beso tan parco, tan desacostumbrado, que enseguida agradece la oscuridad que lo oculta del mundo.

Luego vuelve a apoyar la cabeza en la de Ilona y susurra, con una sonrisa de abandono:

—No lo sé, Ilona. No lo sé.

II

LA MÚSICA DE UN CHELO

UNO

—Mi confesión también es muy breve —dice Otto.

En algún rincón del edificio principal un reloj da la hora. Las once y media. Otto inspira hondo y recorre con la mirada las paredes y los ventanales del cenador, admirando, como lo ha hecho en múltiples ocasiones, la estructura circular de la sala y el artesonado del techo. Busca tiempo, aunque sabe que tiempo es precisamente lo que no tiene, y Clea aprovecha el pequeño paréntesis de silencio para volver los ojos hacia la puerta que comunica con la cocina. No le importaría tomar otra taza de té.

—Suelen serlo —replica Clea con una mueca de fastidio—. Breves. Las confesiones. A nuestra edad, al menos.

Otto sonríe. Su sonrisa no dura.

—A nuestra edad casi todo suele ser bastante breve, no solo las confesiones, ¿no le parece?

Clea clava en él una mirada que dice poco. Está impaciente y Otto, que recibe el mensaje al instante, suspira antes de hablar, quizá para darse valor.

—Se trata de mis infidelidades —dice por fin.

Clea chasquea la lengua.

—Eso ya lo ha dicho antes, señor Stephens.

—Lo sé.

—¿Entonces? ¿Alguna novedad que merezca la pena añadir? —pregunta ella, ladeando la cabeza.

—Bueno... —empieza él—. Más que añadir, yo diría «restar».

Clea arquea una ceja.

—¿Restar? ¿Cómo que restar?

—Sí. Restar. A mis infidelidades.

Clea suelta un bufido de impaciencia y busca un cigarrillo en el paquete con dedos nerviosos.

—Mire, señor Stephens, si vamos a empezar a jugar a las adivinanzas, mejor nos retiramos y damos la cena por terminada. No estoy de humor, la verdad.

Otto tensa entonces la espalda y agita la mano en el aire.

—No, no... si no son adivinanzas, señora Ross.

—¿Ah, no? ¿Y qué se supone que son entonces? ¿Refranes populares?

—No —responde Otto con un tímido esbozo de sonrisa—. Lo que intento decirle es que mis infidelidades no... no han sido tales.

Clea parpadea y se lleva el cigarrillo a los labios.

—¿Ah, no? —pregunta—. ¿Y cómo las llamaría usted, si puede saberse?

—Veo que no me está entendiendo.

—Puede ser. O quizá sea usted el que no se está explicando.

Otto inspira hondo.

—Muy bien. Se lo explicaré.

—Eso espero.

Otto intenta de nuevo una sonrisa y habla.

—No hubo tales infidelidades, señora Ross —empieza, cerrando los ojos durante un instante. Y, antes de que ella pueda decir nada, vuelve a hablar—: Ni una. Jamás le fui infiel a mi esposa —añade, bajando un poco la voz—. No hubo ni un beso, ni una caricia, ni siquiera el deseo de hacerlo. —Deja pasar un par de segundos antes de proseguir—: Esa es mi confesión. Extraña, lo sé. Pero es la verdad.

—¿La... verdad?

—Sí.

Clea echa despacio la ceniza en el cenicero y traga saliva. Luego carraspea una, dos veces.

—¿Quiere eso decir que...?

—En la vida de Otto Stephens no ha habido ninguna otra mujer —la interrumpe él con suavidad, moviendo la cabeza varias veces—. Nunca, señora Ross.

Hay de pronto unos segundos de silencio que se enredan entre las copas y el humo del cigarrillo de Clea, caracoleando sobre el mantel como notas sueltas de una melodía que no suena bien. Cuando los segundos se desvanecen, la voz de Clea llega frágil, reducida.

—¿Podría servirme un poco de agua, señor Stephens?

Otto busca la botella de agua con los ojos y se inclina sobre la mesa para llenar la copa de Clea.

—Está caliente.

—No importa.

Clea se acerca el agua a los labios y se toma la copa entera. Siente cómo el agua le resbala por la garganta, cayendo a plomo sobre el estómago lleno, y se lleva la mano al vientre.

—¿Se encuentra bien? —pregunta Otto con voz preocupada.

—Sí —responde ella—. Un poco cansada. Nada más.

—Ah.

Las puertas abatibles se abren de improviso para dejar paso al camarero, que se acerca deslizándose entre las mesas con una bandeja vacía en alto y una sonrisa de satisfacción en el rostro. Al llegar a la mesa, se planta entre Otto y Clea y pregunta:

—¿Desean algo más los señores o puedo recoger?

Silencio. El camarero mira a Otto. Otto mira a Clea y Clea clava una mirada amarga en el camarero.

—Tila. Doble —ladra, cerrando la mano sobre el paquete de cigarrillos. El camarero responde con una breve inclinación de cabeza y se vuelve a mirar a Otto.

—Para mí nada, gracias, Antonio.

—Muy bien. Si me disculpan...

Clea sigue con la mirada al camarero, que se aleja entre las mesas hacia la puerta. Cuando saca un cigarrillo del paquete, Otto cree ver en sus dedos un temblor que antes no estaba allí.

—Supongo que lo que acaba de decir no es más que otra muestra de ese sentido del humor tan... suyo, señor Stephens —dice Clea mientras las puertas abatibles se cierran tras el camarero.

Otto la mira y niega con la cabeza.

—No, señora Ross. Supone usted mal —responde con una sonrisa que la luz de los velones ilumina durante unos segundos.

—Entonces, ¿habla usted en serio?

—Totalmente.

Clea enciende el cigarrillo y aspira el humo despacio, fijando la mirada en la parpadeante luz de uno de los velones.

—Lo dice usted como si estuviera orgulloso —apunta—. Más que una confesión, habla como si estuviera dando una gran noticia, señor Stephens, y eso me hace dudar.

Otto parpadea. Dos profundas arrugas como dos pequeños rayos le cruzan la frente.

—Creía que le alegraría saberlo —dice—. Que le parecería una gran noticia.

—¿Alegrarme?

—Sí. Imaginaba que la ayudaría a verme de otro modo —añade—. Mejor.

—¿Mejor?

—Sí.

—Ya —suelta Clea, dejando escapar un bufido—. Entiendo. Debería verle mejor porque resulta que se ha pasado más de media vida dejando que su esposa creyera que le era infiel cuando resulta que no es verdad —dice entre dientes—. Claro. Cómo no.

Otto no sabe qué decir. Se aclara la garganta, pidiendo tiempo, pero Clea no está dispuesta a dárselo.

—Muy bien —dice—. Preciosa historia, señor Stephens. Le felicito.

Otto se lleva la mano al cuello y se retoca el nudo del pañuelo. La reacción de Clea no es ni de lejos la que había anticipado. Sorprendido, está sorprendido por lo que ve en ella y también por su propia ingenuidad, y todo parece indicar que es demasiado tarde para poner remedio a la tormenta que su confesión acaba de desatar en la mesa.

—¿El motivo? —pregunta Clea, sacando el humo por la nariz. Y al ver que él no responde, insiste—: Del engaño. Porque entiendo que habría algún motivo, ¿no?

Otto apoya la espalda contra el respaldo de la silla e inspira hondo.

—Supongo que tenía miedo —declara con un hilo de voz.

—¿Supone?

Otto asiente con la cabeza.

—Tenía miedo.

Una ceja arqueada. Humo. Clea.

—¿Miedo? ¿De qué?

Un hombro encogido. Carraspera. Otto.

—De que ella no quisiera seguir a mi lado. De no encontrarla en casa a mi regreso de algún viaje, qué sé yo... —Unos segundos de silencio. La espera tensa de Clea. El humo de Clea—. De que decidiera que la vida que yo le ofrecía no bastaba, de no ser suficiente —dice finalmente—. De... tantas cosas...

Al otro lado de la mesa, Clea Ross aplasta el cigarrillo en el cenicero y deja escapar una tos contenida.

—Ya —ruge—. Y, como tenía miedo, decidió que una mujer celosa es una mujer paralizada y que una mujer paralizada es una mujer que se queda. En su pequeñez, el gran director de orquesta entendió que si lograba que su esposa estuviera pendiente de no perderle, de... usted, evitaría que pensara en sí misma y se planteara dejarle. Es eso, ¿no? —Otto baja la cabeza y Clea cierra las manos sobre la servilleta antes de murmurar—: Dios mío.

Desde el exterior, el chillido de una gaviota resquebraja la tensión casi sólida que se respira ahora en el cenador. Su eco muere en el jardín, esperando una respuesta que no llega.

—Dios mío —repite Clea, abriendo y cerrando las manos sobre la servilleta en un gesto mecánico y rítmico como el de un bebé—. Es usted un demonio, señor Stephens —sisea de pronto, salpicando de saliva la copa de agua que tiene delante—. Un auténtico monstruo.

Otto levanta los ojos. En su mirada no solo hay desconcierto. Hay también decepción, y quizá arrepentimiento ante la propia torpeza.

—Creía que había dicho usted que los amigos, los de verdad, no se juzgan —dice.

Clea suelta una especie de risotada cargada de flemas antes de hablar.

—¿Y quién le ha dicho que usted y yo somos amigos?

Otto se encoge de hombros. Más.

—Creía que lo éramos.

—Y yo que era usted mejor persona.

—No diga eso.

—Digo lo que me da la gana —suelta furiosa.

En ese preciso instante las puertas abatibles se abren de golpe y el camarero aparece una vez más con la bandeja en alto. Otto y Clea guardan silencio a medida que él avanza hasta llegar a la mesa. Una vez allí, coloca la taza y una pequeña jarra humeante delante de Clea.

—Su tila, señora —anuncia—. Doble.

Clea le mira, pero no dice nada.

—Tenga usted cuidado —dice el camarero con una sonrisa de complicidad—. Con lo cargada que está, a ver si se va a quedar dormida antes de llegar a la cama.

Silencio. Clea tuerce la boca y traga saliva.

—Largo —sisea con una voz ronca y baja.

El camarero se queda donde está, perplejo no solo por el mensaje, sino también por el tono. No sabe si ha oído bien.

—Váyase —ruge Clea—. A la mierda. La tila y usted. —Y volviéndose hacia Otto, escupe—: Váyanse a la mierda, los dos.

—Señora... —empieza el camarero, que no consigue ocultar su asombro.

Clea ni siquiera se vuelve a mirarle. Tiene los ojos clavados en Otto. Chispean.

—¿Cómo puede haberle hecho algo así a una mujer? —suelta entre babas—. ¿Cómo ha podido ser tan cobarde? ¿Y tan... maligno?

El camarero carraspea, se apoya la bandeja en el pecho y da un paso atrás antes de volverse de espaldas y alejarse a toda prisa hacia la cocina. A su paso, las puertas abatibles vuelven a cerrarse con un par de chasquidos. En la mesa, Otto se pasa la servilleta por la frente, secándose el sudor que la baña de repente.

—¿Y qué... le hace pensar que su confesión es menos... horrible que la mía? —balbucea con la voz quebrada—. ¿Por qué su infidelidad es más perdonable que mi fidelidad? —pregunta visiblemente ofuscado—. ¿Cuál es, según usted, la diferencia? Dígame.

Clea Ross mueve la cabeza varias veces con lentitud y se levanta trabajosamente de la silla, apoyándose en la mesa y en el bastón. Coge luego el paquete de cigarrillos y el encendedor y, sin molestarse en responder, se vuelve de espaldas y se aleja despacio en dirección a uno de los grandes ventanales del cenador que da acceso al jardín, seguida en silencio por la mirada ansiosa de Otto. Cuando llega al ventanal, se detiene y apoya la mano en el marco de hierro.

—La diferencia, mi querido señor Stephens, es que mi confesión es mentira —dice, todavía de espaldas. Luego, dejando escapar un profundo suspiro, masculla, rompiendo el silencio de la noche—: No sabe usted cuánto me entristece que haya podido creerme capaz de algo así.

Sentado a la mesa, Otto retira la silla, a punto de levantarse.

—Yo... —empieza, apoyándose sobre el mantel. Pero su voz queda interrumpida de pronto por la mano alzada de Clea, que, sin volverse, ordena:

—No. Ahora no. Esta vieja necesita estar sola. Y pensar. Tengo que pensar —añade antes de dar un paso y dejar que la oscuridad la engulla entre las sombras del jardín.

Dos

Es la grandeza de una visión que quizá no vuelva a repetirse nunca.

Es lo que Clea Ross jamás permitiría que nadie viera. Lo que pocos, muy pocos, han podido ver de ella hasta ahora.

Es la vulnerabilidad de la vejez después de noventa años de lucha diaria bregando con y contra la vida.

Es lo más hermoso y lo más aterrador de la condición humana, eso es exactamente: el agotamiento de una anciana, ese velo que cruza el alma y que, visto desde fuera, nos recuerda que esto es finito, que la vida, con sus más y sus menos, también termina.

Es Ilona de pie en la terraza de la suite de Clea, oculta tras el inmenso *Pittosporum* que tapiza con sus cientos de hojas parte de uno de los ventanales. Ilona quieta, con los ojos clavados en la ventana, incapaz de apartar la mirada. Al otro lado del cristal, sentada delante del espejo, Clea acaricia mecánicamente el lomo de Rita, que parece dormir sobre sus rodillas, mientras va desmaquillándose despacio, dibujándose pequeños círculos sobre los ojos, la frente, las mejillas, el cuello.

Hay lágrimas en los ojos de Clea Ross. El algodón las barre despacio, una a una. El algodón barre, enrojeciendo la piel.

Desde la oscuridad de la terraza, la visión se alarga en el tiempo, suspendida durante unos minutos en los ojos de Ilona: la rigidez de esa espalda, los dedos cerrados sobre el algodón y la mirada velada, esas son cosas que Ilona no ve, prendida como está en la expresión de tristeza y de abandono que, protegida por la oscuridad de la noche, alcanza a vislumbrar en la imagen que ahora habla entre susurros con la espalda encogida.

Vieja.

Ilona traga saliva. Hace apenas unos meses la imagen era la misma: Kata ante el espejo, dejándose peinar. También era de noche y la primera tibieza de la primavera había invadido Budapest desde el sur, anunciando el verano temprano en la ciudad. Ilona la peinaba mientras en la radio sonaba una pieza para piano. Ligera, tímida, Liszt. De pronto, Kata levantó la mano y la cerró con suavidad sobre la suya. El cepillo se detuvo sobre el cabello. Kata intentó una sonrisa y dijo con un hilo de voz:

—No he sabido quererte de otra forma, hija.

Ilona tragó saliva, pero no dijo nada. Desde la llegada de la enfermedad, Kata actuaba así con frecuencia. Decía cosas que parecía haber estado rumiando durante años, sin conexión con nada que estuviera a la vista, conectada tan solo a lo que ya no estaba. Arrebatos de sinceridad. Quizá de demencia.

—Es hermoso que una hija pueda peinar a su madre —volvió a hablar—. Para la madre lo es —añadió, esta vez con una voz menos vacilante, todavía con la mano sobre la de Ilona—. Pero no quiero que sigas, hija. —Tiró de la mano hacia abajo—. No, no sigas.

Ilona la miró en el espejo, extrañada.

—¿Por qué, mamá?

Kata se llevó la mano de Ilona a la cara y, aspirando el olor de sus dedos, cerró los ojos durante un instante.

—Ya no hay nada que peinar —dijo, antes de abrirlos y rozar con sus labios secos la mano de Ilona—. Muy pronto ni siquiera habrá nada que mirar —añadió, clavando los ojos en los de ella—. Quiero que estés preparada.

Ilona recuerda el dolor, también el pinchazo en el pecho. En el espejo, Kata era una anciana digna, enferma y agotada que anunciaba su final, y ella, una mujer de cuarenta y dos años, sana, sola y asustada que no sabía decir adiós a su madre, y no porque no estuviera preparada para despedirse de ella, sino porque no sabía si sería capaz de vivir sin ella, sola la Ilona hija con la Ilona mujer, fundidas las dos en una.

—No —dijo. Luego cerró ella también los ojos durante un segundo, volvió a levantar el cepillo hasta el pelo de Kata y siguió peinando en silencio como si no hubiera oído nada. Su madre la observaba con una pena y un cansancio insondables en los ojos, como una muñeca anciana y paciente. Tristemente conformada.

Ahora la mirada es la misma. Los ojos de Clea se buscan en el espejo, cansados y extrañamente tristes, e Ilona se imagina de pie a su espalda, peinándola, sintiendo el calor que envuelve su cabeza y compartiendo con ella la intimidad de la caricia del cepillo. La intimidad y también la compañía. Y, durante esos escasos segundos de calor imaginado frente al espejo, en algún rincón del jardín un reloj da la hora y la medianoche despeja variables. En la mente de Ilona suenan de nuevo las palabras de Otto. La urgencia de su tono. El brillo ilusionado en la mirada.

—A las doce, señorita Ilona. No lo olvide. Es muy importante.

Ilona sonríe al recordar la visita de Otto al tiempo que la última campanada se funde con el silencio de la noche. En la suite, Clea ha dejado el algodón sobre el tocador y se ha agachado para depositar a Rita encima de la cama antes de volverse hacia la terraza justo en el instante en que Ilona se inclina para coger el chelo del suelo y se prepara para golpear el cristal de la ventana con los nudillos.

Clea se queda inmóvil donde está y se lleva la mano al cuello en un gesto automático. Dos profundas arrugas le surcan la frente. Los ojos todavía húmedos, la piel transparente a la luz de la lámpara. Tarda unos segundos en echar a andar hacia el ventanal y, cuando se mueve, lo hace despacio. Sin el bastón, la seguridad merma y las distancias no siempre son bienvenidas.

—Vaya, vaya —saluda , sacudiendo la cabeza y abriendo la puerta de cristal—. Parece que tenemos visita —dice en voz alta con un cariñoso gruñido que borra de una vez a la Clea abandonada y anciana de los últimos minutos frente al espejo. Ha vuelto la Clea de siempre. El personaje.

Ilona sonríe.

—Buenas noches.

Clea la estudia con la mirada y tensa la espalda.

—¿Pasa algo? —pregunta con un tono ligeramente alarmado—. ¿Estás bien, niña?

—Sí.

—Suerte la tuya —dice con un ligero encogimiento de hombros—. Eso es que no has salido por ahí a cenar con ningún terrorista emocional.

Ilona pone cara de no entender y Clea chasquea la lengua.

—Los hombres, hija —gruñe—. Menuda lacra.

La respuesta de Ilona es un simple suspiro por la nariz. Neutro. Encogido.

—Y dime, cielo, si estás bien, ¿qué te trae a estas horas por la celda de esta vieja? —pregunta, con un gesto de sorpresa—. No tendrás ganas de confesarte, ¿verdad? Porque te advierto que hoy tengo el cupo de confesiones más que cubierto. —Y, antes de que Ilona responda, añade con un bufido—: Bueno, más que cubierto, yo diría que lucido. Sí, lucidos hemos quedado todos esta noche del demonio.

Ilona no dice nada. Conociéndola como la conoce, sabe que si pregunta quizá se lleve un bufido y no se siente con fuerzas para hacer frente a uno de los arrebatos de Clea. Prefiere no adentrarse en arenas de las que seguramente saldrá malparada.

—¿Se te ha comido la lengua el gato, niña?

Ilona sonríe, moviendo la cabeza.

—¿Entonces? ¿Es que hoy celebramos el día mundial de las adivinanzas?

Ilona siente de inmediato una oleada de cansancio que la baña en una suerte de sopor incómodo. Demasiada tensión comprimida en las últimas horas. Demasiadas cosas en demasiado poco tiempo. De pronto, un fugaz río de imágenes pasa por su cabeza, resumiendo lo más reciente: el despacho de Rocío, el trayecto en coche a la ciudad, la ida y la vuelta, la iglesia, el banco, Miguel, el calor, la humedad, Rocío de nuevo...

Pesa. Todo lo que ha ocurrido durante este jueves de septiembre se le cae ahora encima, clavándola al suelo de madera de la terraza y aplastándole los hombros. «Quiero dormir», piensa antes de que Clea se apoye en el marco de la ventana y entrecierre los ojos sin dejar de mirarla.

—¿Seguro que estás bien?

Ilona tensa la espalda y deja escapar un suspiro.

—He venido a traerle esto —responde, inclinándose para coger la funda negra que hasta ese momento tenía de pie en el suelo, apoyada contra la pierna—. Es para usted.

Clea se echa ligeramente hacia atrás y frunce el ceño. Desde donde está, alcanza a ver tan solo un bulto negro que se funde con la oscuridad de la noche entre los brazos de Ilona.

—¿Para... mí?

—Sí.

—¿Qué es, hijita? —dice. Una sonrisa le ilumina los ojos—. ¿Un... arma?

La pregunta logra provocar un débil destello de risa tímida y cansada en Ilona, que se acerca a Clea con la funda en brazos hasta quedar iluminada por la luz procedente de la suite. Clea estudia con recelo la funda durante unos segundos.

—¿Un... chelo? —pregunta con la voz vacilante.

Ilona asiente.

—¿Para... mí?

—Sí.

Clea sacude la cabeza.

—Pero, niña... ¿cómo se te ha ocurrido...?

—No es mío —la interrumpe Ilona con un suspiro rendido.

Clea, que desde hace un instante tiene los ojos clavados en la funda, levanta la mirada.

—¿Ah, no?

—No.

Más ceño. Más arrugas. Dos manos crispadas alargándose automáticas hacia la funda negra.

—¿Le parece si lo metemos dentro? —dice Ilona.

Las manos se encogen. Clea hace un gesto de asentimiento. Despacio.

—Sí, claro —balbucea, haciéndose a un lado—. Ponlo ahí, encima de la cama —dice, entrando tras ella—. Sí, ahí, al lado de Rita.

Ilona pone el chelo encima de la cama y se retira a un lado, dejando paso a Clea, que se queda de pie junto a ella con los ojos clavados en la funda negra mientras el silencio se alarga entre las dos, apenas desbrozado por los débiles ronquidos de Rita, que sigue durmiendo, ajena a todo.

—Quizá debería abrirlo —dice por fin Ilona.

Clea no se vuelve a mirarla.

—Sí —dice, todavía sin moverse.

—Me refiero al sobre —insiste Ilona.

—¿El... sobre? —pregunta Clea, llevándose de nuevo la mano al cuello.

Ilona reprime una sonrisa. Nunca había visto a Clea así: tan desconcertada, tan pillada en falta y tan... niña. Decide acercarse a la funda y desengancha el sobre de la cubierta para dárselo a Clea, que lo recibe con una mano poco entrenada para las sorpresas.

—Esto no será... una broma, ¿no?

Ilona niega con la cabeza.

—¿Seguro?

—Sí.

Es un sobre pequeño. Los dedos huesudos de Clea se manejan mal y a punto están de dejarlo caer al intentar romperlo. Por fin, entre gruñidos y un par de maldiciones, lo muerde, rasgándolo por uno de los laterales y escupiendo el papel blanco, que aterriza sobre el lomo dormido de Rita. Luego saca la tarjeta y deja caer el sobre al suelo.

Silencio. La mano tiembla en el aire. La voz también.

—«¿Cuando volverá a tocar, Clea?» —lee. Luego respira hondo una, dos, tres veces sin apartar los ojos de la nota, que sigue temblando entre su índice y el pulgar como una ventana mal cerrada, hasta que baja la mano y la nota queda colgando contra su pierna—. ¿Cuándo volverá a tocar? —repite con un hilo de voz, clavando la mirada primero en el chelo y después en su imagen reflejada en la oscuridad de la ventana. El cristal le devuelve también la imagen de Ilona, que, a su lado, la mira de perfil.

En el cristal, Ilona sonríe. Clea no.

—Qué fácil —murmura. Luego se vuelve a mirar a Ilona y le tiende el papel—. Qué fácil y qué típico de los hombres como nuestro señor Stephens creer que un simple regalo arregla un gran dolor —añade, alzando la voz—. Que a las mujeres se nos gana con los detalles, como si fuéramos niñas toda la vida. Niñas caprichosas, claro. Nosotras, la niña, y ellos, el papá paciente que nos compra el algodón de azúcar en la feria para que nos llenemos la boca de esa porquería pegajosa y no podamos hablar porque hablar con la boca llena está feo.

Ilona saluda el comentario con un parpadeo. Confusa, está confusa. Clea cierra la mano sobre la nota y la arruga sin contemplaciones.

—Qué ciego, señor Stephens —vuelve a la carga—. Qué ciego y qué poco hombre. —Da un paso hacia el chelo y se vuelve bruscamente a mirar a Ilona—. Llévatelo, niña —ordena—. Sácalo de aquí —ruge, apretando los dientes y buscando el bastón con los ojos.

—Pero, señora Ross...

—Pero, señora Ross, nada. —Y, acercándose al tocador, se apoya en el respaldo de la silla—. Llévatelo y devuélvele su regalo a tu amigo el director —ladra—. Y dile de paso que la señora Ross no se vende por un chelo, que la amistad no se compra con detalles, por muy caro que haya pagado el monstruo que hay enterrado ahí dentro.

Ilona deja escapar un suspiro.

—Y dile que ha gastado su dinero en balde.

Los labios de Ilona dibujan una mueca de malestar.

—Creo que se equivoca, señora Ross.

Clea se vuelve bruscamente hacia ella.

—¿Ah, sí?

—Sí.

—Qué sabrás tú.

—Creo que juzga usted mal al señor Ste...

—¿Que juzgo mal? ¿Yo? —la interrumpe Clea, visiblemente encendida—. Claro, la vieja Clea juzga mal porque ya no rige. Cómo no. Clea juzga mal y el viejo Otto lo hace todo bien. Y es tan bueno que la pequeña Ilona ha venido a defenderle porque él solo no se atreve.

Ilona se encoge de hombros y baja un poco la cabeza.

—Yo no he dicho eso —murmura con voz cansada.

—No. Tú no has dicho eso porque tú no dices nada, hijita —suelta Clea con la boca arrugada—. Tú haces y ocultas, que es como sobrevivimos muchas: haciendo, ocultando y no diciendo.

Ilona levanta la cabeza. En sus ojos hay una sombra que Clea no alcanza a ver. Es desconfianza y es sorpresa. Y miedo, también es miedo.

—Yo... no estábamos hablando de mí —se defiende con un hilo de voz.

—¿Ah, no? ¿Y por qué no? —sisea Clea—. Estamos hablando de lo que me da la gana —escupe—. Hablamos de la vida, Ilona. De la mía, de la de ese idiota de Otto Stephens, de la tuya... qué más da si todas son lo mismo. ¿O es que crees que por vivir callando tu vida es distinta de la nuestra? ¿Que eso te hace qué? ¿Mejor? ¿Especial? ¿Distinta?

Ilona da un paso atrás y frunce el ceño.

—Yo no he dicho eso —repite, pasándose la mano por la mejilla en un gesto inconsciente.

—Mírate —ladra de nuevo Clea—. Mira lo que eres, niña. Aquí encerrada cuidando por dinero a dos viejos chiflados que solo tienen ojos y oídos para lo que ya han vivido, porque ahí fuera, donde debería estar la vida, ya no les queda nada. Nadie que les llore, que les busque, que les eche de menos. Mírate, Ilona. ¿Qué ves?

Ilona traga saliva.

—Yo te lo diré, hija —continúa Clea, retirando las manos del respaldo de la silla y empezando a avanzar despacio hacia ella desde el tocador. Esta vez habla con una voz extrañamente dulcificada y es esa repentina dulzura la que zarandea de pronto las precarias resistencias de Ilona—. Tienes miedo, hija. Miedo a quererte un poco, a no saber hacerlo bien. Y miedo a la vida, a que las cosas cambien y dejen de ser como han sido siempre, porque crees que si sigues conformándote con nada, seguirás recibiendo un poco. Alguien te debió de meter en la cabeza que la humildad tiene premio y tú te lo creíste. Sí, la buena de Ilona se conforma con que la vida no le haga daño. Ni siquiera felicidad pide —dice, dando otro paso—. Pues tengo malas noticias para ti, querida —sisea—. La vida hace daño, y mucho. Sobre todo a quienes no le piden nada. ¿Y sabes por qué? Porque la vida no te oye si no hablas para pedir. Es así de simple. Y así de triste.

Un paso más. Pequeño. De anciana. La voz se acerca más a la de la Clea que minutos antes se miraba a solas en el espejo. Una voz hacia dentro. Clea hablándole a Clea.

—Malaventuradas las que callamos, porque nadie habrá de oírnos nunca —dice con la mirada velada antes de detenerse—. Mírate, niña —insiste con una voz cansada—. Estás escondida y te has hecho pequeña para que la vida no te vea porque todo te duele demasiado.

Ilona parpadea. Siente un nudo en la garganta que se cierra cada vez más, racionándole el poco aire con el que desde hace unas horas intenta mantenerse a flote. Traga saliva. Y con la saliva llega también la sal.

—Sí, hija. Así estás y así te vemos los que te queremos —sigue Clea, dando un paso más que prácticamente la coloca delante de Ilona—. Escondida. Dolida. Débil.

Ya no hay más pasos. Clea se planta delante de Ilona, que encoge los hombros, arqueando ligeramente la espalda.

—Aterrada.

Ilona traga de nuevo y se lleva la mano al cuello.

—Y embarazada.

Silencio. Mandíbulas contraídas. Carraspera seca. Ilona.

—¿Verdad, hija?

Silencio.

—¿De cuánto estás?

Silencio.

—¿Y el padre?

Silencio.

—¿Lo sabe?

Silencio.

—¿Y no piensas decírselo?

Silencio.

La mirada de Clea recupera su brillo. Entre el silencio y su pregunta hay un segundo de tensión que se expande y se contrae entre las dos mujeres como un latido de aire comprimido. La pregunta llega por fin.

—¿Vas a tenerlo?

El parpadeo de Ilona quiebra la tensión. Su voz la modera.

—No... puedo.

Clea busca con los ojos el paquete de cigarrillos que está encima de la mesita de noche, a la izquierda de Ilona. No se mueve.

—No quieres.

—No puedo.

—No te atreves.

—Estoy cansada.

—No, hija. Estás asustada, que no es lo mismo. Y eso agota, créeme.

—Sí —murmura Ilona. Luego, baja la mirada y se masajea el cuello con una mano mientras hace, despacio, un gesto negativo con la cabeza—. No puedo. —Antes de que Clea tenga oportunidad de hablar, añade—: No quiero pasar por lo mismo que tuvo que vivir mi madre conmigo. No... lo soportaría.

Clea arruga los labios en una mueca de fastidio.

—¿Qué es exactamente lo que no soportarías? ¿Tener a tu niño sola? ¿Ser madre? ¿O tal vez ser como tu madre y que con el tiempo tu hija te juzgue como lo haces tú con ella?

Ilona cierra los ojos. «Esto duele —quiere decirle a Clea—. Duele y no ayuda».

—No soportaría... equivocarme tanto —responde en cambio con un hilo de voz—. Sufrir tanto. Luchar tanto. Y tan sola.

Clea levanta la mano y la pone sobre el brazo de Ilona. Está frío.

—Quizá no estés tan sola como crees, niña. —Una sonrisa que no llega a ser tal interrumpe durante un instante el rictus contraído del rostro de Ilona—. Quizá la vida tenga un plan para ti y esto no sea más que el principio. Quién sabe —murmura—, con la vida una nunca sabe. Te lo digo por experiencia.

Ilona pone su mano sobre la de Clea y la aprieta suavemente con los dedos.

—Estoy tan cansada...

—Ya lo sé, hija —dice Clea con una sonrisa triste—. Todos estamos cansados —murmura—. Ha sido un día difícil.

—Sí.

—Será mejor que nos vayamos a dormir.

Ilona hace un gesto de asentimiento y acaricia distraídamente la mano de Clea.

—Mañana no hace falta que vengas. No te necesitaré —dice Clea, dejándose acariciar durante un breve segundo—. Tómatela libre y descansa. Te hará bien.

—Muy bien.

—Y no tomes ahora ninguna decisión de la que más tarde puedas arrepentirte —añade Clea—. Date un poco de tiempo y piénsalo bien. También eso te lo digo por experiencia.

Ilona retira despacio la mano y echa a andar hacia el ventanal, rodeando la cama. Cuando está a punto de llegar a la ventana, se detiene y se vuelve a mirar a Clea, que en ese momento se ha inclinado sobre la mesita de noche para coger el paquete de cigarrillos.

—No lo ha comprado —dice Ilona con la voz neutra y los ojos brillantes de sueño.

La mano de Clea queda suspendida sobre el paquete como un nubarrón eléctrico.

—¿Cómo?

—El chelo —explica Ilona. Al otro lado de la cama la mano de Clea se cierra, huesuda, sobre la cajetilla—. El señor Stephens no lo ha comprado.

Clea gira la cabeza. Una arruga le corta la frente en dos. Luces y sombras sobre su rostro desde la lámpara.

—¿Ah, no?

—No.

La cabeza inclinada de Clea. Los dedos buscando un cigarrillo. La frente arrugada. Más.

—¿Entonces?

Ilona deja escapar un leve suspiro antes de responder.

—Lo ha hecho él. Los dos. A cuatro manos. Durante estas semanas.

Clea traga saliva y tensa la espalda. Luego se aclara la garganta.

—¿Los... dos?

—Sí.

—Pero...

—Cuando empecé a trabajar con él —la interrumpe con suavidad Ilona—, el señor Stephens me pidió que dedicáramos las horas que íbamos a pasar juntos a construir un chelo. Insistió en trabajar conmigo, en participar desde el principio. Y así lo ha hecho. Todos los días.

Clea enciende un cigarrillo con una mano ligeramente temblorosa. Al instante, el humo caracolea desde sus labios entreabiertos mientras sus ojos brillantes circulan acelerados en sus órbitas, recorriendo parte de la habitación.

—Pero, niña...

—«Si no me deja participar, no servirá», dijo el día que me propuso ayudarme a construirlo. Luego añadió: «Si no puedo ayudarla a construirlo, habré perdido. Lo habré perdido todo, porque ya no habrá tiempo para más». Yo no le entendí. Cuando quise preguntar, él no supo explicar. Simplemente dijo: «El chelo es mi última oportunidad para reparar un daño que no sé si tendrá perdón».

Clea se sienta despacio encima de la cama con el cigarrillo en alto y la mirada perdida en el suelo. No habla. Solo respira humo y nicotina, buscando a tientas con la mano la funda del chelo y, cuando finalmente la encuentra, la deposita encima, anclándola en el cuero negro.

—No pude negarme —continúa Ilona, cerrando los ojos durante un instante de puro agotamiento—. Y ahora me alegro. El señor Stephens ha puesto el alma en cada una de esas piezas. —Y, volviéndose de espaldas, antes de atravesar la puerta de cristal que separa la habitación de la oscuridad que reina fuera, añade—: Es un chelo precioso. Y es suyo, señora Ross. Suyo porque un hombre lo ha construido para usted. Para que lo toque.

Clea ni siquiera se vuelve para verla salir. Se queda donde está, con una mano sobre el fondo negro y sosteniendo en la otra el cigarrillo, que ahora se consume intacto en alto, manchándola de humo. Y así sigue durante unos minutos más, hasta que siente el calor del cigarrillo en los dedos y lo apaga despacio en el cenicero. Después traga saliva, inspira hondo y tira de la funda hacia ella. Cuando la tiene al lado, abre los cierres lentamente, contrayendo dedos y tendones con cada uno de los chasquidos metálicos, hasta que levanta la tapa.

Hay un parpadeo en los ojos de Clea. Y hay también un crujido que cuesta identificar y que llega desde algún rincón de lo que no es piel ni tampoco hueso. El chelo brilla a la luz de la lámpara como un espejo de ámbar y ella entrecierra los ojos, deslumbrada por el reflejo y por la propia emoción. En lo que encierra el marco negro de la funda hay un chelo, hay un arco y hay también un pequeño dedo de madera, redondo y pulido, sobre el cuerpo barnizado del instrumento. Clea lo estudia con la mirada antes de cogerlo delicadamente. Es un alma, esa diminuta columna vertebral sin la que las cuerdas tocan mal, la que afina la voz del chelo, la que le da la vida. Clea la sostiene entre el índice y el pulgar y se la acerca a los ojos. Sobre la suavidad de la madera, tres palabras grabadas a mano. Parco el mensaje. El contenido no.

Lo siento tanto.

Clea cierra los ojos y traga saliva una, dos, tres veces. Cuando cree haber vuelto a encontrarse la voz, murmura al vacío de la habitación:

—No vas a hacer llorar a esta vieja, Otto Stephens.

Entonces aprieta los dientes, deja el alma encima de la cama y saca el chelo y el arco de la funda. Luego se levanta despacio, se acerca al tocador, se sienta en la silla frente al espejo, se coloca el chelo contra el pecho y descuelga el teléfono con una mano temblorosa.

Tres

Insomnio.

Una tímida campanada se filtra entre el silencio nocturno de Buenavista mientras en el apartamento situado en lo alto del edificio principal el sueño tarda en llegar. Rocío aparta la sábana a un lado, enciende la lámpara de la mesita de noche y mira la hora en el despertador digital. La una.

—Mierda —sisea entre dientes, pasándose la mano por la cara al tiempo que se sienta en la cama y toma un poco de agua del vaso de plástico que siempre tiene sobre la mesilla. Está nerviosa, nerviosa porque sabe que para una mujer con sus horarios las horas de sueño son preciosas y porque intuye que lo que ha de llegar con la luz del día no será fácil. No, no va a ser un día fácil. Clea Ross y Otto Stephens aparecerán en su despacho a las diez. Ilona está citada tres horas más tarde.

Rocío sabe que la decisión de sus dos clientes puede modificar la situación de su empleada en el centro y es precisamente ese «puede» lo que la mantiene despejada. No es amiga de los imprevistos ni de las sorpresas, pero sobre todo es enemiga declarada de la dependencia de la volubilidad ajena, en lo profesional y también en lo personal. En el caso que la ocupa, sabe que con Clea Ross y con

Otto Stephens las variables que se barajan no son solo dos y que lo que ambos han de comunicarle no será un o todo o nada. Habrá complejidades, seguro. Y las habrá porque el ser humano es así, sobre todo los ancianos: ricos en su complejidad, simples en su expresión. La que la espera en unas horas será, como suele decirse a veces en situaciones semejantes, una operación complicada, porque hay sensibilidades en juego, sobre todo una, la de Ilona. Clientes, trabajadores, decisiones, explicaciones, responsabilidades... Rocío de repente está cansada, aunque no sabe de qué. «De esto —piensa, recorriendo la habitación con los ojos y volviendo a clavar los ojos en el reloj—, y de lo que no es esto. Cansada de tanta tensión», añade sin voz, masajeándose distraídamente el cuello.

—Aunque nadie dijo que fuera a ser fácil —dice en voz baja, volviendo a dejar el vaso en la mesilla. Luego vuelve a acostarse, apoya la cabeza sobre la doble almohada y cierra los ojos.

En la penumbra de sus párpados cerrados, el rostro de Ilona vuelve a la vida. Rocío la ve de nuevo como la ha visto hace un rato en el jardín, con la mirada perdida en la oscuridad que rodea el acantilado, y siente también el peso de su cabeza en el hombro. Como lleva haciendo a menudo durante los últimos días, ensaya en silencio una explicación con la que suavizar la verdad en caso de que la decisión tomada por Clea y Otto sea la que teme. Busca palabras, corrige tonos, imagina miradas, respuestas, reproches... baraja posibles reacciones y actitudes entre las que se alternan una Ilona triste y decepcionada con una Ilona herida, herida por el engaño y también por la falta de confianza.

—No deberías haber accedido a esto, Rocío —susurra ahora con la boca pegada a la almohada—. No está bien. No, no está bien. —Durante los segundos que siguen, las voces siguen poblando su cabeza, mezclándose en un denso torbellino de frases todavía no dichas que hacen imposible el descanso. Rocío se sienta de nuevo en la cama y se cruza de brazos con un suspiro de desesperación—. Está bien —dice, volviéndose hacia la mesita y abriendo el cajón de un tirón. Del interior del cajón saca un blíster de pastillas azules, extrae una de su minúscula cápsula de plástico transparente y se la coloca en la palma de la mano. Luego coge el vaso de agua y chasquea la lengua. Vacío. Un nuevo suspiro. Sin poder reprimir una mueca de fastidio, se levanta con el vaso en la mano y se dirige al cuarto de baño, pasando descalza por delante de la terraza desde la que se domina el jardín, ahora sumido en sombras. Un instante más tarde se detiene en seco.

El ceño fruncido. La cabeza ligeramente ladeada. El vaso vacío en alto. Rocío se queda donde está durante un par de segundos, alerta e inmóvil. «Viene de fuera», piensa, apretando los dedos alrededor del cristal y retrocediendo los dos pasos que la separan del ventanal.

Silencio. El ceño se distiende, el cuello vuelve a relajarse. Rocío parpadea, confusa. Unos segundos de espera. Cuando por fin se dispone a dirigirse de nuevo hacia el baño, vuelve a oírlo, está vez más claro, más real.

Al abrir el ventanal, el aire tibio entra a raudales desde el jardín, bañándola en una nube de olor. Algo hay ahí fuera que no debería estar, una pieza que rompe la matemática perfecta de Buenavista y que una vez más activa en ella todas las alarmas. Algo que molesta.

Es un zumbido ligero. Un quejido salpicado de pequeñas voces como las cuentas de un collar de cristal. Un hilo de ruido.

Música.

En efecto: un hilo de música se enrosca, apenas audible, entre la glicina que cubre gran parte de la fachada delantera del edificio principal, barrido por la brisa húmeda que sopla desde el agua. Desde las alturas, Rocío escucha, inmóvil. Incrédula al principio, confusa después.

¿Música?

¿En Buenavista?

¿De madrugada?

Más abajo, al abrigo de la noche y de la música, ocurren cosas que los ojos de Rocío no pueden ver. Son escenas solitarias, no compartidas.

Al este, Clea sentada de espaldas al tocador con el teléfono descolgado a su lado. Tiene los ojos entornados. El chelo apoyado al hombro. Barbilla contra barniz, barniz sobre madera. Un brazo de músculos flacos sube y baja en el aire. Las manos tensas. Los dedos cerrados sobre el arco y la piel transparente descubierta por la luz de la lámpara. La cabeza se bambolea imperceptiblemente. Clea está y no está. Es más música que Clea.

Al oeste, en el ala opuesta del edificio, suena en ese momento el teléfono. Otto Stephens se vuelve sobresaltado a mirarlo. Está sentado en la cama, todavía vestido, con la espalda apoyada en el cabecero y las gafas puestas. Tras un instante de vacilación, aparta a un lado el sobre y las fotocopias de los artículos y publicaciones en los que aparecen las decenas de Ottos con sus acompañantes recuperadas para él por Clea y deja que el teléfono vuelva a sonar mientras coge el aparato y se acerca la pantalla a los ojos.

El corazón se le encoge en el pecho y carraspea una, dos veces, al ver el mensaje que parpadea despacio sobre el fondo blanco de la pantalla:

Llamada. Suite número 6.

En un gesto puramente inconsciente, se pasa la mano por la coronilla para peinarse el pelo que le ha quedado aplastado por el cabecero. Luego traga saliva y pulsa el botón verde del aparato.

—¿Sí?

Al otro lado de la línea nadie contesta, ni siquiera una respiración. No hay voz.

No hay voz, no.

Solo música.

Otto se aleja el aparato de la oreja y vuelve a mirar la pantalla. El mensaje sigue siendo el mismo.

Hay alguien al otro lado y ese alguien es Clea Ross.

Hay alguien que llama y hay un chelo que vuelve a tocar una pieza que él conoce bien porque dice mucho y porque llega cargada de memoria. Es una pieza con historia. Común.

«El pecho. Me duele el pecho», piensa, frotándose despacio el esternón. Al otro lado de la línea suena Bach entre los dedos de Clea Ross y él vuelve a apoyar lentamente la espalda contra el cabecero de la cama hasta quedarse así, inmóvil, frotándose el pecho, con los ojos fijos en algún punto de la ventana y la garganta cerrada al aire.

Lo que Rocío no ve desde la terraza es que en la suite número 6 de Buenavista esta madrugada de septiembre una anciana arranca acordes a un chelo mientras al otro lado del teléfono un hombre pone voz, palabras y tono a cada uno de esos acordes con los ojos entornados, la respiración entrecortada y una inmensa sonrisa en los labios.

Y que entre ambos se encoge la noche bajo una espera que ha tocado a su fin, porque Otto Stephens y Clea Ross han llegado. Han vuelto.

Lo saben ellos. Nadie más.

Sobre sus cabezas, desde la terraza, Rocío sigue abandonada a la hipnótica hermosura del chelo, incapaz de imaginar que lo que para ella es música, para Otto Stephens es un antes y un después de la vida, un «ven», un «para ti». No, Rocío no imagina porque no se da el tiempo para hacerlo y porque de pronto la música evoca en ella cosas que duelen, un tiempo en el que todo estaba por hacer, por llegar, y había fotos en los marcos porque había quien decía que no se iría nunca. Había con quién hacer, con quién proyectar, en quién confiar. Pero eso ya no es, y la Rocío íntima, la que durante un destello de emoción se ha abandonado a unos simples acordes de nocturnidad en la terraza de su apartamento, da paso a la otra, a esa mujer reconstruida en ángulo recto a la debilidad que dentro de unas horas deberá gestionar, decidir y prevenir, y es esa Rocío la que, tras un instante de desconcierto, entiende que no puede ni debe ser, que la música no es compatible con el descanso y que en Buenavista la noche es territorio del sueño y el ruido, un desorden que hay que erradicar.

—No son horas —murmura, arrugando los labios al tiempo que se vuelve de espaldas a la terraza y con un par de firmes zancadas entra de nuevo a su habitación.

* * *

En los escasos diez minutos que Rocío tarda en vestirse y bajar al jardín, la noche ha movido pieza a sus espaldas. El escenario es el mismo, pero los personajes ocupan lugares distintos. En cuanto emerge del edificio principal y baja al sendero de grava que bordea las dos alas donde están las suites, Rocío localiza la dirección de la que procede la música que sigue malbaratando, ahora con un volumen preocupantemente alto, el silencio de la noche.

—Clea Ross —sisea entre dientes—. Claro. Cómo no —añade, echando a andar por el césped. A su espalda, un reloj da la media con un tintineo sordo que el chelo de Clea ahoga entre sus cuerdas.

Cuando, instantes después, Rocío emerge de la breve espesura del bosquecillo central del jardín, lo que ven sus ojos la obliga a detenerse bruscamente sobre sus pasos. Sobresaltada. La visión que la recibe ahora es tan inesperada que busca a tientas con una mano el tronco de un plátano y se lleva la otra a la mejilla en un gesto que no recuerda haber hecho desde hace mucho tiempo. La humedad parece ahora más sólida y la voz líquida del chelo resuena como si el aire fuera solo eso, música y oído, nada más.

«Dios», se oye pensar, tragando saliva y dándose un tiempo para respirar. Delante de ella, junto a la verja que separa la terraza de la suite número 6 del jardín común, una figura espera, inmóvil. Rocío contiene la respiración y entrecierra los ojos, ligeramente deslumbrada por la luz que procede del interior de la suite, hasta que la silueta adquiere nitidez, perfilando sus contornos.

—Ilona —susurra casi sin mover los labios.

Es Ilona, sí. Está de espaldas a Rocío y algo se mueve a sus pies. Rocío reconoce en la pequeña figura blanca a Sebastián, el viejo perro sordo con el que la ha visto pasear algunas veces.

Aunque su primer impulso es acercarse a ella, lo piensa mejor y opta por esperar. Hay algo en la postura de Ilona, en su inmovilidad, que la pone en alerta. Más allá, desde el interior de la suite, el chelo suena ahora como una voz grave y triste. Rocío vuelve a acariciarse la mejilla y, tras unos segundos de vacilación, decide acercarse.

Un paso, dos. Ilona está ahora a un metro escaso. Sigue sin moverse, tan absolutamente quieta contra el resplandor que la enmarca que parece irreal. Rocío se desplaza ligeramente a un lado y avanza un poco más en diagonal a ella hasta que alcanza a distinguir su perfil recortado contra la penumbra del jardín y también el ventanal de la suite justo en el momento en que la música se da un respiro de silencio y todo —el aire, el jardín, Ilona, perro, madera, tierra, grava y humedad— queda suspendido en el aire de la noche como un pálpito contenido, encapsulado en un presente casi brutal.

Desde el lugar que ocupa, Rocío entiende en esa décima de segundo que lo que ven sus ojos está ahí, al otro lado de un cristal que no existe, pero que ella está segura de poder tocar. Es un cristal que une lo que ocurre en la suite y la mirada velada de Ilona con un hilo de algo a lo que no sabría poner nombre, pero que tiene y da luz propia, oscureciendo todo lo demás. Traga saliva, cautivada por ese hilo que la convierte en mera espectadora, al tiempo que sus ojos barren despacio la escena.

En la suite, Clea toca sentada en la silla. Tiene los ojos abiertos y una extraña expresión ausente en el rostro. Delante de ella, sentado en el borde de la cama con la espalda encogida, Otto la mira, inmóvil, con las manos entrelazadas y la cabeza ligeramente echada hacia atrás. Su postura es la de un niño emocionado y su sonrisa, tan concentrada y tan íntima que Rocío aparta al poco la mirada, casi avergonzada.

Pero la vergüenza dura poco, sustituida al instante por una suerte de alivio. A juzgar por lo que ve, entiende de inmediato lo que debe esperar de la reunión que dentro de unas horas mantendrá con Otto Stephens y con Clea Ross. Sabe cuáles serán las noticias y también cuál la decisión, y sabe también que estará preparada porque juega con ventaja. Sonríe, aunque la sonrisa queda truncada cuando su mirada se retira de la ventana para reposar en el rostro de Ilona.

Luz. Eso es lo que refleja la mirada de Ilona. Delante de la verja, con la mano apoyada en la madera, sonríe y llora a la vez, sin apartar los ojos del ventanal. Y es tanta la intensidad de esa luz y tanta la felicidad que Rocío lee en su rostro que de pronto quiere decirle que no siga mirando, que baje los ojos y se retire de la verja, porque lo que hay al otro lado del ventanal esconde un secreto que dentro de unas horas dejará de serlo, y cuando eso ocurra, cuando en la blancura hospitalaria de su despacho se siente a hablar y le toque explicarse, lo que ahora es luz quedará teñido de sombras que quizá cubran por completo el cielo de Ilona.

Entonces llegará la tormenta.

«Apártate, Ilona —piensa, volviendo a acariciarse la mejilla—. Aléjate».

Pero Ilona sigue donde está, ajena a todo lo que no es Clea y Otto encerrados en su cápsula de cuerdas y cristal, unida a lo que ve como si también ella formara parte de la imagen. Y viéndola así, tan entregada, Rocío entiende que ha llegado tarde, que las cosas probablemente hayan ido demasiado lejos y que la emoción ha burlado los cálculos, los de Otto, los de Clea y sí, también los suyos.

Desde su rincón de oscuridad sacude la cabeza, consciente de que, si no supiera lo que sabe y alguien le preguntara «qué ves», ella no dudaría en responder:

«Una familia. Veo una familia».

Ahora, viendo los ojos de Ilona y la emoción que los ilumina, entiende que la respuesta de Ilona sería también esa. Que ese es el deseo. Y la ilusión. Quizá también la esperanza.

Una familia.

Segundos más tarde, Rocío se vuelve de espaldas y despacio, muy despacio, se adentra sigilosamente en la espesura del bosquecillo. Camina cabizbaja. Triste.

Son pocas las horas de sueño que la separan de la mañana.

III

EL ALMA DEL MUNDO

Uno

Un trueno cruje en algún rincón del cielo al otro lado de la ventana. El día ha amanecido gris y el aire pesa dentro y fuera, cargado de una humedad casi líquida. Desde primera hora de la mañana, las nubes grises se deslizan sobre el mar, salpicadas de electricidad.

El reloj blanco marca la una y cuarto. Sentadas la una delante de la otra, Rocío e Ilona llevan unos minutos hablando. El marco vacío ha desaparecido del escritorio.

—No lo entiendo —dice Ilona. Tiene el ceño fruncido. Una sombra de confusión le vela los ojos, cuyas pupilas circulan, inquietas, por el espacio en blanco que rodea la cabeza de Rocío.

Rocío pierde durante un instante la mirada en el inmenso nubarrón negro que navega por el ventanal que comunica con el jardín. Luego inspira hondo.

—No seguirás acompañando a ninguno de los dos, porque a partir de mañana tendrás a tu cargo a un nuevo cliente —dice con una voz que quiere ser amable y determinante a la vez—. A tiempo completo —añade con una sonrisa parca—. Te quiere a tiempo completo.

Ilona niega despacio con la cabeza y traga saliva.

—Pero... —empieza, retorciéndose las manos sobre las rodillas—. Tú me dijiste que...

—Te dije que no podía decirte nada hasta hoy, porque todavía se estaban barajando algunas variables.

—Sí.

—Y también te advertí de que no debías encariñarte con tus clientes.

Ilona asiente con la cabeza. Es un gesto mecánico, sin vida.

—Pero Otto y Clea son... especiales.

—No, Ilona. El señor Stephens y la señora Ross no son especiales —interviene Rocío, cortante—. Son clientes de Buenavista como otros cualquiera. Eres tú la que les ha hecho especiales. Para ti lo son. Solo para ti.

Ilona baja la mirada y encoge los hombros.

—Las variables se han zanjado hoy, Ilona. Esta mañana —anuncia Rocío, poniendo las palmas abiertas encima del escritorio—. El señor Stephens y la señora Ross han decidido abandonar el centro esta misma tarde.

Ilona inclina ligeramente la cabeza.

—¿Cómo?

Rocío tensa el cuello. «Esto no va a ser fácil», piensa sintiendo la boca seca.

—Se van, Ilona. Clea y Otto se van.

Ilona parpadea. La cabeza se inclina unos grados más.

—Pero... ¿así? ¿Sin avisar?

Rocío busca el botellín de agua con los ojos. «En el bolso —piensa aliviada—. Tengo uno lleno en el bolso».

—Sabíamos que podía ser algo temporal —declara—. Ya lo habíamos hablado.

Ilona no dice nada. Está de pie al borde de un pozo de aguas desconocidas de las que hasta el momento solo alcanza a oír el susurro.

—Sí —murmura.

—Eran tres meses de prueba.

—Sí.

—Hoy ha expirado el plazo y han decidido marcharse.

Los ojos de Ilona buscan los de Rocío, que aguanta su mirada durante apenas un instante y luego parpadea. Ilona deja quietas las manos sobre las rodillas antes de cerrarlas imperceptiblemente sobre el hueso.

—Sin decir nada... todas estas semanas... y anoche... —murmura, recorriendo la ventana que encuadra a Rocío y en la que ahora un jirón grisáceo se funde con una capa blanca y espesa de nube. En el contacto de gris y blanco, un destello seguido por el rugido de un trueno.

Ilona vuelve a mirar a Rocío. Los ojos abiertos. Interrogantes.

—¿Ha pasado algo?

Rocío niega con la cabeza y, ante la negativa, Ilona arruga la frente. Los ojos vuelven a asomarse a la oscuridad del pozo. «No lo entiende —piensa Rocío—. Y no me extraña». Ilona parpadea y se masajea despacio una rodilla. Las arrugas que le cruzan la frente parecen haber estado ahí siempre. Cuando vuelve a hablar, lo hace con una voz pequeña, tan preocupada que Rocío siente que algo se le descoloca en alguna parte que no alcanza a localizar.

—Es por mí, ¿verdad? —dice Ilona con una sonrisa triste, llevándose la mano izquierda a la sien y empezando a frotarse la piel con la yema del índice y del dedo medio. Rocío traga saliva—. ¿He hecho algo que...?

—No, Ilona —la corta Rocío.

—¿No?

Rocío intenta una sonrisa.

—No.

El reflejo del gris blanquecino del cielo se desliza sobre los ojos de Ilona. Vuelve el ceño. También el susurro del pozo.

—Querían decírtelo ellos —dice Rocío por fin—, pero me ha parecido conveniente hacerlo yo. —Ilona no la mira. Ha bajado de nuevo la cabeza—. Es mi responsabilidad

—añade, arrugando las manos sobre la mesa—. Luego hablarán contigo.

Suena un trueno sobre Buenavista, esta vez más cercano. Rocío se estremece. No le gustan las tormentas. Lo destrozan todo. Delante de ella, al otro lado del escritorio, Ilona sigue masajeándose las rodillas con la mirada perdida en algún punto del suelo, asomada a ese pozo que ahora Rocío casi intuye abierto a sus pies.

—Tiene que haber pasado algo —susurra Ilona—. Tiene que haber pasado algo.

Ida. Ilona está empezando a irse, y Rocío entiende que si deja que se vaya, que se pierda en lo oscuro de ese pozo al que está asomada, quizá la pierda. Siente el peligro.

—Sí, Ilona —suelta de pronto—. Hace tiempo, mucho tiempo, que está pasando algo —añade con una voz seca que cruje en la blancura del despacho como uno de los truenos que están por llegar desde el exterior—. Que pasan cosas que tú desconoces.

Ilona se queda quieta. Las manos reposan sobre las rodillas. Tensas.

—Desde el principio, Ilona.

Las manos se abren y se cierran, automáticas.

«La verdad —piensa Rocío, hundiendo la mano en el bolso que cuelga del respaldo de la silla y sacando el botellín de agua—. Dile la verdad».

—El señor Stephens y la señora Ross han decidido volver a casa, Ilona —dice, rodeando el tapón del botellín con los dedos.

Ilona inclina ligeramente la cabeza. Al otro lado del ventanal pasan dos figuras cargadas con cestas de ropa. Hablan del calor y de la tormenta que avanza en toda su negrura sobre la playa. Se desvanecen.

—Juntos —vuelve a hablar Rocío, abriendo el botellín, que deja escapar un chasquido—. Se van como llegaron.

Ilona sonríe. Es una sonrisa ausente, suspendida entre sus pómulos como la mueca de una muñeca antigua. «No lo entiende», piensa Rocío, tomando un sorbo de agua. «No, no me está entendiendo», decide con un suspiro cansado que Ilona ni siquiera percibe.

—La verdad, Ilona —empieza, dejando el botellín sobre la mesa y entrelazando los dedos sobre la madera blanca—, es que Otto y Clea ya se conocían antes de ingresar en el centro.

Un parpadeo. La sonrisa sigue ahí, pétrea. Rocío decide seguir. Hasta el final.

—Bueno, decir que se conocían es decir nada —continúa con una mueca torcida—. Ross es el apellido de soltera de Clea —dice, tensando la espalda—. Su nombre de casada es Stephens, Ilona. Clea Stephens.

Vuelve el ceño. Las manos se ponen en movimiento sobre las rodillas, lentamente, y los ojos de Ilona buscan en el suelo cosas que no están, que ella no entiende. Rocío percibe en ella un suave balanceo, casi imperceptible, y sobre la cabeza de Ilona un destello ilumina el ventanal desde fuera. El crujido seco de un trueno se hace eco de la luz, rompiendo el silencio.

—¿Entonces, Otto y Clea son...?

Rocío hace un gesto afirmativo.

—Sí.

Más balanceo. Los ojos se velan. El silencio aturdido de Ilona espolea la alarma en Rocío, que se apresura a llenarlo.

—Clea y Otto Stephens vinieron a verme hace unos meses —explica Rocío sin perder de vista el balanceo de Ilona—. La verdad, no sé si me corresponde a mí contarte esto, pero me voy a tomar la libertad de hacerlo porque creo que te ayudará saberlo.

Ilona no la mira. Sigue perdida en los cuadros blancos del suelo con los ojos entrecerrados y el ceño fruncido.

—Cuando los tuve aquí sentados, justo donde estás tú ahora, y Clea me contó lo que... lo que habían decidido, no supe cómo negarme, porque jamás hubiera imaginado que nadie vendría a pedirme una cosa así, te lo aseguro. —Baja los ojos durante un breve instante, tan fugaz que Ilona no se da cuenta—. No pude negarme, porque de algún modo entendí que si lo hacía estaba faltando a mi responsabilidad aquí —dice con una sonrisa forzada—. Me refiero a mi responsabilidad profesional, claro. A fin de cuentas, que yo sepa, en Buenavista no existe ninguna normativa, escrita o no, que prohíba esa clase de... de admisiones.

Ilona no dice nada. El silencio que mana de ella es una nube rota: jirones de preguntas inconclusas, fragmentos de frases torcidas, respiración difícil.

—En suma: Clea y Otto Stephens depositaron su confianza en mí y en el centro. Fueron muy claros desde el primer momento y yo lo agradecí —declara ligeramente apresurada. Luego añade, hablando más despacio—: En lo profesional, como directora de... esto..., me pareció una propuesta perfectamente aceptable —dice con un tono que no llega a sonar todo lo certero que le hubiera gustado—. En lo personal... me resultó extraño, muy extraño. Pero sobre todo me pareció... —Suelta un pequeño suspiro por la nariz y termina—: Enternecedor.

Ilona cierra los ojos y los mantiene así mientras Rocío se da un instante de tregua. Cuando vuelve a hablar, en la oscuridad del pozo al que Ilona se asoma, el agua despide imágenes y voces que no son las de Rocío. Las imágenes se superponen poco a poco, creando un caleidoscopio de ojos, ecos y gestos que van arremolinándose en desorden circular. Al fondo, en un rincón del presente que queda cada vez más alejado, Rocío narra la escena, reviviéndola para ella.

En el pozo de aguas negras que la confunden, Ilona mira desde arriba y lo que ve es atrás.

Es antes.

Primavera.

Clea y Otto sentados hace apenas unos meses en el lugar que ella ocupa ahora. Clea hablando y Rocío escuchando. Otto se pasaba la mano por el pelo en un gesto que Ilona conoce bien.

—Te lo explicaré de otro modo, pequeña —decía Clea, retomando la conversación y dirigiéndose a Rocío mientras se adelantaba un poco en la silla y se llevaba los dedos al collar de perlas que lucía sobre el suéter—. Hace una semana cumplí noventa años y no organicé ninguna fiesta.

Rocío apoyó la barbilla en las manos. No dijo nada.

—¿Sabes por qué?

Silencio.

—No hubo fiesta porque de repente tuve la triste sensación de que no había nada que celebrar, hija.

Rocío no habló. Clea ladeó la cabeza y prosiguió.

—Y porque de haberla habido no habría tenido a quién invitar —añadió, bajando la mirada.

Otto se aclaró la garganta y sonrió. Fue una sonrisa tímida, de compromiso.

—Otto me llevó a cenar a un restaurante al que le tengo un cariño especial por... bueno, por muchas cosas —continuó Clea—. Durante la cena, hablamos de todo y de nada, eso que hacen los viejos cuando llevan mil años juntos y están tan mayores que ni ganas de recordar tienen —dijo, soltando un pequeño bufido que Otto saludó con una nueva sonrisa, esta más triste—. Y así transcurrió la cena de mi noventa cumpleaños: Otto y yo solos porque los amigos, los pocos que ha habido a lo largo de todos estos años, los de verdad, se fueron antes, la vida se los llevó antes... como se llevó también a nuestro hijo y como ha instalado a nuestra única hija en el otro extremo del mundo, empeñada en tener una vida propia, como si no pudiera tenerla cerca de sus padres, o como si nosotros, que se la dimos, confabuláramos para que nos la devolviera porque no es la hija que nos habría... —lanzó una fugaz mirada a Otto antes de concluir—, que me habría gustado tener.

Rocío a punto estuvo de hablar, pero Clea levantó la mano y le mostró una palma arrugada, surcada de una maraña de líneas hondas y vivas.

—Y en ese momento, mientras mirábamos la carta de los postres, sentí que me faltaba el aire —continuó—. Miré a Otto, que seguía estudiando su carta, y se lo dije.

Rocío arqueó una ceja.

—Se lo dije entonces, sí.

Dos

En la calle llovía. Dentro, en el restaurante, los camareros se movían en silencio, atendiendo cada uno su mesa, solícitos. Clea levantó los ojos de la carta y miró a Otto.

—Ya sé lo que quiero.

Él siguió estudiando su carta.

—A ver si lo adivino. ¿El helado de coco con virutas de trufa fresca y pimentón dulce?

Clea apoyó los codos en la mesa y entrelazó las manos.

—No, Otto. No me refería al postre.

—¿Ah, no?

—No. Me refería a mi regalo.

Otto apartó la carta a un lado.

—Ah.

Al instante, el camarero recogió las cartas y sonrió.

—¿Han decidido ya los señores?

Otto le devolvió la sonrisa.

—Yo tomaré la Sacher con sopa de almíbar.

—¿La señora?

Clea agitó la mano, despidiendo al camarero y Otto bebió un poco de agua.

—Te escucho —dijo.

—He estado dándole muchas vueltas, Otto, y por fin lo sé.

—Ajá.

—Quiero... que hagamos un viaje. Unas vacaciones.

Otto se secó la boca con la servilleta.

—¿Unas... vacaciones?

—Eso he dicho.

—¿Unas vacaciones a dónde?

Clea negó con la cabeza.

—No es el dónde lo que importa, Otto, sino de qué.

Otto frunció el ceño.

—Creo que no te sigo.

Clea inspiró hondo y arrugó un poco los labios antes de hablar.

—Quiero que nos tomemos unas vacaciones de... nosotros.

Otto parpadeó y tragó saliva. Clea no.

—De repente, lo he visto, Otto. Hoy lo he visto. Aquí. Sentados los dos. —Guardó un par de segundos de silencio antes de preguntar—: ¿Qué hacemos, Otto?

—Clea...

—No, Otto. Dime y sé sincero: ¿qué hacemos desde hace años? ¿Vivir? ¿Convivir? ¿Esperar a que pase el tiempo? ¿Durar? Sí... ya sé lo que piensas, pero a mí no me valen esas paparruchas sobre la vejez tranquila y saludable de las revistas baratas. Como si los viejos no estuviéramos vivos, demonios. ¿Y si no para qué estamos?

Otto parpadeó, sorprendido.

—Siento que llevo años esperando contigo a morirme porque soy vieja y porque eso es lo que hacen las viejas buenas: callar, ser buenas y no molestar —continuó Clea—. Pero es que yo no soy una vieja buena, Otto. Yo tengo una vida detrás y, mientras tenga tiempo, la tendré también por delante. Y estoy cansada. Cansada de tener buena salud y buena cabeza porque no me sirven de nada si no hago algo con ellas —dijo palmeando con suavidad la servilleta—. Somos viejos, Otto, pero no estamos muertos. Y yo no quiero irme de aquí odiando la vida. Me dan igual los años vividos juntos, los hijos paridos y criados, tus éxitos, mis renuncias... todo. Me da igual porque hoy todo eso no cuenta.

Silencio. Apenas unos segundos.

—Quiero morirme viva. Ese es el regalo que te pido.

Cuando Otto iba a decir algo, apareció el camarero con el postre. Despacio, rodeó la mesa y depositó el plato con la Sacher delante de él. Luego se incorporó y sonrió antes de desaparecer.

—No sé qué decir, Clea.

—Di que sí. Es muy fácil.

—Pero es que todavía no sé lo que quieres.

Clea se reclinó contra el respaldo de la silla y buscó en él una comodidad renovada antes de volver a hablar.

—Hoy, mientras veníamos en el coche hacia aquí, he ido repasando todas las cosas que hemos sido juntos —empezó—. Hemos sido padres, marido y mujer, novios, viajeros, enemigos... contigo he conocido el amor, el desamor, el dolor, el duelo, el castigo, el rencor, los celos, la juventud compartida y también robada, la madurez acompañada, la vejez soportada... y he entendido que, después de todo, lo único que nos queda a día de hoy es la compañía y los recuerdos. Entonces he pensado: «Lo hemos hecho mal. Lo has hecho mal, Clea Ross, porque, a pesar de todo lo vivido, somos en cierto modo dos extraños». —Cerró los dedos sobre la servilleta y se llevó la otra mano al cuello—. Hemos vivido mal, Otto.

Otto apoyó el puño en la mesa y la miró, pero no dijo nada.

—¿Y sabes por qué?

Otto negó.

—Porque desde que nos conocimos hemos vivido aterrados por la idea de perdernos. Los dos. Como si esto fuera a durar eternamente. Como si no fuéramos a morirnos nunca.

Otto suspiró y apoyó los codos en el mantel. Siguió sin decir nada.

—Nos hemos equivocado, Otto.

—Yo no diría tanto —contestó él por fin.

—Y creo que nos merecemos una oportunidad.

Otto frunció el ceño. No estaba entendiendo.

—¿Una oportunidad?

—Sí —respondió Clea, asintiendo despacio con la cabeza—. Una oportunidad de conocernos de otra manera, como... como si no nos conociéramos. De querernos de verdad, desde lo que no se tiene, viéndonos por lo que somos, como si pudiéramos volver a empezar y hacerlo bien, sin miedos, sin lastres... sin nada que perder. Y que haya ilusión, poca o mucha, y risa, y volver a divertirnos... poder inventar mientras esperamos a irnos.

Otto seguía mirándola sin entender.

—Pero...

—Y, sobre todo, quiero poder perdonar, Otto. Irme limpia. Ligera.

—¿Perdonar?

—Perdonarte.

Otto no dijo nada. Bajó la cabeza y se quedó así unos segundos, respirando pesadamente hasta que por fin habló.

—Yo creía que ya estaba todo perdonado, Clea.

Aunque le dolía hablar, Clea supo que ya no había marcha atrás.

—No, Otto. No está todo perdonado porque no está todo dicho ni todo vivido.

Otto se recostó contra el respaldo de la silla y encogió ligeramente los hombros.

—Supongo que esa es una afirmación que no admite discusión, ¿no? —dijo.

—No es una afirmación, Otto —respondió ella—. Es una emoción. Y es mía. Y también un vacío que desde un tiempo a esta parte se me hace insoportable.

Otto la miró durante unos segundos a los ojos. Luego separó la espalda del respaldo de la silla para acercarse a la mesa.

—¿Y qué sugieres? —preguntó.

Clea sacó un cigarrillo del paquete que tenía junto al plato. Otto hizo un gesto con la cabeza.

—No dejan fumar. Ya lo sabes.

—Separarnos —respondió ella, sosteniendo el cigarrillo en alto—. Empezar de nuevo.

Otto cogió el paquete de tabaco y acarició distraídamente la suavidad del plástico transparente en un gesto que Clea conocía bien y que significaba: «Dame un segundo, estoy intentando pensar».

—¿Quieres... quieres separarte de mí? —preguntó por fin con una voz tan tímida que durante una décima de segundo a Clea se le encogió el pecho y a punto estuvo de decirle que no, que lo olvidara, que todo era una broma de las suyas. Una pesadez más.

—No —respondió, en cambio—. No me estás entendiendo.

—¿No? —La pregunta llegó acompañada de una mirada repentinamente iluminada como la que aparece en los ojos de un niño cuando le hablamos de un regalo que todavía no ha visto.

—Empezar de nuevo no es empezar lejos el uno del otro —aclaró ella—. No cada uno por su cuenta.

Otto respiró hondo. Aliviado.

—¿Entonces?

—Empezar de nuevo es… empezar de cero.

Una nueva sombra le nubló la expresión. Más confusión. Más miedo.

—Quiero que empecemos de nuevo como si fuéramos dos desconocidos —explicó Clea—. Que nos inventemos una vida en la que poder probarnos, crear un espacio en el que coincidir y descubrir si somos capaces.

Otto parpadeó, tomó un poco de vino y se aclaró la garganta.

—¿Inventarnos?

—Eso he dicho, sí.

—Pero... ¿cómo? Tú y yo somos quienes somos, Clea. No es tan fácil.

—No, nada fácil. Pero menos fácil es seguir viviendo así, esperando a morirnos porque, según las estadísticas, nos toca.

Otto no dijo nada.

—Yo quiero volver a emocionarme, Otto. Y para eso tenemos que aprender a... jugar.

—¿A jugar?

—A jugar, sí. Y a vivir. Y a arriesgar. Porque... ¿qué miedo podemos tener ya a estas alturas? Dime, ¿qué podemos perder?

Otto la miró y tardó en responder.

—Yo no quiero perderte —dijo.

—Entonces, juega conmigo. Y ayúdame —fue la respuesta de Clea.

Él bajo la mirada y, antes de que dijera nada, pasaron tres cosas. La primera fue que apareció el camarero para tomar nota de los cafés, que no pidieron. La segunda fue que Clea a punto estuvo de encender un cigarrillo, aunque se contuvo a tiempo. Y la tercera, que en ese breve intervalo de interrupción ella supo el cómo y también el dónde.

Cuando el camarero desapareció, anunció a Otto:

—Tengo un plan.

Él se volvió a mirarla, se llenó la copa de vino y se la acercó a los labios antes de murmurar:

—Tú siempre tienes algún plan. —Clea prefirió no contestar a eso. Entendió que Otto no hablaba desde el enfado, sino desde el temor. Reconoció en esa voz al Otto más triste, al más vulnerable. Cuando terminó de beber, dejó la copa sobre la mesa e intentó una sonrisa—. Te escucho —dijo.

* * *

En el despacho, la luz oscura y gris se deshilacha ahora poco a poco, separándose de las negras aguas en las que Ilona ve y oye en primera persona lo que Rocío narra desde su lado de la mesa. El caleidoscopio gira de nuevo y las voces, los rostros de Otto y Clea y el olor a primavera se desvanecen en lo profundo hasta que el violento estallido de un nuevo trueno rompe el aire de la habitación, despertando bruscamente al presente.

Ilona abre los ojos y el bamboleo de su cuerpo se detiene durante un instante.

—El plan de Clea era tan sencillo que en un primer momento me resultó casi infantil —sigue contando Rocío—. Había decidido que tanto ella como Otto se instalarían aquí, en el centro, durante un plazo de tres meses. «Un plazo de prueba», así lo llamó ella. Ingresarían utilizando su apellido de solteros y fingirían desde el primer momento no conocerse. Nadie en el centro, salvo yo, debía saber la verdad. «Necesitamos un entorno nuevo, distinto», me dijo Clea, «un escenario». A partir de ahí, según me contó, intentarían, cada uno por su parte, descubrir al otro desde una perspectiva distinta, olvidándose de los vínculos existentes entre los dos. «Quiere saber si podemos ser amigos y si es capaz de perdonar... de perdonarme», aclaró Otto en una de sus pocas intervenciones. Ambos eran conscientes de que las posibilidades de que algo así saliera bien eran mínimas, pero Clea estaba totalmente decidida. «Si no funciona», dijo, «si después de estos meses resulta que no puede ser, lo más probable es que yo me quede aquí definitivamente y él vuelva a... a casa. O quizá se vaya a vivir con nuestra hija a Montreal. Quién sabe». Cuando quise preguntar, ella me atajó. «Somos dos viejos cansados y demasiado lúcidos para nuestra edad que tienen derecho a darse una última oportunidad. Solo eso», dijo. «Bueno, quizá yo más que él», añadió con una sonrisa. «Más cansada, quiero decir. No más lúcida» —explica Rocío con una risa minúscula.

Ilona recorre durante un instante con los ojos la ventana que enmarca la cabeza de Rocío. Sigue en silencio. Tiene los labios apretados y se masajea ahora el vientre con una mano. La otra sigue aún sobre la rodilla izquierda.

—El resto, ya lo sabes —dice Rocío. Como Ilona sigue sin hablar, añade con una sonrisa forzada—: Les ha salido bien. Por eso se van, Ilona.

Más silencio. La mano se detiene ahora sobre la rodilla y la otra, la que acaricia el vientre, sigue circulando despacio sobre el blanco de la camiseta.

—Deberíamos alegrarnos —dice Rocío antes de inspirar hondo y seguir durante unos segundos con la mirada el movimiento circular de la mano de Ilona—. ¿No te parece?

Ilona baja los ojos. Un nuevo trueno restalla al otro lado de la ventana. El cristal vibra. Rocío se estremece.

—Va a llover —dice Ilona, clavando una mirada plana en la ventana que ahora se ilumina desde fuera con un fogonazo de luz blanca.

Rocío inclina la cabeza y deja escapar un leve suspiro por la nariz.

—Quién sabe. Ayer también parecía que iba a llover y ya ves lo que pasó.

Ilona no aparta los ojos de la ventana.

—Va a llover —repite al tiempo que un par de truenos se encadenan entre las nubes que están ahora justo encima del despacho. Luego apoya las manos sobre las rodillas y se levanta despacio, trabajosamente. En su rostro se dibuja una mueca tan hueca y tan ida que Rocío siente un pequeño calambrazo de alarma.

—Ilona...

Ilona termina de levantarse, retira la silla a un lado y se dirige con paso mecánico hacia el ventanal que da al jardín. Rocío la observa caminar desde atrás con la espalda encogida, herida, diríase que a tientas.

—Ilona, espera...

En el umbral de madera blanca, Ilona se detiene un instante, encuadrada sobre el fondo verde del jardín y un trozo de cielo negro y móvil, y, sin volverse de espaldas, dice por última vez, probablemente a nadie:

—Va a llover.

Tres

La cama cubierta de ropa: camisetas, bragas, calcetines, un par de toallas, abrigos y suéteres. Hay una maleta de lona amarilla abierta a los pies y también un portátil sobre su funda de cuero negro en el suelo. A un lado, el armario con las dos puertas abiertas de par en par, casi vacío, salvo por unas gastadas botas de piel y una gabardina cubierta por un plástico transparente.

Cuando entran a la habitación, Clea y Otto Stephens se quedan de pie junto a la puerta, visiblemente extrañados. Sebastián sale de pronto de debajo de la cama y corretea despacio a saludar, levantándose sobre las dos patas traseras y apoyando las delanteras en la pierna de Clea, que se agacha a acariciarle la cabeza y le susurra unas palabras cariñosas.

A su lado, Otto recorre la habitación con la mirada. Las dos fotografías han desaparecido de la cómoda y las postales que estaban enganchadas al espejo también. Lo que tiene ante sus ojos es una habitación prácticamente desnuda.

—Clea —dice en voz baja.

Clea se incorpora y estudia ella también el espacio. «Qué poca ropa», se sorprende pensando al barrer con los ojos los montones de ropa ordenadamente colocados sobre el edredón blanco de la cama. Luego, también capta la desnudez de la habitación, los detalles borrados. «Ilona se va», piensa entonces mientras un trueno ruge sobre sus cabezas, haciendo temblar los cristales de las tres ventanas. Justo en ese instante, una pequeña corriente de aire cierra la puerta a sus espaldas. Clea se estremece y Otto le pone la mano en el brazo. Los dos giran la cabeza para mirar atrás.

Cuando vuelven la mirada a la habitación, un rayo ilumina desde fuera la cama y la ropa que la cubre, enmarcando al fondo la figura de Ilona contra la puerta del cuarto de baño. Va vestida de blanco, con una camiseta y un pantalón de algodón, y lleva un neceser en la mano. Está inmóvil.

—Señorita Ilona —balbucea Otto con una sonrisa tímida. Ilona mueve los ojos hacia él, pero no dice nada. A pesar de la hora, la luz que entra desde el exterior es prácticamente inexistente. En la negra oscuridad del cielo que corona el jardín, parpadeos cada vez más repetidos de electricidad.

—Ilona —dice Clea con suavidad. Luego, al ver que la figura sigue donde está, sin inmutarse, traga saliva—. Hija.

Silencio. La figura sigue inmóvil, ensombrecida por la falta de luz como un borrón. Clea deja escapar un suspiro antes de volver a hablar.

—¿Estás bien, niña?

El silencio se prolonga desde la puerta del baño y el borrón se encoge ligeramente sobre sí mismo. Clea baja durante un instante la cabeza.

—Ya te has enterado, ¿verdad?

Silencio. Más. Más hondo. Más cargado.

—Supongo que te lo ha dicho Rocío.

La figura parece moverse ahora, aunque el gesto es tan leve que ni Otto ni Clea saben con seguridad si realmente ha existido.

—Queríamos hablar contigo antes —dice Otto, intentando ocultar su inquietud—, pero ella nos ha pedido que esperáramos.

Ilona parpadea despacio. Tiene la mirada clavada en algún punto de la pared que, desde donde están, ni Otto ni Clea alcanzan a ubicar. La luz amarilla del baño la ilumina por detrás, oscureciéndole los rasgos, y el aire de la habitación está tan cargado que la humedad parece cubrirlo todo.

Por fin, Ilona se mueve. Avanza despacio arrastrando los pies hacia la cama con el neceser contra el pecho y, cuando llega al centro de la habitación, se vuelve a mirar hacia una de las ventanas y dice:

—Va a llover.

Otto cierra su mano sobre el brazo de Clea como un garfio débil y oxidado y Clea entiende que, de todos los escenarios que hubieran podido barajar antes de entrar al bungaló, el que la suerte les ha regalado es el peor. Automáticamente levanta la mano y acaricia con los dedos la de Otto. A un par de metros, Ilona se pasa la suya por el vientre.

—Estoy tan cansada... —dice en un susurro lleno de aire, como si pensara en voz alta, todavía con los ojos clavados en la pared. Luego guarda silencio durante un suspiro antes de seguir—: Es difícil imaginar lo que cansa tener que desprenderse tantas veces de tantas cosas... —añade sin dejar de masajearse el vientre con un movimiento circular. Y, antes de que Clea u Otto puedan hablar, continúa, ahora con los ojos fijos en la ventana—: En este lado, los perdedores. En ese, los que perdemos por el camino, los que se van sin avisar y nos dejan así, dejados. —Se vuelve entonces a mirar a Clea y a Otto con una sonrisa tan dura que Otto baja los ojos en un gesto casi inconsciente, avergonzado—. Lo triste, lo realmente triste, es que quizá si yo estuviera en el otro lado, en el de los que dejan, también me dejaría.

Clea entrecierra los ojos y cierra la mano sobre la de Otto.

—No hables así, niña.

La sonrisa queda ahora emblanquecida por el resplandor de un relámpago que cubre de luz el jardín.

—Es que yo... —dice Ilona, apretándose el neceser contra el pecho—. Yo creía que importaba.

Clea traga saliva y Otto se aclara la garganta.

—Quería importar —añade con una voz que empieza a resquebrajarse contra la semioscuridad de la habitación.

—No digas eso —se oye decir Otto con un tono tan delicado, tan lleno de compasión, que durante un instante a Clea le cuesta reconocerle en él.

—Qué fácil, ¿verdad? —susurra ahora Ilona, bajando los ojos—. Qué fácil desprenderse de Ilona. Qué fácil debemos de ponerlo las Ilonas del mundo para que contemos tan poco. —Vuelve a alzar la mirada antes de seguir—. ¿Qué mal hacemos en pedir tan poco, en esperar tan poco, en querer que nos vean y que vean que también estamos y que la vida nos duele tanto como a cualquiera si nos hacen daño? ¿Qué mal hacemos confiando, esperando, creyendo? —Inspira hondo y traga saliva—. ¿Por qué lo hacemos tan mal? ¿Por qué sigo haciéndolo tan mal y por qué no cambia nada?

El rostro de Ilona es ahora un pozo hondo y negro en el que las aguas del fondo se arremolinan contra el moho oscuro de las paredes. Tiene los dientes apretados, la mandíbula perfilada contra la penumbra y los ojos brillantes.

—Por lo menos han venido a decir adiós —susurra con una mueca fea—. Hace mucho tiempo que nadie lo hacía.

Clea carraspea junto a la puerta. Las últimas palabras de Ilona siguen todavía resonando en sus oídos cuando al fin habla.

—No hemos venido a despedirnos, niña.

Ilona se acerca despacio a la cama. El comentario de Clea queda engullido por un nuevo trueno que encuentra su eco en otro, encadenados los dos. Cuando Ilona toca el colchón con la pierna vuelve a detenerse.

—Yo... preferiría que se marcharan.

Otto da un paso adelante, pero Clea tira de él hacia atrás y le dedica una mirada tranquilizadora. «Calma —dice su mirada—. Yo me ocupo». Otto suelta un suspiro de resignación y opta por quedarse donde está.

—Hemos venido a hablar contigo, Ilona, no a despedirnos.

Ilona tarda unos segundos en moverse. Cuando lo hace, es para dejar el neceser dentro de la maleta. Luego se queda mirando la cama y recorre con los ojos toda la ropa que la cubre.

—Parece mentira lo poco que ocupa una vida, ¿no? —dice con un amago de carcajada que suena como un crujido hueco—. Una maleta, un ordenador... quizá ni siquiera necesite tanta ropa. Estos suéteres... podría dejarlos aquí. Este, por ejemplo —coge uno rojo de algodón con capucha—, seguro que le sirve a alguna de las cuidadoras. O este. —Coge uno blanco de cuello vuelto que no se ha puesto desde hace años—. ¿Para qué quiero yo esto si no me lo pongo nunca?

Clea da un paso adelante.

—Queremos decirte algo, niña.

—Y estos pantalones. Cuánto hace que dejaron de llevarse estos pantalones... —prosigue Ilona, totalmente ajena a Clea y a lo que ocurre a su alrededor.

Clea avanza despacio en la penumbra, observando atentamente el perfil de la figura ahora recortada contra el aire caliente de la habitación. Ilona sigue hablando a nadie con una alegría que no es real porque llega ciega y sorda, bañada en moho.

—Escúchame, niña.

Ilona sigue concentrada en su bucle de palabras vacías, sacando ahora otro suéter del montón, ahora unos calcetines, parloteando en voz baja sin parar, como una autómata, desechando piezas, desbaratando zapatos, desplegando sábanas, toallas... hasta que Clea alarga la mano y cierra los dedos sobre su muñeca.

—Niña.

Ilona calla de golpe y al instante un silencio casi sólido se expande sobre la cama como las nubes que ahora oscurecen el jardín, anegándolo todo en un falso eclipse. Los dedos de Clea tocan la tensión de su muñeca y tiran del brazo hacia ella, pero Ilona está clavada al suelo y no se mueve.

—Niña.

No hay movimiento. Solo dureza y resistencia. Y electricidad, fuera y también dentro.

—No hemos venido a dejarte, pequeña —dice Clea, sin dejar de tirar mientras Ilona sigue recorriendo la cama con los ojos como si buscara algo que no aparece.

Lejos, está lejos Ilona, y Clea la sujeta con los dedos crispados y el hombro convertido en un pequeño nudo de dolor. «Se me va —piensa Clea de pronto—. Si la suelto, la perderemos. Entonces no habrá marcha atrás».

—Otto y yo volvemos a casa, es cierto —dice con una voz ronca y esforzadamente dulce—. Pero no queremos despedirnos de ti.

Un trueno cruje sobre el bungaló y un instante después algo repiquetea tímidamente contra el tejado.

—Queremos que vengas con nosotros.

La muñeca se relaja durante apenas un segundo. Sobre el techo de la habitación, las gotas caen como una cortina de finas agujas que suenan sobre Clea, Otto e Ilona como cientos de miles de pies diminutos en un inquietante desfile y los truenos restallan ahora sin tregua, como si alguien estuviera rompiendo cartones viejos desde arriba.

—En casa hay sitio de sobra para ti y para... el niño.

Ilona traga saliva, todavía de perfil. Luego se vuelve despacio a mirar a Clea. Tiene los ojos velados por algo que no es dolor. Es ausencia. Defensa.

—¿El... niño?

Clea suelta el aire por la nariz.

—Cosas de Otto —dice con una sonrisa de anciana rendida y un tono cariñoso con el que intenta atrapar a Ilona en lo más inmediato, devolverla a la habitación—. Ya sabes cuánto le habría gustado ser abuelo. —Al ver la expresión pétrea de Ilona, añade, ligeramente impaciente—: En fin, ya sé que quizá te parezca una locura, pero tenía que decírtelo, porque desde que sabe que estás embarazada, este viejo no piensa en otra cosa y no hay quien le calle.

Ilona parpadea y durante una décima de segundo su mirada se encuentra con la de Otto, que sigue de pie junto a la puerta con la espalda encogida. El que ven sus ojos es un Otto hasta ahora desconocido: un anciano encogido y tímido, mayor, casi frágil. «Desvalido», piensa Ilona en su nube de aguas negras, intentando añadir ese nuevo plano de Otto a la figura que guarda en la memoria más reciente. Poco a poco, en los segundos que siguen, el pozo empieza a quedar abajo, más y más abajo, y al rostro de Ilona asoma un minúsculo atisbo de luz como asoma ahora el corazón de la tormenta sobre el jardín, empapando árboles, tejados y césped.

Piedras, miles de piedras rebotan repentinamente contra todo, rompiendo ramas, hojas y cubriendo la arena de la playa de un manto blanco y helado. El mar ruge desde abajo, espumeando la escarcha. Ilona se balancea ahora ligeramente a un lado y a otro sin decir nada. Clea lo nota en su muñeca, que sigue resistiéndose a ella.

—Yo... —empieza Clea a su lado mientras el diluvio de piedra y agua lo cubre ya todo. Habla con una voz distinta, desacostumbrada—. Yo quisiera tu compañía, niña. Y... bueno... tenerte cerca. —Traga saliva una vez más. No es fácil. Para Clea no—. No quiero... —continúa antes de interrumpirse y volverse a mirar a Otto, que desde su rincón esboza una sonrisa tan triste que Clea a punto está de no seguir—, no queremos perderte. —Y, bajando los ojos, añade—: Nosotros también hemos perdido demasiadas cosas por el camino, hija.

Ilona vuelve los ojos hacia Clea. Las dos mujeres se miran.

—Y si no quieres tenerlo —dice Clea, inspirando hondo—, será mejor que no pases por eso sola. —Se vuelve a mirar a Otto, que se encoge aún más contra la pared y parpadea, antes de bajar la cabeza—. Alguien tendrá que cuidar de ti, hija.

Ilona mueve despacio la cabeza a un lado, desviando la mirada, y sus ojos reparan entonces en los dedos que le envuelven la muñeca. Nota la tensión, la propia y la ajena, y que la mano lleva un rato tirando de ella, sujetándola, pidiendo una cercanía que hasta ese momento no ha sabido entender.

—Demasiadas cosas —repite con un hilo de voz que desde fuera la tormenta apenas respeta—. Son demasiadas cosas —insiste, encogiéndose un poco sobre sí misma, porque el nudo que tiene en el pecho ha dado un tirón a traición y con él ha llegado también un dolor nuevo, más cálido, más acompañado.

Clea cierra aún más los dedos sobre su muñeca y tira de nuevo.

—Niña.

La muñeca se relaja. Ilona inspira hondo por la boca y con una voz entrecortada en la que apenas cabe el aire logra decir:

—Es que yo...

Clea tira, tensándose entera una vez más. Un trueno ruge en algún punto de lo que no es tierra y la voz de Ilona corona su eco.

—Yo solo quiero que me abracen.

En su rincón, Otto cierra con fuerza los ojos y agradece la oscuridad que encapsula el aire húmedo de la habitación, porque siente que la humedad no solo está fuera, sino también dentro: en la boca, en los ojos, en todo lo blando. Siente que tiene pena, aunque no sea la suya, y siente también que tiene miedo de que este momento tenga un final que no merece. «Dios mío —se oye pensar—. Que venga».

A tres metros escasos de donde él se encuentra, Clea tira por última vez de la muñeca de Ilona y nota ahora un abandono lento, muscular y filial en la figura que se acerca a ella desde la cama con el cuerpo entrenado para la tensión.

—Niña.

Entonces Clea le pasa las manos por debajo de los brazos y, apoyándolas en los hombros, pega a Ilona contra su pecho, encajando la barbilla sobre su clavícula.

—Niña —le susurra al oído.

E Ilona se queda así, anclada al pecho huesudo de Clea como una marioneta, con los brazos a los lados, sin respirar siquiera, y la mejilla encajada contra la dureza del pómulo reseco y viejo de Clea. Y, entre el estruendo de la piedra y del agua que retumba sobre Buenavista, un ladrido seco se abre camino desde algún rincón del jardín, rasgando el rugido natural de la tormenta y de las olas que en la playa se abalanzan sobre la escarcha blanca que cubre la arena.

O es una tos ronca.

O es quizá un pequeño pozo oscuro y hondo cuyas piedras se derrumban ahora sobre el agua en una lluvia de moho y suciedad.

Y una voz llena de arena, mocos y agua colgada sobre el pecho de una anciana de huesos fuertes que no deja de acariciar la herida que llora entre sus brazos mientras le susurra una y otra vez:

—Niñaniñaniñaniñaniña.

En la semioscuridad del bungaló, los ojos de Otto ven lo que sabe que no ha de olvidar en los años que le quedan de vida: a Clea abrazada, dando calor, envuelta en una ternura que tal vez él jamás reciba, y a Ilona dejándose abrazar, torpe y encogida contra un cariño que le es nuevo, empapándose en calidez. Fuera, la tormenta cae a plomo, desatada, limpiando aire y tierra y llevándose cosas que nadie ve pero que importan.

Y, desde su rincón, Otto saca su pañuelo de la chaqueta y empieza a secarse despacio la cara con una sonrisa avergonzada.

Sonríe, sí.

«Está bien. Esto está bien», piensa, secándose los ojos. «Está bien porque suena bien», decide con un nudo en la garganta mientras al otro lado de la ventana, la lluvia continúa cayendo con fuerza sobre el jardín, y más allá, en el edificio principal, Rocío sigue el curso de la tormenta, haciendo un automático inventario de cada rama rota, de la parte de la buganvilla que ha quedado arrancada de una de las paredes, de las hortensias combadas y la hierba cubierta de escarcha.

Suspira por la nariz. Luego se acaricia la barbilla y arruga los labios. A lo lejos, sobre el horizonte, un destello despeja luz sobre el mar. No hay trueno. Ya no hay eco.

—Cuánto trabajo —murmura antes de sacudir la cabeza y chasquear la lengua con una mueca en la que se mezclan por igual resignación y fastidio—. Condenada tormenta.

Cuatro

El Mercedes se desliza lentamente por el camino hacia el portón. Clea y Otto van sentados detrás. Desde la puerta del bungaló, Ilona ve sus cabezas enmarcadas en la luna trasera como las coronillas grises de dos marionetas de tamaño real.

La grava mojada cruje al paso del coche, que refleja en su lustre negro las escasas nubes que pueblan el cielo del crepúsculo. La tormenta es pasado. Queda solo su huella húmeda y violenta, nada más. Y queda también un aire fresco que es el primer soplo real del otoño.

Cuando el coche llega al portón, la ventanilla del chófer baja silenciosa y el guarda se acerca. Parco intercambio de frases entre chófer y guarda, y el portón metálico chasquea antes de empezar a abrirse con un chirrido.

Ilona se abraza y se acaricia los brazos con los dedos, apoyada en el marco de la puerta del bungaló, mientras el portón termina de abrirse y el guarda vuelve a acercarse al coche. En ese momento, Clea gira la cabeza en la pantalla de cristal de la luna trasera y sus ojos barren el jardín mojado hasta encuadrar la figura de Ilona y depositar en ella la mirada.

Ilona inclina la cabeza y se frota la piel con más fuerza. Los ojos de Clea brillan contra los suyos desde el coche y las miradas de las dos se encuentran, directas y enfocadas.

Hay entonces un vacío de espera. Y hay también un puente que las dos mujeres tienden sobre ese vacío como un hilo de seda, suave y flexible. Inmediato.

A este lado del puente, Ilona, respirando los restos de lluvia desde sus ojos azules y despejados.

Al otro, Clea, mirando tranquila, recorriendo la geografía de Ilona como una fiera con su cría y abrazándola con los ojos mientras dura la quietud y el motor del coche ronronea, a punto de volver a la vida.

Dos mujeres.

Dos extremos.

Y en el segundo que antecede a la partida, Clea se gira un poco más y, sin voz, articula desde sus labios arrugados un mensaje que cruza el puente sobre el vacío hasta clavarse en las pupilas de Ilona: «Niña», dicen los labios desde el coche.

Ilona parpadea desde su extremo del puente y se abraza con más fuerza, buscando su propio calor.

El coche arranca por fin.

El puente se tensa.

Y en la puerta del bungaló, Ilona sonríe, y su sonrisa se columpia sobre el vacío hasta que encuentra su eco en los labios de Clea y las dos se miran.

Como solo saben hacerlo dos mujeres que saben que han de volverse a ver.

Muy pronto.

Así se miran.

Entonces el Mercedes arranca, elaborando dos surcos paralelos sobre la grava mojada hasta desaparecer tras el portón como una sombra. Ilona apoya la cabeza despacio contra el marco de la puerta y una paz inmensa la envuelve desde el jardín, relajándole poco a poco los ojos sobre esa sonrisa que todavía dura. Que ha de durar.

Y el chillido de una gaviota que aletea ahora desde el acantilado, alzando el vuelo sobre Buenavista.

Sobre el coche que se aleja.

Sobre Ilona inclinada contra la puerta del bungaló.

Y sobre Rocío en su ventana.

Rumbo a mar abierto.

Agradecimientos

Mi más sincero agradecimiento a Sandra Bruna, porque ya son muchos años juntos; a Raquel Vidal, seis febreros y cuánto hemos aprendido desde entonces; a Sybille Martin, traductora y amiga; a todas las Pubill, claro; a Menchu Solís, por los abrazos; a Berta Bruna, cómo no; a Alicia Quadras, por Sitges; a Claudina Jové, tú sabes por qué; a Sasa, aquí seguimos; a Elsa Punset y a Laura Rojas-Marcos, mis niñas; y, sobre todo, a Rulfo, que sigue durmiendo a mis pies mientras escribo, esperando sus paseos.

Y gracias a ti, Ofelia, porque es imposible ser más Grande.

ÍNDICE

Libro primero

I. Buenavista 13
II. Ilona o la niña de las rodillas rotas 35
III. Kata o el día que tres tristes rusos quisieron comer bien 65

Libro segundo

I. Un hombre solo 109
II. La voz de los perdidos 145
III. Un banco y cincuenta fotos 191

Libro tercero

I. Tanto tiempo 227
II. La música de un chelo 257
III. El alma del mundo 291